ANGLAIS

Collectif

ANGLAIS

Librio

Inédit

Avant-propos

Cet ouvrage a pour objectif d'offrir à tous ceux qui désirent pratiquer l'anglais sans être entravés par trop de lacunes les réponses aux complexités de la grammaire, de la conjugaison anglaise et un corpus lexical généraliste.

Il est divisé en quatre parties :
– La première, consacrée à la **Conjugaison anglaise**, aborde de manière synthétique les questions de temps, d'aspects, de modalité et d'auxiliaires liées aux verbes.
– La deuxième, la **Grammaire anglaise**, couvre l'ensemble des points d'orthographe et de syntaxe de base.
– La troisième, le **Vocabulaire anglais courant**, propose des listes thématiques de mots accompagnés d'encadrés regroupant des expressions ou des phrases complètes qui permettent de parvenir aux automatismes de la conversation courante.
– La quatrième partie, **L'anglais est un jeu**, organisée autour de dix thématiques, permet de réviser ses connaissances tout en s'amusant.

Transversal, cet ouvrage s'adresse autant aux collégiens, lycéens et étudiants qu'à tout apprenant hors contexte scolaire.

SOMMAIRE

PREMIÈRE PARTIE
Conjugaison anglaise
par Anne-Marie Bonnerot

DEUXIÈME PARTIE
Grammaire anglaise
par Anne-Marie Bonnerot

Abréviations et symboles

adj. : adjectif	* : verbe irrégulier
fam. : familier	>< : contraire de
f.a. : faux ami	☺ : expression familière
indén. : indénombrable	⚠ : expression argotique ou
n. : nom	vulgaire, à n'utiliser qu'avec
plur. : pluriel	précaution
sing. : singulier	

Tableau des signes phonétiques
conforme à l'Association phonétique internationale

Voyelles	Consonnes
[ɪ] ship, hit	[b] big, bat
[ɪ:] sheep, meat	[d] door, dig
[ɒ] dog, watch	[f] fine, fly
[ɒ:] wall, fork	[g] ghost, gown
[e] desk, head	[ʒ] vision
[æ] hat, shall	[dʒ] jet, job
[a:] far, bath	[h] hat, hill
[ʊ] foot, cook	[k] cut, kick
[ʊ:] food, shoe	[l] little, lake
[ə] again, mother	[m] man, mouse
[ɜ:] girl, burn	[n] not, gun
[ʌ] cup, tough	[ŋ] singing, song
	[p] pig, power
	[r] rain, rabbit
	[s] so, sick
Diphtongues	[z] zoo, is
	[ʃ] shop, shower
[əʊ] home, boat	[tʃ] cheap, child
[aʊ] now, house	[t] tie, talk
[eɪ] date, weight	[θ] thought, thing
[aɪ] my, night	[ð] the, this
[ɪə] near, here	[v] vow, vacant
[ɛə] chair, there	[w] water, when
[ʊə] poor, sure	[j] yes, million
[ɒɪ] boy, noise	

N.B. L'accent tonique ['] et l'accent secondaire [ˌ] précèdent la syllabe accentuée.

PREMIÈRE PARTIE
Conjugaison anglaise

par Anne-Marie Bonnerot

Chapitre 1

Les auxiliaires

Pour savoir conjuguer, il est essentiel de savoir distinguer les auxiliaires des verbes.

Cette partie, consacrée aux auxiliaires anglais, récapitule les emplois et les conjugaisons des auxiliaires en anglais.

Les auxiliaires sont presque toujours présents dans la langue anglaise.

En effet, les formes négatives et interrogatives de l'anglais ne peuvent pas se passer d'auxiliaire (sauf cas particulier du verbe « to be », cf. page 29).

Par ailleurs, il arrive fréquemment qu'ils apparaissent aussi à la forme affirmative, soit pour des questions de conjugaison, soit parce qu'ils ajoutent au verbe une notion particulière (cas des auxiliaires de modalité).

Parmi les auxiliaires, nous en comptons et distinguons deux catégories :
• « be », « have », « do »
• les auxiliaires modaux, appelés aussi les auxiliaires de modalité (can, could, may, might, must, shall, should, will, would...).

Ces deux catégories d'auxiliaires ont en commun le fait :
– d'avoir des formes pleines et contractées.
– de porter la négation.
  À la forme négative, on peut les contracter avec « not » sous la forme « n't » (ex. : isn't, haven't, doesn't, mustn't, shouldn't...).
– de se déplacer dans la phrase, à la forme interrogative.
– d'être toujours associés à un verbe lexical (un auxiliaire n'est jamais employé seul).

Ces deux catégories d'auxiliaires n'ont cependant pas les mêmes fonctions :
– « be », « have » et « do » sont employés pour former la conjugaison des verbes.
– les auxiliaires modaux, eux, ajoutent au verbe qui les accompagne une notion particulière telle que la permission, la probabilité, l'obligation, etc.

De nombreuses notions sont exprimées grâce aux modaux, telles que la capacité, la permission, le refus, la probabilité, l'obligation, l'interdiction, etc.

La modalisation consiste à nuancer, quantifier, évaluer les chances de réalisation de ce qui est dit.

L'énonciateur, s'il modalise son énoncé, n'est pas neutre, il porte un jugement sur ce qu'il exprime.

Ces modaux n'ont pas d'équivalent strict en français.

Ils correspondent à des expressions telles que : « *Il se peut que, Il faut que...* » ; des adverbes comme « *peut-être, sûrement...* », ou encore des verbes lexicaux tels que : « *devoir, pouvoir...* », etc.

Contrairement aux auxiliaires, les verbes (« to be » mis à part) se conjuguent à tous les temps, n'ont pas de formes contractées, et font appel à des auxiliaires à la forme interrogative et négative.

BE, HAVE ET DO

« Be », « Have » et « Do » existent en anglais, tantôt comme **auxiliaires**, tantôt comme **verbes**.

Ils ont donc un statut à part parmi les auxiliaires et parmi les verbes.

Aussi, on distinguera les emplois et les conjugaisons de ces « opérateurs » de la langue anglaise quand ils sont utilisés comme **auxiliaires** ou comme **verbes**.

1) BE

« Be » est un cas unique en anglais :
– il est tantôt auxiliaire, tantôt verbe, le verbe « to be » à l'infinitif.
– il a sa propre conjugaison au présent et au prétérit.
– il n'a pas besoin d'auxiliaire, à la forme interrogative et négative.

C'est un outil incontournable de la langue anglaise qu'il faut bien connaître et dont il faut bien comprendre le fonctionnement, tantôt en tant qu'auxiliaire, tantôt en tant que verbe.

1. L'auxiliaire « be »

Les auxiliaires « be », « have » et « do » sont des outils qui servent à la conjugaison des verbes. Comme tous les auxiliaires, ils peuvent se contracter ; ce sont eux qui portent la négation et se déplacent dans les questions. Ils sont toujours associés à un verbe lexical.

a) Emplois de l'auxiliaire « be »
L'auxiliaire « be » a deux emplois :
• Il s'utilise pour conjuguer les verbes lexicaux à la forme continue (appelée aussi forme progressive ou encore forme « be + -ing »).
On le trouve donc conjugué au – présent continu
                              – prétérit continu
                              – present perfect continu
                              – past perfect continu
• Il sert aussi à former le passif (be + participe passé).

b) Conjugaisons de l'auxiliaire « be »
Un auxiliaire étant toujours associé à un verbe lexical, l'auxiliaire « be » est conjugué ci-dessous avec le verbe « to walk » (« *marcher* »), que l'on pourrait remplacer par n'importe quel autre verbe lexical.
Sans le verbe lexical auquel il est associé, on ne peut pas traduire un auxiliaire.

Auxiliaire « be » au présent continu :

FORMES PLEINES   FORMES CONTRACTÉES

AFFIRMATION

FORMES PLEINES	FORMES CONTRACTÉES
I am walking	I'm walking
You are walking	You're walking
He / She / It is walking	He / She / It's walking
We are walking	We're walking
You are walking	You're walking
They are walking	They're walking

Traduction :
Je marche, tu marches, etc.

NÉGATION

FORMES PLEINES	FORMES CONTRACTÉES
I am not walking	I'm not walking
You are not walking	You aren't walking / You're not walking
He / She / It is not walking	He / She / It isn't walking / He / She / It's not walking

We are not walking   We aren't walking / We're not walking
You are not walking   You aren't walking / You're not walking
They are not walking   They aren't walking / They're not walking

Traduction :
Je ne marche pas, tu ne marches pas, etc.

INTERROGATION

Am I walking?
Are you walking?
Is he / she / it walking?

Are we walking?
Are you walking?
Are they walking?

Traduction :
*Suis-je en train de marcher ? ou Est-ce que je suis en train de marcher ?,
etc.*

INTERRO-NÉGATION

Am I not walking?   Aren't I walking?
Are you not walking?   Aren't you walking?
Is he / she / it not walking?   Isn't he / she / it walking?

Are we not walking?   Aren't we walking?
Are you not walking?   Aren't you walking?
Are they not walking?   Aren't they walking?

Traduction :
*Ne suis-je pas en train de marcher ? ou Est-ce que je ne suis pas en train
de marcher ?, etc.*

• L'auxiliaire « be », comme les autres auxiliaires, existe sous deux formes : une forme pleine et une forme contractée.
• Les formes contractées s'emploient couramment en anglais, mais jamais en fin de phrase (ex. : What a liar you are! *Quel menteur / Quelle menteuse tu fais !*) ni dans les « short answers » (ex. : Yes, I am. *Oui.*)
⚠ Attention à la forme contractée « 's » qui peut être la contraction de « is » (ex. : What's happening? *Que se passe-t-il ?*), de « has » (ex. : What's happened? *Que s'est-il passé ?*) ou encore la marque du cas possessif singulier (ex. : Paul's car is red. *La voiture de Paul est rouge.*).
• Il existe deux formes contractées pour la négation (sauf à la première personne).
On peut employer l'une ou l'autre indifféremment.

• Les formes interro-négatives (Am I not...?, etc.) sont rares en anglais parlé. Attention à la forme interro-négative « Aren't I...? ».
• « I » s'écrit toujours en lettre majuscule.
• « It » s'emploie pour parler d'un objet ou d'un animal.
Cependant, quand il s'agit d'un animal familier, que l'on connaît, on peut dire « he » ou « she », selon le sexe de l'animal.
On emploie « it » parfois aussi pour parler d'un bébé (en particulier quand on ne sait pas s'il s'agit d'un garçon ou d'une fille).
• L'équivalent de « *on* » n'existe pas dans les pronoms personnels sujets anglais. Il existe plusieurs façons d'exprimer « on » en anglais (« one », « you », « they », « we »...).
• Il existe une forme familière, « ain't », qui peut remplacer toutes les formes négatives.
• La troisième personne du pluriel en anglais « They » correspond au masculin et au féminin pluriels « *Ils* » et « *Elles* » en français.
• Les deuxièmes personnes du singulier et du pluriel en anglais (« You... ») sont toujours identiques, à tous les temps et pour tous les verbes.
Elles correspondent respectivement à la deuxième personne du singulier et du pluriel en français (« *Tu* » et « *Vous* »).
Il n'existe pas de pronom personnel particulier pour vouvoyer en anglais, on utilise « You » pour s'adresser à quelqu'un, quel que soit le degré de connaissance de cette personne.

Auxiliaire « be » au prétérit continu :

FORMES PLEINES   FORMES CONTRACTÉES

AFFIRMATION

I was walking
You were walking
He / She / It was walking

We were walking
You were walking
They were walking

Traduction :
Je marchais, tu marchais, etc.

NÉGATION

I was not walking	I wasn't walking
You were not walking	You weren't walking
He / She / It was not walking	He / She / It wasn't walking
We were not walking	We weren't walking
You were not walking	You weren't walking
They were not walking	They weren't walking

Traduction :
Je ne marchais pas, tu ne marchais pas, etc.

INTERROGATION

Was I walking?
Were you walking?
Was he / she / it walking?

Were we walking?
Were you walking?
Were they walking?

Traduction :
Étais-je en train de marcher ? ou Est-ce que j'étais en train de marcher ?,
etc.

INTERRO-NÉGATION

Was I not walking?	Wasn't I walking?
Were you not walking?	Weren't you walking?
Was he / she / it not walking?	Wasn't he / she / it walking?
Were we not walking?	Weren't we walking?
Were you not walking?	Weren't you walking?
Were they not walking?	Weren't they walking?

Traduction :
*N'étais-je pas en train de marcher ? ou Est-ce que je n'étais pas en train
de marcher ?*, etc.

Auxiliaire « be » au present perfect continu :

FORMES PLEINES	FORMES CONTRACTÉES

AFFIRMATION

I have been walking	I've been walking
You have been walking	You've been walking
He / She / It has been walking	He / She / It's been walking

We have been walking
You have been walking
They have been walking

We've been walking
You've been walking
They've been walking

Traduction :
J'ai marché, je marche, etc.

Remarque :
Comme le present perfect simple, le present perfect continu se traduit par un présent ou un passé composé en français, selon le cas.

NÉGATION

I have not been walking
You have not been walking
He / She / It has not been walking

I haven't been walking
You haven't been walking
He / She / It hasn't been walking

We have not been walking
You have not been walking
They have not been walking

We haven't been walking
You haven't been walking
They haven't been walking

Traduction :
J'ai marché, je marche, etc.

INTERROGATION

Have I been walking?
Have you been walking?
Has he / she / it been walking?

Have we been walking?
Have you been walking?
Have they been walking?

Traduction :
Ai-je marché ? ou Est-ce que j'ai marché ? / Est-ce que je marche... ?, etc.

INTERRO-NÉGATION

Have I not been walking?
Have you not been walking?
Has he / she / it not been walking?

Haven't I been walking?
Haven't you been walking?
Hasn't he / she / it been walking?

Have we not been walking?
Have you not been walking?
Have they not been walking?

Haven't we been walking?
Haven't you been walking?
Haven't they been walking?

Traduction :
N'ai-je pas marché ? ou Est-ce que je n'ai pas marché ? / Est-ce que je ne marche pas... ?, etc.

Auxiliaire « be » au past perfect continu :

FORMES PLEINES

FORMES CONTRACTÉES

AFFIRMATION

I had been walking
You had been walking
He / She / It had been walking

We had been walking
You had been walking
They had been walking

I'd been walking
You'd been walking
He / She / It'd been walking

We'd been walking
You'd been walking
They'd been walking

Traduction :
Je marchais, j'avais marché, etc.

Remarque :
Le past perfect continu, le plus souvent utilisé avec « for » et « since », correspond à un imparfait en français, sinon il correspond à un plus-que-parfait.

NÉGATION

I had not been walking
You had not been walking
He / She / It had not been walking

We had not been walking
You had not been walking
They had not been walking

I hadn't been walking
You hadn't been walking
He / She / It hadn't been walking

We hadn't been walking
You hadn't been walking
They hadn't been walking

Traduction :
Je ne marchais pas, je n'avais pas marché, etc.

INTERROGATION

Had I been walking?
Had you been walking?
Had he / she / it been walking?

Had we been walking?
Had you been walking?
Had they been walking?

Traduction :
Est-ce que je marchais ? / Avais-je marché ? ou Est-ce que j'avais marché ?, etc.

Had I not been walking?	Hadn't I been walking?
Had you not been walking?	Hadn't you been walking?
Had he / she / it not been walking?	Hadn't he / she / it been walking?
Had we not been walking?	Hadn't we been walking?
Had you not been walking?	Hadn't you been walking?
Had they not been walking?	Hadn't they been walking?

Traduction :
Est-ce que je ne marchais pas ? / N'avais-je pas marché ? ou *Est-ce que je n'avais pas marché ?*, etc.

Notes :

⚠ Attention à la forme contractée « 'd » qui peut être la contraction de « had » (ex. : *I'd been walking for two hours when I reached the village. J'avais marché pendant deux heures quand j'arrivai au village.*), mais aussi de « would » et de « should » (ex. : *I'd like to see you soon. J'aimerais te voir bientôt.*).

2. Le verbe « to be »

a) Le verbe lexical « to be »

• Quand « be » est utilisé comme verbe lexical (et non comme auxiliaire), il est, la plupart du temps, l'équivalent du verbe « *être* » français, mais il a aussi d'autres traductions et d'autres emplois (cf. pages 29 à 34).
  Ex. : I'm an English teacher.   *Je suis professeur d'anglais.*

• Le verbe « to be » est un **verbe irrégulier** :

Base verbale	Prétérit	Participe passé
be	was / were	been

• Le verbe « to be » existe et se conjugue à tous les temps ; en revanche, il ne s'emploie pas aux formes continues (formes en be + -ing), sauf cas particuliers* (cf. page 26).

• Alors que l'auxiliaire « be » est obligatoirement suivi d'un verbe lexical, le verbe « to be » peut être suivi :

– d'un adjectif
  Ex. : He is ill.   *Il est malade.*

– d'un groupe nominal
  Ex. : She is a beautiful girl.   *C'est une belle fille.*

– d'un groupe prépositionnel
  Ex. : I was at home yesterday.   *J'étais chez moi hier.*

• Les participes de « to be » :

Il existe deux formes de participes en anglais : le participe présent (ou gérondif) et le participe passé.

Le participe présent de « be » est « being » ; le participe passé, « been ».

• « To be » à l'impératif :

Les formes de « to be » à l'impératif sont « Be... ! » ou « Don't be... ! » à la forme négative.

Ex. : **Be** honest!   *Sois honnête ! / Soyez honnête(s) !*
      Don't be stupid!   *Ne sois pas bête ! / Ne soyez pas bête(s) !*

En dehors du présent simple et du prétérit simple, « to be » suit les règles de conjugaison de tous les autres verbes lexicaux anglais*.

Pour la conjugaison des verbes lexicaux à tous les temps, se reporter au chapitre consacré aux temps de l'anglais.

Le verbe « to be » ne s'emploie pas aux formes continues (présent continu, prétérit continu...).

On peut néanmoins utiliser la forme continue – forme en « be + -ing » – pour parler du comportement actuel de quelqu'un.

Ex. : You're being selfish.   *Tu te comportes de façon égoïste
                               (au moment où l'on parle).*

De plus, lorsque « be » s'emploie comme auxiliaire du passif, il peut se mettre à la forme continue.

Ex : They're being watched.   *On les regarde.*

b) Conjugaison du verbe « to be » au présent simple et au prétérit simple

Si le verbe « to be » se conjugue à tous les temps, comme tout autre verbe lexical, il se distingue de ces derniers en ce sens qu'il a sa propre conjugaison au présent et au prétérit.

En effet, au présent simple et au prétérit simple, la conjugaison de « to be » ne suit pas les règles de conjugaison qui s'appliquent aux autres verbes anglais.

Il est donc essentiel de connaître les formes de « to be » au présent et au prétérit et de ne pas les confondre avec celles de tous les autres verbes anglais.

En dehors de ces deux temps, « to be » se conjugue à tous les temps comme les autres verbes lexicaux mais il ne s'emploie quasiment jamais à la forme continue (forme en be + -ing).

Verbe « to be » au présent simple :

FORMES PLEINES   FORMES CONTRACTÉES

AFFIRMATION

I am   I'm
You are   You're
He / She / It is   He / She / It's

We are   We're
You are   You're
They are   They're

Traduction :
Je suis, tu es, etc.

NÉGATION

I am not   I'm not
You are not   You aren't / You're not
He / She / It is not   He / She / It isn't / He / She / It's not

We are not   We aren't / We're not
You are not   You aren't / You're not
They are not   They aren't / They're not

Traduction :
Je ne suis pas, tu n'es pas, etc.

INTERROGATION

Am I...?
Are you?
Is he / she / it...?

Are we...?
Are you...?
Are they...?

Traduction :
Suis-je... ? ou *Est-ce que je suis... ?*, etc.

INTERRO-NÉGATION

Am I not...?   Aren't I...?
Are you not...?   Aren't you...?
Is he / she / it not...?   Isn't he / she / it...?

Are we not...?   Aren't we...?
Are you not...?   Aren't you...?
Are they not...?   Aren't they...?

Traduction :
Ne suis-je pas... ? ou *Est-ce que je ne suis pas... ?*, etc.

Verbe « to be » au prétérit simple :

FORMES PLEINES   FORMES CONTRACTÉES

AFFIRMATION

I was
You were
He / She / It was

We were
You were
They were

Traduction :
J'étais, j'ai été, je fus, etc.

Remarque :
Le prétérit est le temps de base pour parler du passé.
Il peut correspondre, en français, à un imparfait, à un passé composé ou à un passé simple.

NÉGATION

I was not   I wasn't
You were not   You weren't
He / She / It was not   He / She / It wasn't

We were not   We weren't
You were not   You weren't
They were not   They weren't

Traduction :
Je n'étais pas, je n'ai pas été, je ne fus pas, etc.

INTERROGATION

Was I...?
Were you...?
Was he / she / it...?

Were we...?
Were you...?
Were they...?

Traduction :
Étais-je... ? ou Est-ce que j'étais... ? / Ai-je été... ? ou Est-ce que j'ai été... ? / Est-ce que je fus... ?, etc.

INTERRO-NÉGATION

Was I not...?   Wasn't I...?
Were you not...?   Weren't you...?
Was he / she / it not...?   Wasn't he / she / it...?

Were we not...?	Weren't we...?
Were you not...?	Weren't you...?
Were they not...?	Weren't they...?

Traduction :
*N'étais-je pas... ? ou Est-ce que je n'étais pas... ? / N'ai-je pas été... ?
ou Est-ce que je n'ai pas été... ? / Ne fus-je pas... ? ou Est-ce que je ne
fus pas... ?, etc.*

c) Les phrases interrogatives et négatives avec « to be »
« To be » est le seul verbe anglais à pouvoir se passer d'auxiliaire dans
les phrases interrogatives et négatives.
En effet, pour formuler une question avec « to be », il suffit d'inverser le
sujet et le verbe.
   Ex. : **Is he Korean?**   *Est-il coréen ?*
À la forme négative, le verbe « to be » porte la négation.
   Ex. : **He isn't from Paris.**   *Il n'est pas de Paris.*
Avec tous les autres verbes lexicaux, la présence d'un auxiliaire à la
forme interrogative et négative est obligatoire.

3. Emplois du verbe « to be »

a) Traduction de « to be » en français
Le verbe « to be » correspond généralement au verbe « *être* » français
mais, dans certaines expressions, il se traduit par le verbe « *avoir* ».

Les expressions les plus courantes sont :

Avoir faim, soif	to be hungry, thirsty
Avoir froid, chaud	to be cold, warm / hot
Avoir peur (de)	to be afraid (of)
Avoir sommeil	to be sleepy
Avoir raison, tort	to be right, wrong
Avoir de la chance	to be lucky
Ne pas avoir de chance	to be unlucky
Avoir 15 / 20 / etc. ans	to be 15 / 20 /, etc.
Avoir honte	to be ashamed
Avoir le vertige	to be dizzy / giddy
Avoir mal au cœur	to be sick

Notez que pour l'âge, on peut dire indifféremment :
« I'm twenty » ou « I'm twenty years old » : « *J'ai 20 ans* »
Attention à ne pas dire ou écrire :
« I'm twenty years » ou encore « I have twenty years » qui sont des fautes.

b) « To be » et la mesure

Le verbe « to be » s'emploie souvent pour « mesurer », « évaluer » par la mesure, des éléments tels qu'une longueur, un volume mais aussi un état de santé, le temps qu'il fait, etc.

En effet, on l'utilise notamment pour parler de la **dimension** (taille, longueur, largeur, hauteur, profondeur, etc.), du **poids**, de la **distance**, de la **température** et de la **santé** :

La dimension :

Ex. : I'm 1,65 m.	Je mesure 1,65 mètre.
It's 2 m long.	Ça fait 2 mètres de long.
It's 1 m large.	Ça fait 1 mètre de large.
It's 3,5 m high.	Ça fait 3,5 mètres de haut.
It's 5 m deep.	Ça fait 5 mètres de profondeur.

Le poids :

Ex. : I'm 85 kilos.	Je pèse 85 kilos.

La distance :

Ex. : It's 2 km from here.	C'est à 2 km d'ici.

La température :

Ex. : It's sunny today.	Il y a du soleil aujourd'hui.

La santé :

Ex. : How are you?	Comment vas-tu (allez-vous) ?
I'm fine, thank you.	Je vais bien, merci.

c) « To be » suivi d'un infinitif : « to be to... »

« To be » suivi d'un infinitif, **« to be to... »**, exprime l'idée d'une action qui doit se produire (parce qu'elle a été projetée, parce qu'elle est imposée, parce qu'elle est souhaitable, parce que le destin en a décidé ainsi, etc.).

On emploie « to be + infinitif... » surtout dans la langue écrite.

- On peut utiliser **« am, are, is + to... »** :
  Ex. : The Queen is to visit France next month.
  La reine fera une visite en France le mois prochain. (C'est prévu.)

  We are to spend a week in Rome.
  Nous devons passer une semaine à Rome. (C'est convenu.)

- On peut utiliser **« was, were + to... »** :
  Ex. : He was to die at the age of twenty.
  Il devait mourir à l'âge de vingt ans. (Décision du destin.)

They **were to become** teachers in those days.
À cette époque-là, ils (elles) devaient devenir professeurs. (Ils/elles avaient projeté de le devenir...)
Dans cet exemple, on rapporte quels étaient leurs projets à cette époque, sans préciser s'ils ont été ou non réalisés.

• Pour indiquer que l'action ne s'est pas réalisée, on emploie **l'infinitif passé** :
  Ex. : She **was to have started** last month, but she changed her mind.
  Elle devait commencer le mois dernier, mais elle a changé d'avis.

• L'expression **« You're (not) to... »** est souvent utilisée pour donner des ordres, surtout aux enfants.
  Ex. : You're to go to bed now, **you're not to** watch TV.
  Tu vas te (vous allez vous) coucher maintenant, tu n'es (vous n'êtes) pas censé(s) regarder la télévision.

• **« To be due to... »** exprime ce qui doit normalement arriver, sauf imprévu.
  L'idée est proche de « to be to... », mais dans une langue plus simple.
  On emploie souvent « to be due to... » avec des verbes comme : « to arrive » (« arriver »), « to leave » (« partir »), « to start » (« commencer »), « to land » (« atterrir »).
  Ex. : They **are due to** arrive on March 1st.
  Ils (Elles) doivent arriver le 1er mars.

d) « To be able to... »

« To be able to... » (« être capable de », « pouvoir », « savoir faire quelque chose ») est une expression qui existe à tous les temps et qui peut remplacer l'auxiliaire modal « can ».
  Ex. : She's **able to** speak many languages.
  Elle est capable de (Elle peut / Elle sait) parler plusieurs langues.

  I hope I'll **be able to** see her.
  J'espère que je pourrai la voir.

e) « To be allowed to... »

« To be allowed to... » (« avoir le droit de / la permission de ») est une expression qui existe à tous les temps et qui peut aussi remplacer l'auxiliaire modal « can ».
  Ex. : Minors **aren't allowed to** drive cars.
  Les mineurs n'ont pas le droit de conduire.

  Smoking **isn't allowed** in buses.
  Il est interdit de fumer dans les bus.

Remarque :
À la forme active, il existe le verbe « to allow », qui signifie « *permettre* ».

f) « *To be born* »

« Naître » se traduit en anglais par « to be born » (structure passive).
Cette expression existe à tous les temps mais c'est au prétérit qu'elle est
le plus souvent employée.

    Ex. : I was born in 1971.

        Je suis né(e) en 1971. Attention à ne pas dire : « I am born... ».

        The baby will be born in June.
        Le bébé naîtra en juin.

g) « *Been* » et « *gone* »

Il ne faut pas confondre « been » et « gone ».
Tous deux participes passés, « be, was / were, **been** : être » et « go,
went, **gone** : aller », ils n'ont pas le même emploi ; pourtant, ils traduisent tous les deux le participe passé français « (être) **allé** ».

    Ex. : She's been to Italy.

        Elle est allée en Italie (et elle est revenue).

        She's gone to Italy.
        Elle est allée en Italie (et elle y est encore).

h) « *To be going to...* »

« To be going to... » s'emploie pour exprimer soit une intention, soit une
conviction.

    Ex. : I'm going to see him next week.

        Je vais le voir la semaine prochaine. (C'est mon intention.)

        It's going to rain.
        Il va pleuvoir. (C'est ma conviction.)

Ces deux exemples contiennent une idée de futur.
« To be going to... » sert à exprimer l'avenir.

i) *Autres constructions avec « to be »*

- **« To be likely to... »** : *Il est bien possible que...*

    Ex. : He is likely to win.   *Il est bien possible qu'il gagne.*
                                      Il a de fortes chances de gagner.
                                        Il risque de gagner.

- **« To be sure to / that... »** : *Il est sûr / certain que...*

    Ex. : It's sure that she will come. *Il est sûr qu'elle viendra.*

- **« To be bound to... »** :
    – *être obligé / tenu de...*

    Ex. : I am bound to confess.   *Je suis obligé(e) / tenu(e) d'avouer.*
    – *être sûr / certain de...*

    Ex. : It is bound to rain.   *Il va sûrement pleuvoir.*
                                        Il ne peut pas manquer de pleuvoir.

- **« To be liable to... »** : *être susceptible de..., risquer de..., avoir des chances de...*
  Ex. : He's liable to refuse to do it.   *Il est susceptible de refuser de le faire.*
  Il risque de refuser de le faire.

- **« To be apt to... »** : *être enclin, porté, disposé à..., être susceptible de...*
  Ex. : He is apt to be late.   *Il a tendance à être en retard.*
  Il est susceptible d'être en retard.

- **« To be used to + V-ing »** : *être habitué à ..., avoir l'habitude de...*
  Ex. : I'm not used to driving.   *Je n'ai pas l'habitude de conduire.*
  Je ne suis pas habitué(e) à conduire.

j) There is / There are : « Il y a... »

« To be », précédé de « There », forme une expression qui correspond au français « *Il y a, il y avait, il y aura...* », selon le temps utilisé. Contrairement au français, la construction est variable en nombre. « There » peut être suivi du singulier ou du pluriel selon le cas.

SINGULIER

AFFIRMATION :
There is a letter box at the corner.
Il y a une boîte aux lettres au coin.

INTERROGATION :
Is there any ham?
Y a-t-il du jambon ?

NÉGATION :
There isn't any milk.
There is no milk.
Il n'y a pas de lait.

PLURIEL

There are two letters for you.
Il y a deux lettres pour toi.

Are there any tomatoes?
Y a-t-il des tomates ?

There aren't any eggs.
There are no eggs.
Il n'y a pas d'œufs.

On remarque que le français « *Il y a* » ne varie pas en nombre et traduit tantôt « There is », tantôt « There are ».

La construction « there + be conjugué » existe à tous les temps :

Quelques exemples :

Au prétérit :
There was a policeman in the street.
Il y avait un policier dans la rue.

There were lots of cars in the street.
Il y avait beaucoup de voitures dans la rue.

Au futur :

Tomorrow there will be snow in England.	*Demain il y aura de la neige en Angleterre.*

Au present perfect :

There have not been many visitors today.	*Il n'y a pas eu beaucoup de visiteurs aujourd'hui.*

Cette constuction peut aussi se combiner avec les auxiliaires de modalité (avec l'auxiliaire « will » ci-dessus).

Autres exemples :

There **must** be some milk in the fridge.	*Il doit y avoir du lait dans le frigidaire.*
There **may** not be any seats left.	*Il se peut qu'il ne reste plus de places disponibles.*

2) HAVE

Tout comme « be », **« have »** est utilisé tantôt comme **auxiliaire**, tantôt comme **verbe**.

Il est donc très important de connaître et savoir distinguer ses emplois et conjugaisons en tant qu'auxiliaire et en tant que verbe.

Son double statut d'auxiliaire et de verbe est sa principale originalité car, à la différence du verbe « to be », le verbe « to have » suit les règles de conjugaison des verbes anglais et se construit à la forme négative et interrogative comme tous les verbes lexicaux.

Le verbe « to have » est donc plus simple et moins atypique que le verbe « to be ».

1. L'auxiliaire « have »

Rappel :
Les auxiliaires « be », « have » et « do » sont **des outils qui servent à la conjugaison des verbes**. Comme tous les auxiliaires, ils peuvent **se contracter** ; ce sont eux qui **portent la négation**, qui **se déplacent dans les questions** et ils sont **toujours associés à un verbe lexical**.

a) Emplois de l'auxiliaire « have »

L'auxiliaire « have » s'utilise pour conjuguer les verbes lexicaux :

- *au present perfect (have + participe passé)*
  Ex. : I have eaten.   *J'ai mangé.*

- *au past perfect (had + participe passé)*
  Ex. : I had eaten.   *J'avais mangé.*

b) Conjugaisons de l'auxiliaire « have »

Un auxiliaire étant toujours associé à un verbe lexical, l'auxiliaire « have » est conjugué ci-dessous avec le verbe « to work » (« *travailler* »), que l'on pourrait remplacer par n'importe quel autre verbe lexical.
Sans le verbe lexical auquel il est associé, on ne peut pas traduire un auxiliaire.

Auxiliaire « have » au present perfect :

FORMES PLEINES   FORMES CONTRACTÉES

AFFIRMATION

I have worked   I've worked
You have worked   You've worked
He / She / It has worked   He / She / It's worked

We have worked   We've worked
You have worked   You've worked
They have worked   They've worked

Traduction :
J'ai travaillé, etc. / *Je travaille*, etc.

Remarque :
Le present perfect peut correspondre en français à un passé composé ou à un présent (quand il est utilisé avec « for » et « since » notamment).

NÉGATION

I have not worked   I haven't worked
You have not worked   You haven't worked
He / She / It has not worked   He / She / It hasn't worked

We have not worked   We haven't worked
You have not worked   You haven't worked
They have not worked   They haven't worked

Traduction :
Je n'ai pas travaillé, etc. / *Je ne travaille pas*, etc.

INTERROGATION

Have I worked?   Have we worked?
Have you worked?   Have you worked?
Has he / she / it worked?   Have they worked?

Traduction :
Ai-je travaillé ? ou *Est-ce que j'ai travaillé ?*, etc. / *Est-ce que je travaille... ?*, etc.

INTERRO-NÉGATION

Have I not worked?	Haven't I worked?
Have you not worked?	Haven't you worked?
Has he / she / it not worked?	Hasn't he / she / it worked?
Have we not worked?	Haven't we worked?
Have you not worked?	Haven't you worked?
Have they not worked?	Haven't they worked?

Traduction :
N'ai-je pas travaillé ? ou Est-ce que je n'ai pas travaillé ?, etc. / Est-ce que je ne travaille pas... ?, etc.

Notes :

1. Quand « have » est verbe (le verbe « to have » ; cf. page 37), il se conjugue à tous les temps comme un verbe ordinaire, avec les auxiliaires « do », « does », « did » aux formes interrogative et négative.

2. La forme interro-négative non contractée (« Have I not... ? ») est rare en anglais parlé.

3. Il existe une forme contractée « ain't » qui peut remplacer toutes les formes négatives de « have » et de « be » au présent.(« ain't » = « haven't », « hasn't », « aren't », « isn't », etc.). (Cf. pages 19 à 22.)
« Ain't » appartient plutôt au langage oral, familier.

4. « Be » et « have » ont en commun la forme contractée « 's » (cf. page 20).
En contexte, le sens de « 's » est toujours clair.

Ex. : She's got a brand new car.   *Elle a une voiture toute neuve.*
He's a pilot.   *Il est pilote.*

Auxiliaire « have » au past perfect :

FORMES PLEINES   FORMES CONTRACTÉES

AFFIRMATION

I had worked	I'd worked
You had worked	You'd worked
He / She / It had worked	He / She / It'd worked
We had worked	We'd worked
You had worked	You'd worked
They had worked	They'd worked

Traduction :
J'avais travaillé, etc. / Je travaillais, etc.

Remarque :
Le past perfect correspond généralement en français à un plus-que-

parfait mais aussi parfois à un imparfait (quand il est employé avec « for » et « since » notamment).

NÉGATION

I had not worked	I hadn't worked
You had not worked	You hadn't worked
He / She / It had not worked	He / She / It hadn't worked
We had not worked	We hadn't worked
You had not worked	You hadn't worked
They had not worked	They hadn't worked

Traduction :
Je n'avais pas travaillé, etc. / Je ne travaillais pas, etc.

INTERROGATION

Had I worked?
Had you worked?
Had he / she / it worked?

Had we worked?
Had you worked?
Had they worked?

Traduction :
Avais-je travaillé... ? ou Est-ce que j'avais travaillé... ?, etc. / Travaillais-je... ? ou Est-ce que je travaillais... ?, etc.

INTERRO-NÉGATION

Had I not worked?	Hadn't I worked?
Had you not worked?	Hadn't you worked?
Had he / she / it not worked?	Hadn't he / she / it worked?
Had we not worked?	Hadn't we worked?
Had you not worked?	Hadn't you worked?
Had they not worked?	Hadn't they worked?

Traduction :
N'avais-je pas travaillé ? ou Est-ce que je n'avais pas travaillé ?, etc. / Ne travaillais-je pas... ? ou Est-ce que je ne travaillais pas... ?, etc.

2. Le verbe « to have »

Rappel :
Contrairement aux auxiliaires, les verbes (« to be » mis à part) se conjuguent à tous les temps, n'ont pas de formes contractées et font appel à des auxiliaires à la forme interrogative et négative.

a) Le verbe lexical « to have »

- Quand « have » est utilisé comme **verbe lexical** (et non comme auxiliaire), il exprime souvent la possession (« *avoir* », « *posséder* » en français) mais il a d'autres sens et d'autres emplois (cf. pages 40 à 44).
- Le verbe « to have » se conjugue à tous les temps et aux formes continues (forme en be + -ing) ; en revanche, il ne s'emploie pas aux formes continues quand il exprime la possession.
  Pour connaître la conjugaison des verbes lexicaux à tous les temps, se reporter au chapitre consacré aux temps de l'anglais.
- En tant que verbe, « to have » est toujours employé à la forme pleine, jamais à la forme contractée.
- Alors que l'auxiliaire est obligatoirement suivi d'un verbe lexical, le verbe « to have » est généralement suivi d'**un groupe nominal** :
  Ex. : She has two sisters.   *Elle a deux sœurs.*
- Le verbe « to have » est **un verbe irrégulier** :

Base verbale	Prétérit	Participe passé
have	had	had

- Son participe présent est « having ».
- Les formes de « to have » à l'impératif sont « Have....! » (impératif affirmatif) et « Don't have...! » (impératif négatif).
- Enfin, comme tout autre verbe lexical (sauf « to be »), le verbe « to have » fait toujours appel aux auxiliaires « do, does, did » dans les phrases négatives et interrogatives au présent simple et au prétérit simple.
  Ex. : He has a sister.   *Il a une sœur.*

  He doesn't have any brothers.   *Il n'a pas de frères.*

  Does he have any cousins ?   *A-t-il des cousins ?*

b) « to have » et « have got »

Au présent, on exprime davantage la possession, en anglais britannique, par « have got » plutôt que par « to have ».

- Il existe deux façons d'exprimer la possession au présent en anglais : **« to have »** et **« have got »**.
  Ex. : *J'ai deux sœurs.*   I **have** two sisters. / I'**ve got** two sisters.

En anglais britannique, il est plus rare d'employer la forme pleine du verbe « to have » pour exprimer la possession ; on préfère souvent les formes de « have got », en particulier à l'oral.

En anglais américain, on utilise couramment le verbe « to have » pour exprimer la possession, à l'oral comme à l'écrit.

- Quand on utilise « have got », « have » joue le rôle d'auxiliaire.
  Il est alors toujours suivi de « got » (qui est invariable).

- Attention, **« have got »** ne s'emploie qu'au **présent** (et parfois au passé) tandis que le verbe **« to have »** s'emploie à **tous les temps**.

Exemples du verbe « to have » conjugué à d'autres temps qu'au présent :

Au prétérit :
    Ex. : I had a new computer when I was eighteen.
            J'ai eu un nouvel ordinateur à l'âge de dix-huit ans.
On trouve parfois « have got » au prétérit :
    Ex. : I'd got a new computer when I was eighteen.

Au present perfect :
    Ex. : He's had an accident recently.
            Il a eu un accident récemment.

Au futur :
    Ex. : I'll have more time when I stop working.
            J'aurai plus de temps quand j'arrêterai de travailler.

Remarque :
Le verbe « to have » n'exprime pas toujours la possession ; il n'a pas toujours le sens des verbes « *avoir* » ou « *posséder* ».
En effet, « to have » a d'autres emplois que la possession et d'autres traductions que celle du verbe « avoir » (cf. pages 40 à 44).
Il correspond souvent notamment au verbe « *prendre* » en français.
    Ex. : **to have** a shower, a bath, etc. / ***prendre*** *une douche, un bain, etc.*
Inversement, le verbe « *avoir* » ne correspond pas toujours en anglais au verbe « to have ».
    Ex. : ***avoir*** 30 ans / **to be** 30 years old

⚠ Attention, « to have » ne s'emploie pas aux formes continues (be + -ing) quand il exprime **la possession**.
Quand il est conjugué aux formes continues, il a d'autres sens que celui des verbes « *avoir* » ou « *posséder* ».
    Ex. : I'm having a shower.   *Je prends une douche.*

Conjugaison du verbe « to have » et de « have got » au présent :

Avoir	To have	Have got
AFFIRMATION :		
J'ai	I have	I've got
Tu as	You have	You've got
Il / Elle a	He / She / It has	He / She / It's got
Nous avons	We have	We've got
Vous avez	You have	You've got
Ils / Elles ont	They have	They've got

NÉGATION :

Je n'ai pas	I don't have	I haven't got
Tu n'as pas	You don't have	You haven't got
Il / Elle n'a pas	He / She / It doesn't have	He / She / It hasn't got
Nous n'avons pas	We don't have	We haven't got
Vous n'avez pas	You don't have	You haven't got
Ils / Elles n'ont pas	They don't have	They haven't got

INTERROGATION :

Est-ce que j'ai... ?	Do I have...?	Have I got...?
Est-ce que tu as... ?	Do you have...?	Have you got...?
Est-ce qu'il / elle a... ?	Does he / she / it have...?	Has he / she / it got...?
Est-ce que nous avons... ?	Do we have...?	Have we got...?
Est-ce que vous avez... ?	Do you have...?	Have you got...?
Est-ce qu'ils / elles ont... ?	Do they have...?	Have they got...?

INTERRO-NÉGATION :

Est-ce que je n'ai pas... ?	Don't I have...?	Haven't I got...?
Est-ce que tu n'as pas... ?	Don't you have...?	Haven't you got...?
Est-ce qu'il / elle n'a pas... ?	Doesn't he / she / it have...?	Hasn't he / she / it got...?
Est-ce que nous n'avons pas... ?	Don't we have...?	Haven't we got...?
Est-ce que vous n'avez pas... ?	Don't you have...?	Haven't you got...?
Est-ce qu'ils / elles n'ont pas... ?	Don't they have...?	Haven't they got...?

3. Emplois du verbe « to have »

a) Expressions avec « to have »

Le verbe « to have » peut souvent signifier « *avoir* » ou « *posséder* », mais il existe un grand nombre d'expressions idiomatiques dans lesquelles « to have » a un sens différent.

Parmi les expressions les plus courantes, on trouve :

To have breakfast, lunch, dinner : *prendre son petit déjeuner, déjeuner, dîner*

To have a wash, a shave : *se laver, se raser*

To have a bath, a shower : *prendre un bain, une douche*

To have a swim : *se baigner*

To have a holiday : *passer des vacances*

To have a good holiday : *passer de bonnes vacances*

To have a picnic : *faire un pique-nique*

To have a cup of tea, a drink : *prendre une tasse de thé, boire un verre*

To have a try : *faire un essai*

To have a walk : *faire une promenade*

To have a nervous breakdown : *faire une dépression nerveuse*

To have a dream, a nightmare : *faire un rêve, un cauchemar*

To have a rest : *se reposer*

To have a look at : *jeter un coup d'œil à*
To have a good time : *bien s'amuser*
To have a word with : *dire quelques mots à*
To have a cold*, the flu*, a headache* : *avoir un rhume, la grippe, mal à la tête*
To have an idea* : *avoir une idée*
To have some work to do* : *avoir du travail à faire*
To have some trouble with* : *avoir des problèmes avec*

* *Dans ces cas précis, « to have » ayant le sens d'« avoir », on peut aussi utiliser « have got » au présent.*

b) « Have to »
• La construction « have to » exprime l'obligation et se conjugue à tous les temps.
On traduit souvent « have to » par « devoir », « falloir » ou « être obligé de ».
  Ex. : I have to wear glasses.
    Il faut que je porte des lunettes. / Je dois porter des lunettes. / Je suis obligé(e) de porter des lunettes.

• Au présent (seulement), on peut utiliser l'auxiliaire modal **« must »** ou **« have to »** pour exprimer une obligation.
« Must » s'emploie pour imposer une obligation, pour exprimer un ordre ou une interdiction (must not / mustn't) tandis que « have to » exprime davantage une obligation imposée par des circonstances extérieures.

Comparez :
You must wake up at 6 tomorrow.
Tu dois te lever (Vous devez vous lever) à 6 heures demain.
« You » reçoit l'ordre de se lever à 6 heures.

Remember ! You have to wake up at 6 tomorrow.
Rappelle-toi, tu dois te lever à 6 heures demain. / Rappelez-vous, vous devez vous lever...
On rappelle à « You » qu'il est dans l'obligation de se lever à 6 heures pour une raison extérieure qui n'est pas donnée ici.

⚠ Attention, **« must »** ne s'emploie qu'au **présent** tandis que **« have to »** se conjugue et existe à **tous les temps**.

Exemples à d'autres temps qu'au présent :
Au futur :
  I'll have to buy a new car soon.
  Il va bientôt falloir que je m'achète une nouvelle voiture.

Au prétérit :

He had to wake up very early.
Il a fallu qu'il se lève très tôt.

• La forme négative de « have to » exprime une absence d'obligation tandis que la forme négative de « must » (must not / mustn't) exprime une interdiction.

Ex. : They don't have to eat it.
Ils (Elles) ne sont pas obligé(e)s de le manger (absence d'obligation).
They mustn't eat it.
Ils (Elles) ne doivent pas le manger (interdiction).

Rappel :

« Have » dans la construction « have to » est utilisé comme verbe (et non comme auxiliaire) ; aussi, les formes interrogative et négative de « have to » se construisent avec les auxiliaires « do, does » au présent et l'auxiliaire « did » au prétérit.

Ex. : Did she have to walk to school?
Est-ce qu'il fallait qu'elle aille à l'école à pied ?

She doesn't have to do the washing up every day.
Elle n'est pas obligée de faire la vaisselle tous les jours.

c) « Had better »

La construction « had better » a une valeur de présent (malgré le prétérit de « had ») et s'emploie pour donner des conseils, parfois avec un sens très autoritaire.

« Had better » est suivi de la base verbale du verbe lexical utilisé.

« You had better... » se traduit généralement par « *Tu ferais mieux de... / Vous feriez mieux de...* ».

Ex. : You had better hurry.
Tu ferais (Vous feriez) bien de te (vous) dépêcher.

You had better tell me the truth now.
Tu ferais (Vous feriez) mieux de me dire la vérité maintenant (conseil qui peut être dit de façon très ferme).

Hadn't he better come back later?
Ne ferait-il pas mieux de revenir plus tard ?

On peut utiliser « had better » sous sa forme contractée : « 'd better ».

Ex. : You had better... / You'd better...

⚠ Attention à l'ordre des mots dans les phrases négatives.
La négation « not » se place après « better ».

Ex. : You'd better not listen to him.
Tu ferais (Vous feriez) mieux de ne pas l'écouter.

d) « Had rather »

« Had rather » a également un sens présent, malgré la forme passée de « had ».

On emploie davantage aujourd'hui l'expression « would rather » plutôt que « had rather », sans différence de sens.

Ces deux expressions apparaissent souvent sous la forme contractée **« 'd rather »** (« 'd » étant la contraction de « had » et de « would »).

« Had rather » ou « would rather » servent à exprimer la préférence.

On traduit généralement « I'd rather » par *Je préférerais*, *Je préfère*, *J'aimerais mieux*, ou *J'aime mieux*.

Ex. : I'd rather stay here.   *Je préférerais rester ici.*

Would you rather travel by plane or by train?
Préfères-tu (Préférez-vous) voyager en avion ou en train ?

On peut trouver aussi « would rather » suivi d'un **prétérit** ou d'un **past perfect** (et non de la base verbale comme précédemment) ; dans ce cas, il y a **deux sujets** différents.

Ex. : I'd rather he came tomorrow.
Je préférerais qu'il vienne demain.

I'd rather she hadn't told me.
J'aurais préféré qu'elle ne m'en parle pas.

e) Traduction de « Faire faire »

• Pour traduire la structure « *faire faire quelque chose* », par exemple, « *faire rire quelqu'un* » ou « *faire réparer quelque chose* », l'anglais dispose de **deux structures différentes** (là où le français n'en a qu'une), selon le sens actif ou passif de l'expression utilisée.

En effet, « *faire rire quelqu'un* » a un sens **actif** :

Ex. 1 : *Il a fait rire tout le monde.*
     (Tout le monde a ri. C'est lui qui a fait rire tout le monde.)

En revanche, « *faire réparer quelque chose* » a un sens **passif** :

Ex. 2 : *Il a fait réparer sa montre.*
     (Sa montre a été réparée. Ce n'est pas lui qui a réparé sa montre ; on lui a réparé.)

Quand, en français, le verbe qui suit « *faire* » a un sens **actif** (ex. : *faire rire*), on emploie en anglais **« to make somebody do something »**.

make + complément d'objet direct (COD) + base verbale

Ex. 1 : He made everybody laugh.
     Il a fait rire tout le monde.

Quand, en français, le verbe qui suit « *faire* » a un sens **passif** (ex. : *faire réparer*), on emploie en anglais **« to have (ou « to get ») some-thing done »**.

> have (ou « get ») + complément d'objet direct (COD)
> + participe passé

Ex. 2 : He had his watch repaired.   *Il a fait réparer sa montre.*
On peut dire aussi sans différence de sens :
He got his watch repaired.

• Pour traduire la construction « *faire faire quelque chose* **à quelqu'un** », en opérant une contrainte sur quelqu'un, en l'incitant ou l'obligeant à faire quelque chose, on utilise les deux structures suivantes :
« to make somebody do something » ou **« to have somebody do something »**, c'est-à-dire :

> make ou have + complément d'objet indirect (COI) + base verbale

Ex. : Mary made him wash her car. *Mary lui a fait laver sa voiture.*

Mary had him wash her car.   *Mary lui a fait laver sa voiture.*
On note que, très souvent, « make » exprime plus la contrainte que « have ».

3) Do

Tout comme « be » et « have », **« do »** est utilisé tantôt comme auxiliaire, tantôt comme verbe.
Il est donc très important de connaître et savoir distinguer ses emplois et conjugaisons en tant qu'auxiliaire et en tant que verbe.
Son double statut d'auxiliaire et de verbe est sa principale originalité et difficulté car, à la différence du verbe « to be », mais comme « to have », le verbe **« to do »** suit les règles de conjugaison des verbes anglais et se construit à la forme négative et interrogative comme tous les verbes lexicaux.

1. L'auxiliaire « do »

Rappel :
Les auxiliaires « be », « have » et « do » sont des **outils qui servent à la conjugaison des verbes**.
Comme tous les auxiliaires, ils peuvent **se contracter** ; ce sont eux qui **portent la négation**, qui **se déplacent dans les questions** et ils sont **toujours associés à un verbe lexical**.

a) Emploi de l'auxiliaire « do »

L'auxiliaire « do » a deux emplois ; il s'utilise pour conjuguer les verbes lexicaux, à la forme interrogative et négative, au présent simple et au prétérit simple.

Il apparaît dans les phrases interrogatives et négatives au présent simple et au prétérit simple sous des formes différentes :

- Dans les phrases interrogatives au présent simple, on utilise « do » et « does » à la 3ᵉ personne du singulier.

  Ex. : **Do** you like tea?
  Est-ce que tu aimes (vous aimez) le thé ?

  Does he like tea? (3ᵉ personne du singulier.)
  Est-ce qu'il aime le thé ?

- Dans les phrases négatives au présent simple, on utilise « don't » (ou « do not ») et « doesn't » (ou « does not ») à la 3ᵉ personne du singulier.

  Ex. : I **don't** like tea.
  Je n'aime pas le thé.

  He **doesn't** like tea. (3ᵉ personne du singulier.)
  Il n'aime pas le thé.

- Dans les phrases interrogatives au prétérit simple, on utilise « did » à toutes les personnes.

  Ex. : **Did** they like tea?   *Est-ce qu'ils (elles) aimaient le thé ?*

- Dans les phrases négatives au prétérit simple, on utilise « didn't » (ou « did not ») à toutes les personnes.

  Ex. : They **didn't** like tea.   *Ils (Elles) n'aimaient pas le thé.*

Il arrive que les auxiliaires « do, does, did » apparaissent à la forme affirmative.

Il s'agit, dans ce cas, d'auxiliaires emphatiques ou de tags et autres auxiliaires de reprise.

  Ex. : He **does** work in a bank! (« does » emphatique)
  Mais si, il travaille dans une banque !

  It's important to respect Nature and I always **do** (auxiliaire de reprise).
  Il est important de respecter la nature, ce que je fais toujours.

b) Conjugaisons de l'auxiliaire « do »

Un auxiliaire étant toujours associé à un verbe lexical, l'auxiliaire « do » est conjugué ici avec le verbe « to play » (« jouer »), que l'on pourrait remplacer par n'importe quel autre verbe lexical.

Sans le verbe lexical auquel il est associé, on ne peut pas traduire un auxiliaire.

Remarque :

L'auxiliaire « do » sert essentiellement à la conjugaison des verbes aux formes négative et interrogative du présent simple et du prétérit simple, c'est pourquoi il n'apparaît pas à la forme affirmative dans les conjugaisons qui suivent pour éviter les risques de confusions entre « do » auxiliaire et « do » verbe.

En effet, quand « do » apparaît à la forme affirmative, il est la plupart du temps verbe et non auxiliaire.

Auxiliaire « do » au présent simple :

FORMES PLEINES   FORMES CONTRACTÉES

NÉGATION

I do not play   I don't play
You do not play   You don't play
He / She / It does not play   He / She / It doesn't play

We do not play   We don't play
You do not play   You don't play
They do not play   They don't play

Traduction :
Je ne joue pas, tu ne joues pas, etc.

INTERROGATION

Do I play...?
Do you play...?
Does he / she / it play...?

Do we play...?
Do you play...?
Do they play...?

Traduction :
Est-ce que je joue... ?, etc.

INTERRO-NÉGATION

Do I not play...?   Don't I play...?
Do you not play...?   Don't you play...?
Does he / she / it not play...?   Doesn't he / she / it play...?

Do we not play...?   Don't we play...?
Do you not play...?   Don't you play...?
Do they not play...?   Don't they play...?

Traduction :
Est-ce que je ne joue pas... ?, etc.

Auxiliaire « do » au prétérit simple :

FORMES PLEINES   FORMES CONTRACTÉES

NÉGATION

I did not play   I didn't play
You did not play   You didn't play
He / She / It did not play   He / She / It didn't play

We did not play   We didn't play
You did not play   You didn't play
They did not play   They didn't play

Traduction :
Je ne jouais pas / Je n'ai pas joué / Je ne jouai pas, etc.

Remarque :
Le prétérit est le « temps de base » pour parler du passé. Il peut correspondre à un imparfait, un passé composé ou un passé simple.

INTERROGATION

Did I play...?
Did you play...?
Did he / she / it play...?

Did we play...?
Did you play...?
Did they play...?

Traduction :
Est-ce que je jouais... ? / Est-ce que j'ai joué... ? / Est-ce que je jouai... ?,
etc.

INTERRO-NÉGATION

Did I not play...?   Didn't I play...?
Did you not play...?   Didn't you play...?
Did he / she / it not play...?   Didn't he / she / it play...?

Did we not play...?   Didn't we play....?
Did you not play...?   Didn't you play...?
Did they not play...?   Didn't they play...?

Traduction :
Est-ce que je ne jouais pas... ? / Est-ce que je n'ai pas joué... ? / Est-ce que je ne jouai pas... ?, etc.

2. Le verbe « to do »

Rappel :
Contrairement aux auxiliaires, les verbes (« to be » mis à part) se conjuguent à tous les temps, n'ont pas de formes contractées et font toujours appel à des auxiliaires à la forme interrogative et négative.

a) Le verbe lexical « to do »

- Quand « do » est utilisé comme **verbe lexical** (et non comme auxiliaire), il a la plupart du temps le sens du verbe français « *faire* ».

- Le verbe « to do » se conjugue à tous les temps et aux formes continues (forme en be + -ing).
  Pour connaître la conjugaison des verbes lexicaux à tous les temps, se reporter au chapitre consacré aux temps de l'anglais.

- Lorsque « do » apparaît à la forme affirmative, il est **verbe lexical** (et non auxiliaire) sauf s'il s'agit d'un emploi emphatique de l'auxiliaire ou s'il est employé en tant que tag et autres auxiliaires de reprise.
  Comparez ces **trois phrases affirmatives** :
  Ex. 1 : verbe « to do »
  I always **do** my homework before dinner.
  Je fais toujours mes devoirs avant le dîner.

  Ex. 2 : emploi emphatique de l'auxiliaire « do »
  She **does** look tired.
  Elle a vraiment l'air fatiguée.

  Ex. 3 : emploi de l'auxiliaire « do » comme auxiliaire de reprise
  It's important to respect Nature and I always **do**.
  Il est important de respecter la nature ; ce que je fais toujours.
  Lorsque l'on veut éviter de répéter un verbe (ici « respect ») ou des éléments déjà cités, on les reprend par un auxiliaire.

- Comme tout autre verbe lexical (sauf « to be »), le verbe « to do » fait toujours appel aux auxiliaires « do, does, did » dans les phrases négatives et interrogatives au présent simple et au prétérit simple.
  Le verbe « to do » se conjugue donc :

  – avec l'auxiliaire « do » au présent simple :
  (« does » à la 3ᵉ personne du singulier)
  Ex. : What **does** he do at the weekend?
  Que fait-il le week-end ?

  We **don't** do the shopping on Saturdays.
  Nous ne faisons pas les courses le samedi.

– avec l'auxiliaire « did » au prétérit simple :
Ex. : **Did** you **do** your homework yesterday?
As-tu (Avez-vous) fait tes (vos) devoirs hier ?

He **didn't** do his room before going out.
Il n'a pas fait sa chambre avant de sortir.

• Le verbe lexical « to do » est un verbe irrégulier :

Base verbale	Prétérit	Participe passé
do	did	done

• Son participe présent est « **doing** ».

• Les formes de « to do » à l'impératif sont « **Do... !** » (impératif affirmatif) et « **Don't do... !** » (impératif négatif).

b) « Faire » : « to do » ou « to make » ?

Les deux verbes lexicaux, « **to do** » et « **to make** », signifient « *faire* » en français et il n'est pas toujours facile de choisir entre les deux.

• Quand on parle d'une activité, sans préciser laquelle, on utilise « **to do** » :
Ex. : Please, **do** it as quickly as you can!
S'il te plaît, fais-le aussi vite que tu le peux ! / S'il vous plaît, faites-le aussi vite que vous le pouvez.

What's she **doing**?
Qu'est-ce qu'elle fait ? / Qu'est-ce qu'elle est en train de faire ?

• Quand on parle du travail, on emploie « **to do** » :
Ex. : What does she **do** in life?
Quel est son métier dans la vie ?

• Les corvées menagères se traduisent avec « **to do** » :

To do the washing up	*faire la vaisselle*
To do the dishes	*faire la vaisselle*
To do the housework	*faire le ménage, des travaux ménagers*
To do the cleaning	*faire le ménage, nettoyer*
To do the cooking	*faire la cuisine*
To do the shopping	*faire les courses*

• Le verbe « **to make** » exprime une idée de création, de construction :
Ex. : She's **made** a delicious cake. *Elle a fait un gâteau délicieux.*
They are **making** a new plan. *Ils (Elles) font un nouveau plan.*

- Il n'y a pas non plus toujours de règles précises et il existe un certain nombre d'expressions (plus courantes avec « to make » que « to do ») qu'il faut connaître :

To do business	*faire des affaires*
To do good / harm	*faire du bien / du mal*
To do a favour	*rendre service*
To do an exercise	*faire un exercice*
To do sport	*faire du sport*
To do one's best	*faire de son mieux*
To do a film	*tourner un film*
To do something again	*refaire quelque chose*
To do a play	*monter une pièce*
To do one's military service	*faire son service militaire*
To do a sum	*faire un calcul, une opération*
To do one's hair	*se coiffer*
To do a problem	*faire un problème*
To make an appointment with	*prendre rendez-vous avec*
To make an attempt	*faire un essai, une tentative*
To make a phone call	*passer un coup de fil*
To make a suggestion	*faire une suggestion*
To make arrangements	*faire des préparatifs*
To make an offer	*faire une offre*
To make a mistake	*faire une erreur*
To make a noise	*faire du bruit*
To make a decision	*prendre une décision*
To make love	*faire l'amour*
To make money	*gagner de l'argent*
To make a profit	*faire un bénéfice*
To make war	*faire la guerre*
To make a bed	*faire un lit*
To make enquiries	*enquêter*
To make an effort	*faire un effort*
To make an excuse	*trouver une excuse, un prétexte*
To make an exception	*faire une exception*
To make a list	*faire une liste*
To make the cards	*battre les cartes*
To make a bow (to somebody)	*faire un salut (à quelqu'un)*
To make a friend of somebody	*se faire un ami de quelqu'un*
To make it	*parvenir à, y arriver*

4) LES AUXILIAIRES MODAUX

Contrairement aux auxiliaires « be », « have » et « do », les auxiliaires modaux, ou auxiliaires de modalité, ajoutent un sens au verbe avec lequel ils sont conjugués.

Si les premiers servent à la conjugaison des verbes lexicaux, ils n'ont pas de sens à proprement parler, ils ne traduisent pas une notion, une idée, ni une opinion.

Ce sont des marqueurs temporels et des instruments pour conjuguer les verbes à tous les temps et aux formes affirmative, négative et interrogative.

En effet, ils servent à la conjugaison des verbes lexicaux au présent (simple et continu), au prétérit (simple et continu), au present perfect (simple et continu), etc.

Les auxiliaires modaux, en revanche, sont porteurs de sens.

Ils ajoutent au verbe qu'ils accompagnent une notion supplémentaire, un jugement de la part de celui qui parle.

En effet, l'énonciateur (celui qui parle) grâce aux auxiliaires modaux, peut porter un jugement, donner un avis sur les chances de réalisation de ce qui est énoncé.

Exemples :

1. He is ill.   *Il est malade.*
L'énonciateur est sûr de ce qu'il dit. Il le sait de façon certaine.

2. He may be ill.   *Il se peut qu'il soit malade.*
L'énonciateur ne sait pas si le sujet est malade ou non, mais c'est un fait possible.

3. He must be ill.   *Il doit être malade.*

L'énonciateur n'est pas sûr non plus que le sujet soit malade, mais il rend le fait tout à fait **probable**. Il est presque sûr de ce qu'il dit.

Dans les exemples précédents, les modaux « may » et « must » ont permis à l'énonciateur de « modaliser » ses propos, de nuancer ce qu'il dit, en fonction de son degré de certitude.

À l'aide des auxiliaires modaux, l'énonciateur peut donc placer ce qu'il dit dans le **domaine du possible** (peu possible, possible, très possible...) ou **du probable** (peu probable, probable, très probable...).

Les modaux lui permettent aussi d'exprimer des notions telles que l'obligation, la nécessité, le conseil ou, au contraire, l'absence d'obligation, l'absence de nécessité, le reproche ou encore l'interdiction...

Les notions exprimées par les modaux sont nombreuses.

Bien les connaître et les comprendre est une nécessité pour comprendre et pouvoir s'exprimer en anglais.

La modalité existe aussi en français mais notre langue n'a pas d'équivalents de ces remarquables instruments que sont les modaux.

Néanmoins, on peut également « modaliser » en français grâce à :
- des verbes comme « *devoir* », « *falloir* » ou « *pouvoir* ».
  Ex. : *Il doit être malade. / Il faudrait que tu te couches plus tôt.*
- des adverbes de modalité comme « *probablement, sûrement, certainement, évidemment...* » (« probably, surely, certainly, evidently... » en anglais).
- des adjectifs de modalité comme « *probable, sûr, possible...* » (« probable, sure, possible... » en anglais).
- un mode verbal comme le subjonctif ou le conditionnel.
  Ex. : *Tu devrais te coucher plus tôt.* (conditionnel)
      Qu'elle règne longtemps sur nous ! (subjonctif)
- des expressions telles que « *Il se peut que..., Il faut que...* », etc.

1. Principes généraux sur les auxiliaires modaux

L'emploi des auxiliaires modaux répond à un certain nombre de règles :

a) Ils sont suivis de la base verbale du verbe qu'ils accompagnent.
  Ex. : I can swim.   *Je sais nager.*

b) Ils sont invariables ; ils ont la même forme à toutes les personnes (ils ne prennent pas de « s » à la 3e personne du singulier).
  Ex. : I can swim, you can swim, he can swim, she can swim...

c) Comme tous les auxiliaires, ils peuvent se contracter ; ce sont eux qui portent la négation*, qui se déplacent dans les questions et ils sont toujours associés à un verbe lexical.

d) Un auxiliaire modal n'est jamais suivi d'un autre auxiliaire modal ; c'est pourquoi, entre autres, on a recours à des verbes équivalents, appelés aussi substituts de modaux.

e) Un auxiliaire modal n'a pas d'infinitif, de participe présent et de participe passé.

⚠ *Attention aux formes négatives suivantes :*

FORMES PLEINES	FORMES CONTRACTÉES
cannot	*can't*
shall not	*shan't*
will not	*won't*

2. Notions que peuvent exprimer les auxiliaires modaux

• Les notions que les auxiliaires modaux peuvent exprimer sont :
La capacité et l'incapacité, l'obligation et l'absence d'obligation, la possibilité et l'impossibilité, la permission et l'interdiction, l'éventualité et la probabilité, le futur, la volonté, le conseil, le reproche et le regret.

• Un auxiliaire modal peut avoir plusieurs sens :
Ex. : She **can** speak Russian very well. « Can », ici, exprime la capacité.
Elle parle très bien le russe. / Elle sait très bien parler le russe.

You **can** go out now. « Can », ici, exprime la permission.
Tu peux (Vous pouvez) sortir maintenant.

It **can** be too dangerous for her. « Can », ici, exprime la possibilité.
C'est peut-être trop dangereux pour elle.

• Inversement, une même notion peut être exprimée par plusieurs auxiliaires :
Ex. : **Can** I have a biscuit, please?
Est-ce que je peux avoir un biscuit, s'il te (vous) plaît ?

Could I have a biscuit, please?
Pourrais-je avoir un biscuit, s'il te (vous) plaît ?

May I have a biscuit, please?
Est-ce que je peux (Puis-je...) avoir un biscuit, s'il te (vous) plaît ?

Dans les trois exemples ci-dessus, « may », « can » et « could » expriment tous les trois la demande de **permission.**
La demande est de plus en plus polie ; « May I...? » est la formule la plus déférente.

3. Les verbes « équivalents » des auxiliaires modaux

Il existe un certain nombre de verbes qui recouvrent des notions similaires, voire identiques à celles exprimées par les auxiliaires de modalité, c'est pourquoi ils sont souvent interchangeables.
On appelle ces verbes les **équivalents** ou les **substituts des auxiliaires modaux**.

• On les utilise pour **deux raisons** :

soit pour des raisons grammaticales :

En effet, contrairement aux auxiliaires modaux, les verbes « équivalents » se conjuguent à tous les temps ; c'est pourquoi on a recours à ces verbes quand les auxiliaires modaux font défaut.

Certains auxiliaires modaux n'existent qu'au présent. Pour exprimer le passé ou le futur, on aura recours à un verbe équivalent.

Par exemple, on aura recours au verbe substitut « have to » (substitut du modal « must ») pour exprimer l'obligation à d'autres temps qu'au présent car le modal « must » n'existe qu'au présent.

Ex. : She had to stay in bed last week.
Elle a dû rester couchée la semaine dernière.

En outre, on ne peut pas employer deux auxiliaires modaux l'un à côté de l'autre. Aussi, pour exprimer deux notions en même temps, il faut utiliser un auxiliaire modal suivi d'un verbe équivalent.

Pour combiner, par exemple, la notion de futur et de possibilité dans la même phrase, on aura recours au modal « will » que l'on pourra associer au verbe substitut « be able to » (substitut des auxiliaires modaux « can » et « could »).

Il faut bien retenir qu'un auxiliaire modal n'est jamais suivi d'un autre auxiliaire modal (on ne peut pas dire « He will can... »).

Ex. : He will be able to come.   *Il pourra venir.*

soit pour des raisons de sens :

En effet, à la différence des modaux, ces verbes substituts n'expriment aucun jugement de la part de celui qui parle.

Les verbes équivalents permettent de donner des informations non personnalisées, plus proches de la constatation que du jugement personnel.

Avec un auxiliaire modal, l'énonciateur n'est jamais neutre ; il s'investit, s'implique dans ce qu'il dit.

En effet, il donne *son* jugement, *son* opinion, *choisit* d'exprimer une nuance de volonté, de refus, de reproche...

En conclusion, il faut savoir que les verbes « équivalents » des auxiliaires modaux se substituent donc souvent aux auxiliaires de modalité au passé et au futur et ont un sens presque équivalent au présent.

Tableau des verbes « équivalents » aux auxiliaires modaux :

Notion	Auxiliaire modal	Verbe « équivalent »
Capacité	can / could	be able to
Permission	can / could / may	be allowed to
Obligation	must	have to
Absence d'obligation	needn't	don't have to don't need to

Rappel des règles d'emploi des verbes et des auxiliaires :

En ce qui concerne la conjugaison des auxiliaires et des verbes (« substituts ») de modalité, il est essentiel de se souvenir des règles d'emploi des auxiliaires d'une part, et des verbes lexicaux d'autre part.

Les verbes utilisés comme substituts des auxiliaires modaux sont des verbes lexicaux qui, comme tout verbe lexical (« to be » mis à part), se conjuguent à tous les temps, n'ont pas de formes contractées et font appel à des auxiliaires à la forme interrogative et négative.

Ils font notamment appel, comme tout autre verbe lexical (sauf « to be ») aux auxiliaires « do, does et did » aux formes négative et interrogative du présent simple et du prétérit simple.

Les auxiliaires modaux, en revanche, n'existent qu'à certains temps et, comme tout auxiliaire, ils peuvent se contracter, ils portent la négation, se déplacent dans les questions et sont toujours associés à un verbe lexical.

Exemples d'emploi avec l'auxiliaire modal **« must »** et le verbe **« have to »** (substitut du modal « must »), expressions de **l'obligation** :

– **au présent**, on peut utiliser **« must »** ou **« have to »** avec quelques différences de sens.

Comparez :

AFFIRMATION :
He **must** take the bus to go to school.
Il doit absolument prendre le bus pour aller à l'école.

He **has** to take the bus to go to school.
Il doit prendre le bus pour aller à l'école.

INTERROGATION :
Must he take the bus to go to school ?
Est-ce qu'il est obligé de prendre le bus pour aller à l'école ?

Does he **have** to take the bus to go to school ?
Est-ce qu'il doit prendre le bus pour aller à l'école ?

NÉGATION :
He **mustn't** take the bus to go to school.
Il ne doit absolument pas prendre le bus pour aller à l'école.

He **doesn't** have to take the bus to go to school.
Il n'est pas obligé de prendre le bus pour aller à l'école.

– **au prétérit**, seul **« have to »** est possible.

AFFIRMATION :
He **had** to take the bus to go to school.
Il devait prendre le bus pour aller à l'école.

INTERROGATION :
Did he have to take the bus to go to school ?
Est-ce qu'il devait prendre le bus pour aller à l'école ?

NÉGATION :
He didn't have to take the bus to go to school.
Il n'était pas obligé de prendre le bus pour aller à l'école.

Cas particulier de « need » :
« Need » est considéré comme un semi-auxiliaire.
En effet, il peut être tantôt auxiliaire modal tantôt verbe lexical.

1. **Comme auxiliaire modal**, il s'utilise uniquement aux formes interrogative et négative :

À la forme interrogative, l'auxiliaire « need » a un sens voisin de « must » mais, avec « need », on espère plutôt une réponse négative.
  Ex. : Need she attend the conference ? No, she needn't.
      Faut-il vraiment qu'elle assiste à la conférence ? Non, ce n'est pas nécessaire.

À la forme négative, l'auxiliaire « need » exprime l'absence de nécessité.
  Ex. : He needn't come if he doesn't want to.
      Il n'est pas nécessaire qu'il vienne s'il n'en a pas envie.

2. **Comme verbe lexical**, il s'utilise dans tous les types de phrases (affirmatives, interrogatives et négatives) et fait appel, comme tous les verbes lexicaux (sauf « to be ») aux auxiliaires « do, does, did » à la forme interrogative et négative au présent simple et au prétérit simple. Le verbe « to need » exprime **la nécessité** et **l'absence de nécessité à la forme négative** et se traduit souvent par « *avoir besoin de* ».
  Ex. : He needs to think of it before making a decision.
      Il a besoin d'y réfléchir avant de prendre une décision.

      He needed to see her before leaving.
      Il avait besoin de la voir avant de partir.

      What do you need?
      De quoi as-tu (avez-vous) besoin ?

      He doesn't need anything.
      Il n'a besoin de rien.

Note :
« Dare » fonctionne comme « Need ».
En tant que verbe, « to dare » signifie « *oser* ».

Tableau des auxiliaires modaux et des verbes « équivalents » :

Notion exprimée	Auxiliaire modal ou verbe « équivalent »

Capacité / Incapacité :

Au présent : can / cannot (can't)
Ex. : She can speak Italian.   *Elle sait parler italien.*
She can't (cannot) help him.   *Elle ne peut pas l'aider.*

Au passé : could / could not (couldn't)
could est la forme passée de can.
Ex. : He could play the violin when he was a child.
Il savait jouer du violon quand il était enfant.

They couldn't (could not) go out alone.
Ils (Elles) ne pouvaient sortir seul(e)s.

À tous les temps : be able to / not be able to
Ex. : If you help me, I'll be able to finish on time.
Si tu m'aides (vous m'aidez), je pourrai finir à temps.

He's sorry, he hasn't been able to come.
Il est désolé, il n'a pas pu venir.

Permission :

Au présent : can
Ex. : You can stay out until 9 p.m.
Tu peux (Vous pouvez) rester dehors jusqu'à 21 heures.

Au présent : may
may marque davantage la déférence que can.
Ex. : He may go now.   *Il peut partir maintenant.*

À tous les temps : be allowed to
Ex. : We were allowed to see each other whenever we wanted.
Nous pouvions nous voir quand nous le voulions.

Demande de permission :

Au présent : can
Ex. : Can you help me, please?
Peux-tu m'aider, s'il te plaît ? / Pouvez-vous m'aider, s'il vous plaît ?

Au passé : could
Ex. : Could I use the phone, please?
Pourrais-je utiliser le téléphone, s'il te (vous) plaît ?

Au présent : may
    Ex. : May I borrow this book?
        Puis-je emprunter ce livre ?

Au passé : would
    Ex. : Would you mind if I use your phone?
        Cela vous (te) dérange-t-il si j'utilise votre (ton) téléphone ?

Dans les exemples ci-dessus, **la demande est de plus en plus polie.**

Interdiction / Refus de permission :

Au présent : must not (mustn't)
    Ex. : You mustn't park here.
        Vous ne devez pas vous (Tu ne dois pas te) garer ici.

        cannot (can't)
    Ex. : You can't stay here.
        Vous ne pouvez pas (Tu ne peux pas) rester ici.

        may not
    Ex. : Visitors may not take photographs.
        Les visiteurs ne doivent pas prendre de photos.

À tous les temps : be not allowed to
    Ex. : You are not allowed to feed the animals.
        Vous ne devez pas nourrir les animaux.

    We won't be allowed to see each other again.
    Nous ne pourrons pas nous revoir.

Obligation :

Au présent : must
    Ex. : You must work more.
        Tu dois (Vous devez) travailler plus.

    She said you must* be on time.
    Elle a dit que tu dois (vous devez) être à l'heure.

* *Au discours indirect, « must » et « must not » sont compatibles avec le passé.*

À tous les temps : have to
    Ex. : He has to* wear glasses.
        Il doit porter des lunettes.

    He will have to study more if he wants to be an engineer.
    Il faudra qu'il travaille davantage s'il veut être ingénieur.

They had to take the train.
Ils (Elles) ont dû prendre le train.

* *Au présent, « have to » signifie surtout une obligation imposée par des circonstances extérieures.*
Celui qui parle se contente de transmettre une information non personnelle.
Avec « must », celui qui parle donne un ordre ou interdit avec « mustn't » (cf. pages 41 et 42).

Absence d'obligation ou de nécessité :

Au présent : needn't
Ex. : He needn't come if he doesn't want to.
Il n'a pas besoin de venir s'il ne veut pas.

À tous les temps : don't need to / don't have to
Ex. : I didn't need to talk to her.
Je n'ai pas eu besoin de lui parler.

They don't have to pay for their tickets.
Ils (Elles) ne sont pas obligé(e)s de payer leur billet.

Expression de la volonté (ordre, refus) :

Au présent : will / will not (won't)
Ex. : Will you pay attention, please!
Voulez-vous être attentifs (attentives), s'il vous plaît ! / Veux-tu être attentif (attentive), s'il te plaît !

Stop that noise, will* you!
Arrêtez ce vacarme, voulez-vous ! / Arrête ce vacarme, veux-tu !

She won't do it.
Elle ne le fera pas.

* *« Will » s'utilise aussi comme « tag » à l'impératif.*

Au présent et au passé : would / would not (wouldn't)
Ex. 1 : Would you kindly help me down with my luggage?
Auriez-vous (Aurais-tu) l'obligeance de m'aider à descendre mes bagages ?
Ex. 2 : I tried to show her that she was wrong but she wouldn't* listen to me.
J'ai essayé de lui montrer qu'elle avait tort, mais elle n'a pas voulu m'écouter.

* *« Would » peut aussi exprimer le refus au passé.*

Expression du conseil, du reproche :

Au présent : — should / should not (shouldn't)

Ex. : You should see that film.
Tu devrais (Vous devriez) voir ce film.

He shouldn't smoke so much.
Il ne devrait pas fumer autant.

— ought to / ought not to (oughtn't to)

1. Bien qu'il soit suivi de « to », « ought to » se comporte en tout point comme un auxiliaire modal.
Comme « should », « ought to » exprime le conseil ou le reproche.

Ex. : She ought to work more.
Elle devrait travailler plus.

She oughtn't to eat so much sugar.
Elle ne devrait pas manger autant de sucre.

2. Le conseil s'exprime aussi avec « had better » (cf. pages 42 et 43).

Propositions, suggestions :

Au présent : — shall*

* *« Shall » ne s'emploie qu'aux premières personnes du singulier (I) et du pluriel (We).*

Ex. : Shall I make the tea?
Voulez-vous (Veux-tu) que je fasse le thé ?

Shall we go to the cinema tonight?
Voulez-vous (Veux-tu) aller au cinéma ce soir ?

— will

Ex. : Will you have a glass of wine?
Voulez-vous (Veux-tu) un verre de vin ?

— would

Ex. : Would you like a cup of tea?
Veux-tu (Désires-tu) une tasse de thé ?

Expression du futur :

will / will not (won't)

Ex. : I hope you will succeed.
J'espère que tu réussiras (vous réussirez).

I'm afraid she won't like it.
Je crains que cela ne lui déplaise.

When I'm 18 years old, I'll (will) buy a car.
Quand j'aurai 18 ans, je m'achèterai une voiture.

De la probabilité à la quasi-certitude :

Au présent : — could
Ex. : There could be a storm tonight.
Il pourrait y avoir un orage ce soir.

— might
Ex. : He might be ill.
Il se pourrait qu'il soit malade.

— may
Ex. : He may be ill.
Il se peut qu'il soit malade.

— must / can't*
Ex. : He must be ill.
Il doit être malade.

It can't be 11 o'clock already.
Il ne peut pas être déjà 11 heures.

* « Must » et « can't » expriment ici la quasi-certitude.
*Dans les exemples précédents, on va du **probable** au **quasi-certain**.*

Possibilité / Impossibilité :

Au présent : can / cannot
Ex. : Anything can happen.
Tout peut arriver.

That can't be true.
Il est impossible que cela soit vrai.

You can't be serious.
Vous ne parlez (Tu ne parles) pas sérieusement.

À tous les temps : be able to / not be able to
Ex. : They'll (will) be able to come.
Ils (Elles) pourront venir.

He wasn't able to be on time because of the strike.
Il n'a pas pu être à l'heure à cause de la grève.

Habitude dans le passé :

Au passé : would
Ex. : We would go for a swim in the morning.
Nous allions habituellement nous baigner le matin.

Remarque :

Il ne faut pas confondre « would », appelé dans ce cas « would » fréquentatif, et « used to ».

Ils expriment tous deux un état ou une habitude du passé, mais « used to », à la différence de « would », exprime une rupture entre le passé et le présent, un état ou une habitude révolus.

Ex. : We used to go for a swim in the morning (habitude révolue).
Auparavant, nous allions nous baigner le matin.

He used to be an architect (état révolu).
Autrefois, il était architecte.

Chapitre 2

Les temps

Le système des temps est plus compliqué en anglais qu'en français, en particulier à cause de la notion d'aspect : aspect de la forme en « be + -ing » à tous les temps, aspect perfectif du present perfect et du pluperfect, aspect fréquentatif de « would », etc.

Comprendre et utiliser les temps de l'anglais nécessite une bonne compréhension de cette notion d'aspect (sur laquelle nous reviendrons souvent dans ce chapitre), une notion essentielle en anglais, qui n'est pas toujours nettement marquée en français, pourtant riche en temps.

Observons ces phrases :

Ils (Elles) ont joué au tennis hier. (passé composé)
They played tennis yesterday. (prétérit simple)

Ils (Elles) jouaient au tennis quand je suis arrivé(e). (imparfait)
They were playing tennis when I arrived. (prétérit continu)

Ils (Elles) ont joué au tennis pendant deux heures. (passé composé)
They've been playing tennis for two hours. (present perfect continu)

Le matin, ils (elles) jouaient au tennis. (imparfait)
In the morning, they would play tennis. (would fréquentatif)

Ce qui distingue ces phrases n'est pas tant une différence de temps qu'une différence d'aspect, très nettement marquée en anglais.

Si le temps grammatical indique dans quelle période se situe l'action exprimée par le verbe (passé, présent, avenir), l'aspect s'intéresse davantage au sujet de l'action et à la manière dont l'action se déroule.

Intimement liée à la notion d'aspect, il existe en anglais une forme simple et une forme continue (appelée aussi forme progressive ou forme en « be + -ing ») pour les temps suivants :

- **le présent** (simple et continu)
- **le prétérit** (simple et continu)
- **le present perfect*** (simple et continu)
- **le pluperfect*** (simple et continu)

* Le present perfect et le pluperfect ne sont pas à proprement parler des temps.
Il est plus juste de parler d'aspect perfectif, et de considérer le present perfect comme un aspect du présent et le pluperfect comme un aspect du passé.

On aura noté l'absence d'un temps grammatical « futur » en anglais. Ceci ne signifie nullement que l'anglais ne permette pas d'exprimer l'avenir.
Au contraire, l'anglais a plusieurs façons d'exprimer l'avenir, mais comme pour le conditionnel, le futur relève du système modal (on utilise des auxiliaires modaux pour exprimer l'avenir et le conditionnel ; le présent peut également servir à évoquer des événements à venir en anglais, comme en français d'ailleurs).

La forme simple des temps nommés ci-dessus permet de situer l'action dans le temps de façon objective.
En effet, l'énonciateur, dans ce cas-là, reste « neutre » en quelque sorte, impersonnel ; il délivre une information sans la commenter.

La forme continue, en revanche, relève de la notion d'aspect et permet à l'énonciateur d'ajouter une part de subjectivité à ce qu'il énonce, de faire un « commentaire » ou de porter un jugement.

L'énonciateur ne se contente pas de situer les faits dans le temps ; il les commente, il exprime un point de vue subjectif.

La forme continue est toujours formée de l'auxiliaire « be » et d'un verbe en « -ing ».
C'est « be » que l'on conjugue au temps voulu.
On dit que les marqueurs de la forme continue sont **« be + -ing »**.

Avant d'étudier, en détail, des temps de l'anglais, retenons qu'il faut être très vigilant pour passer d'une langue à l'autre et qu'il n'y a pas de correspondance exacte entre l'emploi d'un temps français et celui d'un temps anglais.

1) EXPRIMER LE PRÉSENT

Avant tout, il faut retenir qu'il existe **deux formes de présents en anglais :** le présent simple et le présent continu.
Le français ne dispose que d'un seul présent. Il faut donc faire très attention aux emplois respectifs du présent simple et du présent continu.

Comparez :
1. It often rains in England. (présent simple)
   Il pleut souvent en Angleterre.
2. Look! It's raining. (présent continu)
   Regardez ! Il pleut.

Dans l'exemple 1, le présent simple permet d'exprimer une généralité, un fait qui n'a pas forcément lieu au moment où l'on parle ; il s'agit d'un présent qui dépasse le moment de parole.
Dans l'exemple 2, l'action décrite, à l'aide du présent continu, est ancrée dans le moment présent. On décrit ce que l'on voit, ou ce que l'on entend, ce qui se passe au moment précis où l'on parle.

1. Le présent simple

Le présent simple sert à parler de goûts, d'opinions et d'habitudes.
Il ne concerne pas exclusivement le moment présent, et il n'est pas lié à un moment précis.
On peut dire qu'il a une valeur qui « dépasse » le moment précis.

a) Formation du présent simple
Il faut se rappeler, avant tout, que le verbe « to be » a sa propre conjugaison au présent et au prétérit.
Il est le seul verbe à ne pas suivre les règles de conjugaison des verbes lexicaux au présent et au prétérit.

RAPPEL DE LA CONJUGAISON DU VERBE « TO BE » AU PRÉSENT :

AFFIRMATION	INTERROGATION	NÉGATION
I am /'m	Am I...?	I am not /'m not
You are /'re	Are you...?	You are not / aren't /'re not
He / She / It is /'s	Is he / she / it...?	He / She / It is not / isn't /'s not
We are /'re	Are we...?	We are not / aren't /'re not
You are /'re	Are you...?	You are not / aren't /'re not
They are /'re	Are they...?	They are not / aren't /'re not

INTERRO-NÉGATION :

Am I not...? / Aren't I...?
Are you not...? / Aren't you...?
Is he / she / it not...? / Isn't he / she / it...?

Are we not...? / Aren't we...?
Are you not...? / Aren't you...?
Are they not...? / Aren't they...?

Formation du présent simple de tous les verbes lexicaux en dehors du verbe « to be » :

• Dans les phrases affirmatives, le présent simple se forme avec la base verbale des verbes lexicaux :

S + BV + « s » (3ᵉ personne du singulier) + (complément)

Ex. : I **love** him.　　*Je l'aime.*
(base verbale)
He **loves** me.　*Il m'aime.*

Les marqueurs du présent simple dans les phrases affirmatives sont donc : « Ø* » et « s ».

* *Symbole de l'ensemble vide signifiant « aucun marqueur ».*

• Dans les phrases interrogatives, on utilise l'auxiliaire « do » :

DO/DOES (3ᵉ personne du singulier) + S + BV + (complément)

Ex. : **Do** you speak English?
Est-ce que tu parles (vous parlez) anglais ?

Does she like* him?
Est-ce qu'elle l'apprécie ?

* *Dans les questions, le marqueur « s » de la 3ᵉ personne du singulier n'est plus porté par le verbe mais par l'auxiliaire « does ».*
Le verbe qui suit, dans les questions (« like » dans l'exemple) est sous la forme de la base verbale.

Les marqueurs du présent simple dans les phrases interrogatives sont donc : « do » et « does ».

• Dans les phrases négatives, on utilise l'auxiliaire « don't » :

S + DON'T/DOESN'T (3ᵉ personne du singulier)
+ BV + (complément)

Ex. : They **don't** want* any coffee. *Ils (Elles) ne veulent pas de café.*

He **doesn't** work* every day. *Il ne travaille pas tous les jours.*

*Dans les phrases négatives, le marqueur « s » de la 3e personne du singulier n'est plus porté par le verbe mais par l'auxiliaire « doesn't ».
Le verbe qui suit, dans les phrases négatives (« work » dans l'exemple), est sous la forme de la base verbale.*

Les marqueurs du présent simple dans les phrases négatives sont donc : « don't » et « doesn't ».

Tableau récapitulatif des marqueurs du présent simple :

	À toutes les personnes sauf la 3e personne du singulier	À la 3e personne du singulier
Phrases affirmatives	Ø	-s
Phrases interrogatives	do	does
Phrases négatives	don't	doesn't

b) Conjugaison au présent simple
Exemple du verbe lexical « to love » (« aimer »)

AFFIRMATION :

I love	We love
You love	You love
He / She / It loves	They love

Traduction :
J'aime, tu aimes, etc.

INTERROGATION :

Do I love...?	Do we love...?
Do you love...?	Do you love...?
Does he / she / it love...?	Do they love...?

Traduction :
Est-ce que j'aime... ?, etc.

NÉGATION :

I don't (do not) love	We don't love
You don't love	You don't love
He / She / It doesn't (does not) love	They don't love

Traduction :
Je n'aime pas, tu n'aimes pas, etc.

INTERRO-NÉGATION :

Don't I love...? (Do I not love...?)	Don't we love...?
Don't you love...?	Don't you love...?
Doesn't he / she / it love...?	Don't they love...?

Traduction :
Est-ce que je n'aime pas... ?, etc.

Prononciation et orthographe de la 3ᵉ personne du singulier :
Le marqueur « s » de la 3ᵉ personne du singulier peut se prononcer de trois façons différentes :

Ex. : He wants [s]   He loves [z]   He changes [iz]
      Il veut ......   *Il aime ......*   *Il change ......*

Lorsque **la base verbale se termine en -s, -z, -x, -sh, -ch, -o**, on ajoute **-es** et **-s**.
Dans ce cas, la prononciation est [z]   Ex. : He goes, she does...
et [iz] dans les autres cas.   Ex. : He watches, he brushes...

Lorsque **la base verbale se termine en consonne + y**, on transforme le **y en i avant d'ajouter -es.**
Ex. : I try   He tries
      I cry   She cries

c) Emploi du présent simple
Le présent simple ne concerne pas uniquement le moment précis.
Il a une valeur plus générale.

Il permet d'exprimer :

l'habitude

Ex. : Bill gets up at 8 every day.   *Bill se lève à 8 heures.*
      Does she go to school by bus?   *Est-ce qu'elle va à l'école en bus ?*

la fréquence

Ex. : How often do you go abroad?   *À quelle fréquence vas-tu (allez-vous) à l'étranger ?*
      I never travel alone.   *Je ne voyage jamais seul(e).*

des vérités générales

Ex. : Cows eat grass.   *Les vaches mangent de l'herbe.*
      Iron rusts.   *Le fer rouille.*

l'opinion, le goût, le souhait, l'envie, les sentiments notamment avec des verbes comme « to agree » (« être d'accord »), « to believe » (« croire »), « to like » (« apprécier »), « to love » (« aimer »), « to think » (« penser »), « to want » (« vouloir »)...
Ex. : I agree with you.   *Je suis d'accord avec toi (vous).*
      She loves chemistry.   *Elle aime la chimie.*

le futur (un horaire ou un programme)

Ex. : The train leaves at 4.05 p.m.   *Le train part à 16 h 05.*

1. Les temps : exprimer le présent

Le présent simple permet de donner des informations et de présenter les faits de façon objective, on l'utilise donc aussi pour :

raconter une histoire

Ex. : The man **looks** at her and **says** : « I think it's too late ».
L'homme la regarde et dit : « Je crois que c'est trop tard. »

demander ou donner des instructions

Ex. : You **cook** the meat in the oven and **serve** it hot.　　*Cuire la viande au four et servir chaud.*

How **do** we **get** there?　　*Comment allons-nous là-bas ?*

donner des indications scéniques

Ex. : The telephone **rings**.　　*Le téléphone sonne.*

décrire une succession d'actions immédiates

Ex. : Zidane **shoots** his first goal.　　*Zidane tire son premier but.*

faire un reportage

Ex. : Now the president **stands up** and **speaks**.　　*Et maintenant le président se lève et parle.*

annoncer un fait nouveau

Ex. : Here **comes** the champion!　　*Voici le champion !*

2. Le présent continu

Le présent continu s'appelle aussi **le présent progressif** ou encore **le présent en be + -ing.**

> **Rappel :**
> **La forme simple** permet de situer l'action dans le temps de façon objective.
> L'énonciateur, dans ce cas, délivre une information sans la commenter.
> **La forme continue**, en « be + -ing », relève de la notion d'aspect.
> L'énonciateur, dans ce cas, ne se contente pas de situer les faits dans le temps ; il les commente, il exprime un point de vue subjectif.

Il ne faut pas confondre le présent simple et le présent continu.
Rappelons que l'anglais dispose de deux formes de présent alors qu'il n'existe qu'un seul présent (qu'une seule forme de présent) en français.
Contrairement au présent simple qui ne concerne pas uniquement le moment présent, le présent continu, le présent en « be + -ing », ancre

69

l'action dans le moment présent et/ou dans une situation, un contexte précis.

Il sert à décrire une situation dont on est témoin au moment où l'on parle. Le présent continu est, par opposition au présent simple, un « vrai » présent ; un contexte précis, ancré dans une situation particulière, ici et maintenant.

a) Formation du présent continu

Le présent continu se forme à l'aide de l'auxiliaire « be » conjugué au temps voulu et d'un verbe lexical en « -ing ».

Ex. : I'm reading a novel.	*Je lis un roman.*
What are you doing ?	*Qu'est-ce que tu fais (vous faites) ?*
We aren't reading, we're watching a film.	*Nous ne lisons pas, nous regardons un film.*

Les marqueurs du présent continu sont : be + -ing.

b) Conjugaison au présent continu

Exemple du verbe lexical « to sleep » : « *dormir* »

Remarque :

On peut remplacer les formes contractées de « be » ci-dessous par les formes pleines (cf. pages 55 et 56).

AFFIRMATION :

I'm sleeping	We're sleeping
You're sleeping	You're sleeping
He / She / It's sleeping	They're sleeping

Traduction :
Je dors, tu dors, etc.

INTERROGATION :

Am I sleeping?	Are we sleeping?
Are you sleeping?	Are you sleeping?
Is he / she / it sleeping?	Are they sleeping?

Traduction :
Est-ce que je dors ?, etc.

NÉGATION :

I'm not sleeping	We aren't /'re not sleeping
You aren't /'re not sleeping	You aren't /'re not sleeping
He / She / It isn't /'s not sleeping	They aren't /'re not sleeping

Traduction :
Je ne dors pas, tu ne dors pas, etc.

INTERRO-NÉGATION :

Am I not sleeping?	Aren't we sleeping?
Aren't you sleeping?	Aren't you sleeping?
Isn't he / she / it sleeping?	Aren't they sleeping?

Traduction :
Ne suis-je pas en train de dormir ? ou Est-ce que je ne suis pas en train de dormir ?, etc.

c) *Emploi du présent continu*

Le présent continu permet de décrire et commenter des actions déjà en cours ou déjà connues.

Il s'emploie pour :

▶ décrire une action en cours, ce qui est en train de se passer.
On est témoin de l'action que l'on décrit (elle se passe sous nos yeux ou on l'entend par exemple).

Ex. : He's painting the ceiling.   *Il peint le plafond.*
Look! It's raining.   *Regarde(z) ! Il pleut.*

▶ décrire une action qui est en cours de déroulement.
Ex. : The situation in Israel is getting more and more difficult.
La situation en Israël est de plus en plus difficile.

▶ décrire la position de quelqu'un ou une image (on est encore témoin de la scène).
Ex. : She's sitting in the garden.   *Elle est assise dans le jardin.*

In picture one, the Johnsons are having a party.   *Dans la première image, les Johnson font une fête.*

Le présent continu permet aussi de faire des commentaires sur une situation.

Il s'emploie pour :

▶ exprimer un point de vue subjectif, qui peut s'accompagner d'un jugement positif ou négatif selon le contexte.
Ex. : They're drinking again!
Mais ils (elles) boivent encore !

You're being silly!
Tu te conduis comme un(e) imbécile ! / Vous vous conduisez comme des imbéciles !

▶ Le présent continu peut également exprimer l'intention.
Il est alors associé à un adverbe ou une expression situant l'action dans le futur.
Ex. : I'm seeing him tomorrow.   *Je le vois demain.*

⚠ Attention, **l'ajout de -ing** au verbe lexical entraîne parfois des **modifications orthographiques**.

Notez par exemple :
to die *(mourir)*	dying
to lie *(être étendu)*	lying
to surprise *(surprendre)*	surprising

d) Les verbes qui n'admettent pas la forme continue

Les verbes qui n'admettent pas la forme continue, la forme en be + -ing, sont les verbes d'état, « to be » (« être ») et « to have » (« avoir, posséder ») ou d'autres verbes exprimant un état d'esprit, un état de sentiments, un état des sens (verbes de perception), une apparence.

Les plus importants sont :

To like	aimer, apprécier
To love	aimer
To hate	détester
To want	vouloir
To wish	souhaiter
To know	savoir
To remember	se souvenir de, se rappeler
To understand	comprendre
To think	dans le sens de *croire* et non de *penser*
To believe	croire
To appear	apparaître
To seem	sembler
To mean	signifier, vouloir dire
To agree	être d'accord
To disagree	ne pas être d'accord
To see	dans le sens de *voir* et non de *rencontrer*
To look	sembler, paraître
To imagine	imaginer
To doubt	douter
To feel	dans le sens de *croire* et non de *ressentir*
To hear	entendre
To prefer	préférer
To recognize	reconnaître
To suppose	supposer

Ces verbes ne s'emploient pratiquement pas à la forme continue.
Ils s'utilisent donc presque toujours aux temps simples, même si, d'après le contexte, ils devraient être à la forme continue (en be + -ing).
Ils expriment un état plutôt qu'un processus dynamique.

Néanmoins, certains de ces verbes peuvent changer de sens et accepter alors la forme continue. C'est le cas, entre autres, de :
– « to think » qui peut signifier « *croire que* » au présent simple et « *penser à* », « *réfléchir* » ou « *envisager de* » au présent continu
– « to see » qui signifie « *voir* » au présent simple et « *rencontrer* » au présent continu
– « to have » qui signifie « *posséder* » au présent simple et qui peut s'employer au présent continu dans les expressions telles que « to have dinner / a bath... », « *dîner* », « *prendre un bain...* », etc.

2) EXPRIMER LE PASSÉ

L'anglais utilise **six temps pour parler du passé :**

– Le prétérit simple
– Le prétérit continu

– Le present perfect* simple
– Le present perfect* continu

– Le past perfect* simple, appelé aussi pluperfect* simple
– Le past perfect* continu, appelé aussi pluperfect* continu

* *Le present perfect et le past perfect (ou pluperfect) ne sont pas à proprement parler des temps.*
Il est plus juste de parler d'aspect perfectif, et de considérer le present perfect comme un aspect du présent et le pluperfect (ou past perfect) comme un aspect du passé.
On peut noter que, comme pour exprimer le présent en anglais, il existe, pour chaque temps du passé, une forme simple et une forme continue (en be + -ing).
Il ne faut pas oublier qu'il n'y a pas de correspondance exacte ou systématique entre l'emploi d'un temps français et celui d'un temps anglais.
Par exemple, le passé composé se traduit tantôt par le prétérit simple, tantôt par le present perfect (simple ou continu) ; l'imparfait correspond soit au prétérit (simple ou continu) ou encore au past perfect (simple ou continu), selon le contexte.
Pour bien employer les temps anglais, il faut penser au sens que l'on veut exprimer, et non aux temps français.

1. Le prétérit simple

Le prétérit simple est le temps de « base » du passé.
Il correspond à plusieurs temps du passé en français.

Comme pour le présent, il existe deux formes de prétérit : le prétérit simple et le prétérit continu.

a) *Formation du prétérit simple*

Il faut se rappeler, avant tout, que le verbe « to be » a sa propre conjugaison au présent et au prétérit.

Il est le seul verbe à ne pas suivre les règles de conjugaison des verbes lexicaux au présent et au prétérit.

RAPPEL DE LA CONJUGAISON DU VERBE « TO BE » AU PRÉTÉRIT :

AFFIRMATION	INTERROGATION	NÉGATION
I was	Was I...?	I was not / wasn't
You were	Were you...?	You were not / weren't
He / She / It was	Was he / she / it...?	He / She / It was not / wasn't
We were	Were we...?	We were not / weren't
You were	Were you...?	You were not / weren't
They were	Were they...?	They were not / weren't

INTERRO-NÉGATION

Was I not...? / Wasn't I...?
Were you not...? / Weren't you...?
Was he / she / it not...? / Wasn't he / she / it...?

Were we not...? / Weren't we...?
Were you not...? / Weren't you...?
Were they not...? / Weren't they...?

En dehors de la conjugaison unique du verbe « to be », il faut aussi savoir qu'il existe en anglais des verbes réguliers et des verbes irréguliers. Les verbes irréguliers ne forment pas leur prétérit et leur participe passé de la même façon que les autres verbes lexicaux dits réguliers.

Formation du prétérit simple des verbes lexicaux réguliers :

• Dans les phrases affirmatives, on ajoute -ed à la base verbale du verbe utilisé ou -d seulement si la base verbale se termine par un « e », à toutes les personnes du singulier et du pluriel :

> S + BV + ed + (complément)

Ex. : He looked at her and hoped she would notice him.
Il la regarda et espéra qu'elle le remarquerait.

• Dans les phrases interrogatives, on utilise l'auxiliaire « did » pour tous les verbes (réguliers et irréguliers), à toutes les personnes du singulier et du pluriel :

DID + S + BV + (complément)

Ex. : When **did** it happen*?   *Quand cela s'est-il produit ?*

* Dans les questions, le marqueur du prétérit n'est plus « porté » par le verbe mais par l'auxiliaire « did ».
Le verbe qui suit, dans les questions (« happen » dans l'exemple) est sous la forme de la base verbale.

• **Dans les phrases négatives**, on utilise l'auxiliaire « **didn't** » pour tous les verbes (réguliers et irréguliers), à toutes les personnes du singulier et du pluriel :

S + DIDN'T + BV + (complément)

Ex. : She **didn't see*** him before he entered the room.
Elle ne le vit pas avant qu'il ne pénètre dans la pièce.

* Dans les phrases négatives, le marqueur du prétérit n'est plus « porté » par le verbe mais par l'auxiliaire « didn't ».
Le verbe qui suit, dans les phrases négatives (« see » dans l'exemple), est sous la forme de la base verbale.

Tableau récapitulatif des marqueurs du prétérit simple :

	À toutes les personnes du singulier et du pluriel
Phrases affirmatives	-ed (sauf pour les verbes irréguliers)
Phrases interrogatives	did (pour tous les verbes)
Phrases négatives	didn't (pour tous les verbes)

Orthographe des verbes réguliers au prétérit simple :

• Le prétérit simple se forme en ajoutant -ed à la base verbale.
  Ex. : He **talked** to her yesterday. (verbe « to talk » : « *parler* »)
        Il lui a parlé hier.

• On ajoute seulement -d si la base verbale se termine déjà en -e.
  Ex. : They **loved** each other. (verbe « to love » : « *aimer* »)
        Ils (Elles) s'aimaient.

• Si la base verbale se termine en -y, on transforme le -y en -i avant d'ajouter -ed.
  Ex. : He **cried** a lot when he knew she was dead. (verbe « to cry » : « *pleurer* »)
        Il a beaucoup pleuré quand il a su qu'elle était morte.

- Pour les verbes d'une syllabe, on double la dernière consonne si celle-ci est précédée d'une voyelle courte.
  Ex. : She dropped into an armchair. (verbe « to drop » : « *tomber, se laisser tomber* »...)
  Elle s'est écroulée dans un fauteuil.

Prononciation des verbes réguliers terminés en -ed.
Il y a **trois prononciations** du prétérit régulier en -ed.

[id] après les sons [t] et [d]
  Ex. : waited, sounded...

[t] après les sons [p], [k], [f], [θ], [s], [ʃ], [tʃ]
  Ex. : dropped, booked...

[d] dans tous les autres cas
  Ex. : loved, cried...

Formation du prétérit simple des verbes lexicaux irréguliers (« to be » mis à part) :
Il existe environ 250 verbes irréguliers, dont 150 d'emploi courant.
Un verbe régulier suit, comme son nom l'indique, une règle.
En anglais, les verbes réguliers, qui représentent la grande majorité des verbes (entre 5 000 et 6 000 verbes réguliers), forment leur prétérit et leur participe passé avec -ed (on accole -ed à la base verbale).
Sont appelés verbes irréguliers, les verbes qui ne forment pas leur prétérit et leur participe passé de la même façon que les autres verbes lexicaux ; ils ne suivent pas la même règle (cf. liste pages 125 à 127).
Ces verbes, en majorité d'origine saxonne, sont les plus vieux verbes de la langue et s'emploient, pour la plupart, très fréquemment.
Il faut donc les connaître parfaitement.
Contrairement aux verbes réguliers, les verbes irréguliers ne « portent » pas le marqueur -ed au prétérit simple dans les phrases affirmatives.
Il n'y a pas de marqueur unique pour les verbes irréguliers au prétérit simple, c'est pourquoi il faut les apprendre individuellement et noter que l'orthographe de ces verbes est souvent assez lointaine de leur prononciation ; il faut les travailler et les apprendre à l'oral et à l'écrit.

- Les verbes irréguliers ne forment pas leur prétérit à la forme affirmative comme les verbes réguliers.
En effet, **ils ne portent pas le marqueur -ed.**

  Ex. : First she looked at him. Then she spoke to him.
    D'abord elle l'a regardé. Ensuite, elle lui a parlé.

Le premier verbe utilisé dans l'exemple ci-dessus est un verbe régulier, « to look » : « *regarder* ».
Au prétérit simple, on lui ajoute -ed, à la forme affirmative.

Le second verbe utilisé, en revanche, est un **verbe irrégulier**, « to speak » : « *parler* ».
Au prétérit simple, il devient « spoke » à la forme affirmative.
On le trouve, dans les listes de verbes irréguliers, généralement présenté de la façon suivante :

Base verbale	Prétérit	Participe passé	Traduction
speak	spoke	spoken	parler

• Dans les phrases interrogatives et négatives, les verbes irréguliers fonctionnent comme les autres verbes.

On utilise l'auxiliaire « **did** » dans les phrases interrogatives :
  Ex. : **Did** you **speak** to her? *Est-ce que tu lui as (vous lui avez) parlé ?*

On utilise l'auxiliaire « **didn't** » dans les phrases négatives :
  Ex. : No, I **didn't speak** to her. *Non, je ne lui ai pas parlé.*

b) Conjugaison d'un verbe régulier et d'un verbe irrégulier au prétérit simple

Exemple du verbe lexical **régulier « to love »** (« aimer ») et du verbe lexical **irrégulier « to see »*** (« voir »).

** Verbe irrégulier « **to see** » :*

Base verbale	Prétérit	Participe passé	Traduction
see	saw	seen	voir

AFFIRMATION :

I loved	I saw
You loved	You saw
He / She / It loved	He / She / It saw
We loved	We saw
You loved	You saw
They loved	They saw

Traduction :
J'ai aimé, j'aimais, j'aimai, etc. / J'ai vu, je voyais, je vis, etc.

Remarque :
Le prétérit simple peut correspondre en français, selon le cas, à un passé composé, un imparfait ou un passé simple.

INTERROGATION :

Did I love...?	Did I see...?
Did you love...?	Did you see...?
Did he / she / it love...?	Did he / she / it see...?

Did we love...?   Did we see...?
Did you love...?   Did you see...?
Did they love...?   Did they see...?

Traduction :
Est-ce que j'ai aimé, j'aimais, j'aimai... ?, etc. / Est-ce que j'ai vu, je voyais, je vis... ?, etc.

NÉGATION :
I didn't (did not) love   I didn't (did not) see
You didn't love   You didn't see
He / She / It didn't love   He / She / It didn't see

We didn't love   We didn't see
You didn't love   You didn't see
They didn't love   They didn't see

Traduction :
Je n'ai pas aimé, je n'aimais pas, je n'aimai pas, etc. / Je n'ai pas vu, je ne voyais pas, je ne vis pas, etc.

INTERRO-NÉGATION :
Didn't I love...? (Did I not love...?)   Didn't I see...? (Did I not see...?)
Didn't you love...?   Didn't you see...?
Didn't he / she / it love...?   Didn't he / she / it see...?

Didn't we love...?   Didn't we see...?
Didn't you love...?   Didn't you see...?
Didn't they love...?   Didn't they see...?

Traduction :
Est-ce que je n'ai pas aimé, je n'aimais pas, je n'aimai pas... ?, etc. / Est-ce que je n'ai pas vu, je ne voyais pas, je ne vis pas... ?, etc.

c) Emploi du prétérit simple
Le seul vrai temps du passé est le prétérit (simple et continu), appelé aussi « past tense ».

• Le prétérit simple peut correspondre en français, selon le cas, à un passé composé, à un imparfait ou à un passé simple.

Correspondance avec le français :

Le prétérit simple correspond à :
– un passé composé :
    Ex. : I finished my book last night.
        J'ai fini mon livre hier soir. (Passé composé.)

2. Les temps : exprimer le passé

- un imparfait :
  - Ex. : When he **was** a child, he **went** to the beach every day.
    *Quand il **était** enfant, il **allait** à la plage tous les jours. (Imparfait.)*
- un passé simple :
  - Ex. : She **visited** the Vatican in May 1980.
    *Elle **visita** le Vatican en mai 1980. (Passé simple.)*

• Avec le prétérit, on présente l'action ou l'événement comme totalement révolu, coupé du présent.

C'est pourquoi, le prétérit simple est souvent accompagné de **marqueurs de temps** qui situent les choses dans le passé avec précision, tels que :

– last night / year...	*la nuit dernière, l'année dernière...*
– yesterday	*hier*
– in 1985 / 1700...	*en 1985, en 1700...*
– two days / two weeks ago...	*il y a deux jours, il y a deux semaines...*
– when I was a child, when he was a baby...	*quand j'étais enfant, quand il était bébé...*
– in those days...	*à cette époque..., etc.*

Ex. : They **came** to live here three years ago.
Ils (Elles) sont venu(e)s vivre ici il y a trois ans.

It **happened** when she was absent.
Cela s'est produit quand elle était absente.

He **last** met her in January.
Il l'a rencontrée pour la dernière fois en janvier.

I **worked** in London for two years, from 1985 to 1987.
J'ai travaillé à Londres pendant deux ans, de 1985 à 1987.

Inversement, la présence d'adverbes de temps ou d'expressions renvoyant au passé (ago, last, when...) entraîne obligatoirement l'emploi du prétérit.

• **Le prétérit est aussi le temps du récit, de la narration au passé.**
Les mots ou les expressions exprimant la succession dans le temps (first, and, then, after, before, finally...) entraînent obligatoirement le prétérit.
Ex. : First he **looked** at her then he **spoke** to her.
D'abord il l'a regardée puis il lui a parlé.

Il peut s'agir d'actions brèves ou d'une série d'actions brèves :
Ex. : He **came** in, **took** his gun and **shot** everybody.
Il entra, prit son arme et tua tout le monde.

Il peut aussi s'agir d'actions répétitives dans le passé :
Ex. : I **went** to England every year in those days.
J'allais en Angleterre tous les ans à cette époque.

- **Le prétérit s'applique à une action passée, terminée et datée, de façon explicite ou implicite.**

  Ex. : Shakespeare wrote thirty-seven plays. (Prétérit.)
  Shakespeare a écrit trente-sept pièces de théâtre.

Dans l'exemple précédent, la référence à une date passée est implicite, sous-entendue ; nous savons que Shakespeare est mort.
D'un écrivain vivant, on dirait :

  Ex. : He has written three novels. (Present perfect.)
  Il a écrit trois romans. (sous-entendu : jusqu'à maintenant)

d) Used to

- « Used to » est une forme de prétérit qui exprime la rupture totale avec le présent.

Avec « used to », on insiste, de façon implicite (sous-entendue) sur le fait que ce qui était vrai dans le passé ne l'est plus maintenant.
La structure « used to » ajoute une notion supplémentaire par rapport au prétérit simple, elle permet d'insister sur le contraste entre le passé et le présent.
Il n'y a pas d'équivalent à « used to » en français ; des adverbes comme « *avant, autrefois, jadis, auparavant...* » permettent de rendre compte de ce contraste entre le passé et le présent.

Comparez les deux phrases affirmatives suivantes :

He smoked.   *Il fumait.* (Le prétérit simple nous renseigne sur le passé mais pas sur le présent ; fume-t-il toujours ?)

He used to smoke.   *Avant, il fumait.* (« Used to » nous renseigne, à la fois, sur le passé et le présent ; il fumait autrefois mais il ne fume plus actuellement.)

- Dans les phrases interrogatives avec « used to », on s'interroge pour savoir s'il y a eu **continuité ou rupture entre le passé et le présent**.
  Est-ce que ce qui est vrai dans le présent l'était aussi dans le passé ?
  Ex. : Did they use to live in Kent when they were children?
  Est-ce qu'ils (elles) vivaient à Kent quand ils (elles) étaient enfants ?
  Attention, la marque du prétérit est « portée » par l'auxiliaire « did » dans les questions ; c'est pourquoi, « used to » devient « use to » à la forme interrogative (le marqueur du prétérit -ed, sur « used to », n'est plus nécessaire dans ce cas ; c'est « did » qui prend le relais).

- Dans les phrases négatives, « used to » marque **une rupture entre le présent et le passé**. Ce qui est vrai actuellement ne l'était pas dans le passé.
  Ex. : I didn't use to read much in those days.
  Je ne lisais pas beaucoup à cette époque.

Attention, la marque du prétérit est « portée », dans les phrases négatives, par l'auxiliaire « didn't » ; c'est pourquoi, « used to » devient « use to » à la forme négative.

Il ne faut pas confondre **« used to »** avec :

▶ « to be used to (+ nom ou + verbe en -ing) » : « *être habitué à quelque chose ou à faire quelque chose* ».
Ex. : I'm used to Paris traffic.
Je suis habitué(e) à la circulation de Paris.

I'm used to driving in Paris too.
Je suis aussi habitué(e) à conduire dans Paris.

▶ « to get used to (+ nom ou + verbe en -ing) » : « *s'habituer à quelque chose ou à faire quelque chose* ».
Ex. : It takes a long time to get used to a new school.
Il faut longtemps pour s'habituer à une nouvelle école.

I'll never get used to living in England.
Je ne m'habituerai jamais à vivre en Angleterre.

Lorsque « to be / get used to » est suivi d'un verbe, celui-ci se met à la forme en -ing.
Dans ce cas, « to » est une préposition et les prépositions, en anglais, si elles sont suivies d'un verbe, sont toujours suivies d'un verbe en -ing.

▶ le passif : « be used to (+ base verbale) » : « *être utilisé pour...* »
Ex. : A racket is used to play tennis.
On utilise une raquette pour jouer au tennis.

Dans cet exemple, « be used to + base verbale » est un passif, le passif du verbe « to use ».
Le participe passé « used » est celui du verbe « to use ».
Dans ce cas, la prononciation de « used » n'est pas la même que dans les autres cas. On prononce ici [juizd], sinon on prononce [juist].

2. Le prétérit continu

Le prétérit continu s'appelle aussi le prétérit progressif ou encore le prétérit en « be + -ing ».

Rappel :
La forme simple permet de situer l'action dans le temps de façon objective.
L'énonciateur, dans ce cas, délivre une information sans la commenter.
La forme continue, en « be + -ing », relève de la notion d'aspect.
L'énonciateur, dans ce cas, ne se contente pas de situer les faits dans le temps ; il les commente, il exprime un point de vue subjectif.

a) Formation et emploi du prétérit continu

Les marqueurs du prétérit continu sont les mêmes que ceux du présent continu : « be + -ing », mais cette fois, l'auxiliaire « be » est conjugué au prétérit et non au présent :

> S + WAS/WERE (pour le pluriel) + BV + -ing + (complément)

Ex. : He was playing the piano when he heard the shot.
Il jouait du piano quand il a entendu le coup de fusil.

Le prétérit continu sert à décrire une action passée ; ce que l'on faisait, ce que l'on était en train de faire à un moment du passé.
L'action est envisagée sous l'angle de sa durée ; elle est toujours située par rapport à un repère précis ou par rapport à un autre événement.
Le prétérit continu se traduit, la plupart du temps, par un imparfait.
Ex. : They were listening to a concert when someone knocked at the door.

(Description de l'activité passée   Événement passé)
Ils (Elles) écoutaient un concert   quand quelqu'un frappa à la porte.

At 3 p.m.,   she was shopping at the supermarket.

(Repère passé   Description de l'activité passée)
À 3 heures,   elle faisait ses courses au supermarché.

b) Conjugaison au prétérit continu

Exemple du verbe lexical **« to read »** : « *lire* ».

Remarque :

On peut remplacer les formes contractées de « be » au passé ci-dessous par les formes pleines (cf. pages 65 et 66).

AFFIRMATION :

I was reading	We were reading
You were reading	You were reading
He / She / It was reading	They were reading

Traduction :
Je lisais, tu lisais, etc.

INTERROGATION :

Was I reading?	Were we reading?
Were you reading?	Were you reading?
Was he / she / it reading?	Were they reading?

Traduction :
Est-ce que je lisais... ?, etc.

NÉGATION :

I wasn't reading   We weren't reading
You weren't reading   You weren't reading
He / She / It wasn't reading   They weren't reading

Traduction :
Je ne lisais pas, tu ne lisais pas, etc.

INTERRO-NÉGATION :

Wasn't I reading?   Weren't we reading?
Weren't you reading?   Weren't you reading?
Wasn't he / she / it reading?   Weren't they reading?

Traduction :
Est-ce que je ne lisais pas... ?, etc.

3. Le prétérit modal

a) Valeur du prétérit modal

Le prétérit n'exprime pas toujours un événement passé, il n'a pas toujours une valeur temporelle.

Comparez :

He came yesterday.   *Il est venu hier.*
Prétérit simple à valeur temporelle Expression du passé

If he came, I would tell him the truth. *S'il venait, je lui dirais la vérité.*
Prétérit modal

Dans l'exemple ci-dessus, le prétérit « If he came » est utilisé pour exprimer un fait souhaité ou imaginé (« *S'il venait* »).
Il s'agit d'un prétérit modal.
Cet emploi du prétérit est indépendant de la notion de temps ; il n'exprime pas un passé mais, dans ce cas, un fait virtuel, possible mais qui n'a pas eu lieu au moment où l'on parle (on parle d' « irréel du présent »).
Le prétérit modal sert donc à exprimer des notions telles que **la supposition, le souhait, le regret, la préférence**, notions qui nous rappellent celles exprimées par les auxiliaires modaux, d'où l'appellation de **prétérit modal.**
Il existe aussi un **past perfect modal** pour exprimer une hypothèse qui ne s'est pas réalisée dans le passé (on parle alors d' « irréel du passé ») :
   Ex. : If he had come (past perfect), I would have told him the truth.
        S'il était venu, je lui aurais dit la vérité.

b) Formes du prétérit modal

Le prétérit modal ne se distingue pas du prétérit simple sauf pour le verbe « to be ».

En effet, la forme « to be » au prétérit modal est **« were »** à toutes les personnes.

Prétérit de « to be »	Prétérit modal de « to be »
I **was** You were He / She / It **was**	I **were** You were He / She / It **were**
We were You were They were	We were You were They were

c) Emploi du prétérit modal

On emploie le prétérit modal pour exprimer :

L'hypothèse après « if », « as if » :

Ex. : If she knew the truth, she'd (would) be disappointed.
Si elle savait la vérité, elle serait déçue.

It is as if she didn't know me.
C'est comme si elle ne me connaissait pas.

On peut émettre une hypothèse avec le past perfect modal pour un événement qui ne s'est pas réalisé dans le passé (« irréel du passé ») :
Ex. : If he had been there, he would have told her what to do.
S'il avait été là, il lui aurait dit ce qu'il fallait faire.

Le regret après le verbe « to wish » :

Ex. : I wish she were here with us.
Je souhaiterais qu'elle fût ici avec nous. / Je regrette qu'elle ne soit pas là avec nous. / Si seulement elle était là avec nous.

I wish I weren't so shy.
Je voudrais être moins timide. / Je regrette d'être si timide. / Si seulement je n'étais pas si timide.

Au past perfect modal :

Ex. : We wish we hadn't bought this house.
Nous regrettons d'avoir acheté cette maison. / Si seulement nous n'avions pas acheté cette maison.

Les souhaits encore réalisables (potentiels) peuvent s'exprimer de deux façons :
Ex. : I wish she **would** accept my offer.
J'aimerais qu'elle accepte mon offre.

I wish he **could** come and see me.
Je voudrais qu'il vienne me voir.

La préférence après « I would rather »
(plus couramment « I'd rather ») :

Ex. : I'd rather she **came** next week.
Je préférerais qu'elle vienne la semaine prochaine.

Attention, lorsque la phrase ne comporte qu'un seul sujet, « I'd rather » est suivi de la base verbale :
Ex. : I'd rather stay here.   *Je préférerais rester ici.*

Au past perfect modal :
Ex. : I'd rather he hadn't come.
J'aurais préféré qu'il ne vienne pas.

Le souhait après « It's (high) time » :

Ex. : It's (high) time you **told** him the truth.
Il est (grand) temps que tu lui dises (vous lui disiez) la vérité.

Les prétérits **« could »** et **« might »** quand ils expriment une possibilité ou une éventualité dans le présent ou l'avenir sont des **prétérits modaux** :
Ex. : It might rain tomorrow.   *Il se pourrait qu'il pleuve demain.*

4. Le subjonctif en anglais

Il est difficile d'évoquer le prétérit modal (et le past perfect modal) sans parler du subjonctif en anglais.
Le prétérit modal et le past perfect modal (étudiés ci-avant) représentent une des deux formes du subjonctif en anglais : le **« subjonctif passé »**.
Le subjonctif français est le mode qui présente une action envisagée, une action possible. On le trouve après des mots qui expriment un souhait, un sentiment, un doute, un regret...
Ex. : *Je suis très contente qu'il soit là.*

En anglais, ce mode est beaucoup moins employé qu'en français.
On parle néanmoins de « subjonctif présent » et de « subjonctif passé » (prétérit modal et past perfect modal étudiés ci-avant).

Le « subjonctif présent » en anglais :
(pour l'emploi du « subjonctif passé », se reporter aux pages 83 à 85)

- Les verbes anglais au subjonctif présent apparaissent sous la forme de la base verbale :
  Ex. : It's important that he be told at once.
  Il est important qu'il soit informé tout de suite.

  It's essential that she come here. (Pas de « s » à la 3ᵉ personne du singulier au subjonctif présent.)
  Il est essentiel qu'elle vienne ici.

- Le subjonctif présent s'emploie dans une langue soignée pour exprimer un ordre ou une suggestion après to order, to insist, to suggest, to demand, to command, to request, ou une nécessité après it is necessary / essential / desirable / important that, etc.
  Ex. : They suggested that he come with us.
  Ils (Elles) suggérèrent qu'il vînt avec nous.

  It is important that she attend the meeting.
  Il est important qu'elle assiste à la réunion.

Ces formes subjonctives sont plus rares en anglais britannique qu'en anglais américain ; elles sont généralement remplacées par des constructions avec « should ».
On dira plus couramment :
She should attend the meeting.   *Elle devrait assister à la réunion.*

- Le subjonctif présent s'emploie dans des expressions traditionnelles, pour exprimer un souhait ou une supposition, et dans la langue juridique :
  Ex. : God save the Queen! /   *Vive la Reine !*
  Long live the Queen!

  God bless you!   *Dieu vous bénisse !*

  If this be true...   *Si cela est vrai...*

5. Le present perfect simple

Plutôt qu'un temps du passé, il convient de considérer le present perfect comme un aspect du présent : l'aspect perfectif, qui exprime que l'action a été accomplie antérieurement au moment présent mais qui la porte au crédit du sujet grammatical.
  Ex. : He has broken his car.   *Il a cassé sa voiture.*
L'action « broken his car » appartient au passé mais l'énonciateur ne se contente pas de situer les faits dans le temps. Il porte l'action au crédit du sujet « he ».

L'action « appartient » au sujet, elle est portée à son crédit, c'est la raison de la présence de « have » (utilisé comme auxiliaire).
Cette situation est vraie au moment de parole, ce qui explique le marqueur de la 3ᵉ personne du présent simple « s » sur « has ».

Il est très important de se souvenir que **le present perfect** (il y a bien « present » dans « present perfect ») nous ramène au moment de parole, à l'actuel, alors que le prétérit signale une distance, une rupture entre l'actuel et le révolu.

On peut aussi remarquer, à ce stade, que le present perfect (auxiliaire « have » et participe passé) se construit comme le passé composé français mais **la ressemblance s'arrête là**.
En effet, il faut à tout prix éviter d'associer ces deux temps, car le plus souvent un passé composé français se traduit par un prétérit anglais (ex. : *Hier j'ai vu* [passé composé] *mes parents* / Yesterday I saw [prétérit] my parents).
En réalité, le present perfect anglais combine deux temps : le présent et le passé.
En effet, le present perfect se forme à l'aide de « have », conjugué au présent, et d'un participe passé qui, comme son nom l'indique, renseigne sur le passé.
Si le rôle du présent simple et du prétérit simple, par exemple, est de situer les événements dans le temps (présent ou passé), le present perfect (puisqu'il n'est pas un temps mais un aspect) nous renseigne sur le sujet grammatical, sur son expérience ou son état au moment où l'on parle.

Si le temps grammatical indique, de façon objective, dans quelle période se situe l'action exprimée par le verbe (présent, passé, avenir), l'aspect, lui, s'intéresse davantage au sujet de l'action.

Ex. : He's (has) never been to Japan yet.
Il n'est encore jamais allé au Japon.

She's (has) finished her dinner.
Elle a fini de dîner.

Enfin, il existe deux formes de present perfect, une forme simple et une forme continue (en be + -ing).

a) *Formation du present perfect simple*
• On forme le present perfect avec l'auxiliaire **« have »** que l'on conjugue au présent suivi d'un participe passé (terminé en -ed sauf pour les verbes irréguliers) :

HAVE/HAS + P. passé (= BV + -ed, sauf pour les verbes irréguliers)

Ex. : They have arrived. (Participe passé en -ed.)
Ils (Elles) sont arrivé(e)s.

He **has broken** his leg. (Participe passé du verbe irrégulier : « to break ».)
Il s'est cassé la jambe.

Le present perfect nous ramène toujours au moment de parole, à l'actuel.

Ex. : Things are much better now. The situation **has** improved.
Tout va beaucoup mieux maintenant. La situation s'est améliorée.

- Le present perfect est utilisé dans un contexte présent, c'est pourquoi, les adverbes employés avec le present perfect établissent un lien avec le présent.

Les adverbes ou les expressions de temps les plus fréquemment employés avec le present perfect sont :

Now	*maintenant*
So far	*jusqu'à maintenant, jusqu'ici*
For / Since	*depuis*
Recently	*récemment*
Already	*déjà*
Not... yet	*ne pas... encore*
Just	*juste, tout juste*
Never	*jamais*
Ever (dans les questions)	*déjà*
Always	*toujours*
Before	*avant*
Over the past few months, years...	*ces derniers mois, ces dernières années...*
Today	*aujourd'hui*
This year	*cette année*
All my life	*toute ma vie, etc.*

C'est parce que le present perfect établit un lien entre le passé et le présent que l'on ne peut utiliser les adverbes et les expressions de temps qui font référence au passé, tels que « yesterday, ago, last », etc. On utilise ces indicateurs de temps avec le prétérit (cf. pages 78 et 79).

- Il faut bien connaître la conjugaison de l'auxiliaire « have » au présent pour former le present perfect simple.

RAPPEL DE LA CONJUGAISON DE L'AUXILIAIRE « HAVE » AU PRÉSENT :

AFFIRMATION :

I have / I've	We have / We've
You have / You've	You have / You've
He / She / It has / He / She / It's	They have / They've

INTERROGATION :

Have I...?
Have you...?
Has he / She / It...?

Have we...?
Have you...?
Have they... ?

INTERRO-NÉGATION :

Have I not...? / Haven't I...?
Have you not... ? / Haven't you...?
Has he / she / it not...? / Hasn't he / she / it...?

Have we not...? / Haven't we...?
Have you not...? / Haven't you...?
Have they not... ? / Haven't they...?

NÉGATION :

I have not / I haven't
You have not / You haven't
He / She / It has not / He / She / It hasn't

We have not / We haven't
You have not / You haven't
They have not / They haven't

Attention, il ne faut pas confondre la forme contractée de la 3e personne du singulier, « 's », commune à « be » et « have » :

Ex. : She's (is) waiting for the bus. (Présent continu : be + -ing.)
Elle attend le bus.

She's (has) bought a new dress. (Present perfect.)
Elle a acheté une nouvelle robe.

• Pour employer le present perfect, il est impératif de bien connaître **le participe passé des verbes irréguliers** pour pouvoir former le present perfect.

Tous les autres participes passés se forment en ajoutant -ed à la base verbale (waited, called, arrived...).

Attention, il ne faut pas confondre les deux participes passés **« been »** et **« gone »** au present perfect.

Les verbes « to be » et « to go » sont deux verbes irréguliers dont les participes passés sont respectivement « been » et « gone » :

Base verbale	*Prétérit*	*Participe passé*	*Traduction*
Be	was / were	been	être
Go	went	gone	aller

Le participe passé français « *allé* » peut se traduire par « been » ou « gone » au present perfect et prend un sens différent, selon que l'on utilise l'un ou l'autre.

Observons :

He's (has) **been** to America.   *Il est **allé** en Amérique (sous-entendu : il en est revenu).*

He's (has) **gone** to America.   *Il est **allé** en Amérique (sous-entendu : il y est encore). / Il est **parti** en Amérique.*

b) Conjugaison d'un verbe régulier et d'un verbe irrégulier au present perfect

Exemple du verbe lexical régulier « to work » (« *travailler* ») et du verbe lexical irrégulier « to eat* » (« *manger* »).

* Verbe irrégulier « to eat » :

Base verbale	Prétérit	Participe passé	Traduction
eat	ate	eaten	manger

Remarque :
On peut remplacer les formes contractées de « have » ci-dessous par les formes pleines (cf. page 88).

AFFIRMATION :

I've worked	I've eaten
You've worked	You've eaten
He / She / It's worked	He / She / It's eaten
We've worked	We've eaten
You've worked	You've eaten
They've worked	They've eaten

Traduction :
Je travaille, j'ai travaillé, etc. / *Je mange, j'ai mangé*, etc.

Remarque :
Le present perfect peut correspondre, en français, à un passé composé ou à un présent :
    Ex. : I've worked for two hours.
        Je travaille depuis deux heures. (Présent.)

        I've never worked for him.
        Je n'ai jamais travaillé pour lui. (Passé composé.)
Nous rappelons néanmoins que le passé composé se traduit le plus souvent en anglais par un prétérit.

INTERROGATION :

Have I worked?	Have I eaten?
Have you worked?	Have you eaten?
Has he / she / it worked?	Has he / she / it eaten?
Have we worked?	Have we eaten?
Have you worked?	Have you eaten?
Have they worked?	Have they eaten?

Traduction :
Est-ce que je travaille, j'ai travaillé... ?, etc. / *Est-ce que je mange, j'ai mangé... ?*, etc.

NÉGATION :

I haven't worked	I haven't eaten
You haven't worked	You haven't eaten
He / She / It hasn't worked	He / She / It hasn't eaten
We haven't worked	We haven't eaten
You haven't worked	You haven't eaten
They haven't worked	They haven't eaten

Traduction :
Je ne travaille pas, je n'ai pas travaillé, etc. / Je ne mange pas, je n'ai pas mangé, etc.

INTERRO-NÉGATION :

Haven't I worked?	Haven't I eaten?
Haven't you worked?	Haven't you eaten?
Hasn't he / she / it worked?	Hasn't he / she / it eaten?
Haven't we worked?	Haven't we eaten?
Haven't you worked?	Haven't you eaten?
Haven't they worked?	Haven't they eaten?

Traduction :
Est-ce que je ne travaille pas, je n'ai pas travaillé... ?, etc. / Est-ce que je ne mange pas, je n'ai pas mangé... ?, etc.

c) Emploi du present perfect

Rappel :
Le present perfect n'est pas un temps grammatical mais **un aspect**. On parle de **l'aspect perfectif**.
Si les temps grammaticaux indiquent dans quelle période se situe l'action exprimée par le verbe utilisé (présent, passé, avenir), **l'aspect s'intéresse davantage au sujet de l'action.**

En effet, **le present perfect nous renseigne sur l'expérience du sujet ou sur l'état dans lequel se trouve le sujet, au moment où l'on parle. Le present perfect nous ramène toujours au moment de parole, à l'actuel** (contrairement au prétérit qui établit une rupture entre l'actuel et le révolu).
À l'aide du present perfect, on « crédite » ou non (c'est le rôle de « have ») le sujet grammatical d'une action.
À partir de ce constat, on peut distinguer cinq emplois du present perfect :

1. L'action est terminée et je constate le résultat de cette action :
   Ex. : Look! The Turners have bought a new car.
   Regarde(z) ! Les Turner ont acheté une nouvelle voiture.

Si l'on précisait les circonstances de cette action (la date, le prix, le lieu...), il faudrait utiliser le prétérit (ex. : They **bought** it last month / *Ils l'ont achetée le mois dernier*).

2. J'affirme qu'une action a été effectivement accomplie et j'insiste sur ce seul fait sans en préciser les circonstances :
   Ex. : I **have seen** this woman somewhere.
   J'ai vu cette femme quelque part.

3. L'action est située dans une période qui n'est pas entièrement écoulée (this year, today...) ou une période qui va jusqu'à maintenant (so far, all my life...) et je fais un bilan provisoire :
   Ex. : Everything **has been** all right so far.
   Tout a bien marché jusqu'ici.

   She's **travelled** a lot this year.
   Elle a beaucoup voyagé cette année.

4. L'action n'est pas terminée et je fais un bilan de ce qui a été réalisé jusqu'au moment présent en indiquant la durée de cette action (avec « for ») ou le moment où elle a commencé (avec « since ») :
   Ex. : He **has not called** me since Easter.
   Il ne m'a pas appelé(e) depuis Pâques.

   He's **been** ill for a week.
   Il est malade depuis une semaine.

5. L'action est récente, située entre le passé et le présent, et j'insiste sur ce fait en employant l'adverbe « just ». Cette tournure se traduit par l'expression « *venir de* ».
   Ex. : I've **just had** breakfast.
   Je viens de prendre mon petit déjeuner.

   She's **just called**.
   Elle vient d'appeler.

Notes :

Après des expressions comme « This is the first time (that)... » (« *C'est la première fois que...* »), on emploie le **present perfect** en anglais et non le présent comme en français.
   Ex. : It's the first time I've **taken** the plane.
   C'est la première fois que je prends l'avion.

   It's the tenth beer you've **drunk** tonight.
   C'est la dixième bière que tu bois (vous buvez) ce soir.

Après « It was the first time (that)... », on emploie le **past perfect** en anglais et l'imparfait en français :

Ex. : It was the first time I had met her.
C'était la première fois que je la rencontrais.

À ne pas confondre avec « The first time... » (« *La première fois que...* »).
Ex. : The first time I met (prétérit) her, she wore a hat.
La première fois que je la rencontrai, elle portait un chapeau.

6. Le present perfect continu

Le present perfect continu, appelé aussi **present perfect progressif** ou encore **present perfect en be + -ing**, fait apparaître, en plus des marqueurs habituels du present perfect (auxiliaire « have » + participe passé en -ed sauf pour les verbes irréguliers), les marqueurs de la forme continue : be + -ing :

S + HAVE/HAS + BEEN + BV + -ing

Ex. : It's been snowing. *Tiens ! Il a neigé.*

Au present perfect continu, les marqueurs du present perfect et ceux de la forme en be + -ing apportent leur contribution au sens global.
Dans l'exemple ci-dessus, l'énonciateur sait qu'il a neigé, détient **des indices** suffisants (il voit la neige par exemple au moment où il parle) pour affirmer ce qu'il dit. Il est témoin de ce qu'il décrit.
Avec le même énoncé **au present perfect simple** : « It has snowed three times this week » (« *Il a neigé trois fois cette semaine* »), l'énonciateur fait simplement le bilan dans le présent de ce qui s'est passé récemment ; il n'en est pas témoin au moment où il parle.

Rappel :
La forme simple permet de situer l'action dans le temps de façon objective.
L'énonciateur, dans ce cas, délivre une information sans la commenter.

L'action dans « It has been snowing », même si elle est terminée (il ne neige plus apparemment), est ramenée au moment de parole, à l'actuel, et ce sont les indices présents qui renseignent l'énonciateur sur une action passée.

Il faut se souvenir également du fait que la forme continue est bien plus subjective qu'une forme simple ; l'énonciateur peut, en plus de décrire une action dont il est témoin, commenter cette action et porter un jugement.

Rappel :
La forme continue, en be + -ing, relève de la notion d'aspect.
L'énonciateur, dans ce cas, ne se contente pas de situer les faits dans le temps ; il les commente, il exprime un point de vue subjectif.

Ex. : You have been drinking beer again!
Tu as (Vous avez) encore bu de la bière !

L'énonciateur sait que la personne à laquelle il s'adresse a bu ; des indices présents l'en informent (son interlocuteur sent la bière ou il voit des verres et des bouteilles vides sur la table...) et il s'en indigne, il exprime son point de vue : le reproche, la désapprobation.
Un énoncé au present perfect simple serait plus neutre :

Ex. : Now you have drunk your beer, we can go.
Maintenant que tu as (vous avez) bu ta (votre) bière, nous pouvons partir.

a) Formation du present perfect continu

On forme le present perfect continu à l'aide de l'auxiliaire **« have »**, du participe passé de « be », **been**, et d'**un verbe en « -ing »** :

S + HAVE/HAS + BEEN + BV + -ing

Ex. : He has been playing football.   *Tiens ! Il a joué au football.*

Cet aspect utilise donc, à la fois, les marqueurs du present perfect (have + participe passé) et ceux de la forme continue (be + -ing).

b) Conjugaison au present perfect continu

Exemple du verbe lexical **« to play »** : « *jouer* ».

Remarque :
On peut remplacer les formes contractées de « have » ci-dessous par les formes pleines (cf. page 88).

AFFIRMATION :

I've been playing	We've been playing
You've been playing	You've been playing
He / She / It's been playing	They've been playing

Traduction :
J'ai joué, etc. / Je joue, etc.

Remarque :
Comme le present perfect simple, le present perfect continu se traduit par un présent ou un passé composé en français selon le cas.

Ex. : I've been playing for two hours.
Je joue depuis deux heures. (Présent.)

He's been playing football.
Tiens ! Il a joué au football. (Passé composé.)

INTERROGATION :

Have I been playing?
Have you been playing?
Has he / she / it been playing?

Have we been playing?
Have you been playing?
Have they been playing?

Traduction :
Est-ce que j'ai joué... ?, etc. / Est-ce que je joue... ?, etc.

NÉGATION :

I haven't been playing
You haven't been playing
He / She / It hasn't been playing

We haven't been playing
You haven't been playing
They haven't been playing

Traduction :
Je n'ai pas joué, etc. / Je ne joue pas, etc.

INTERRO-NÉGATION :

Haven't I been playing?
Haven't you been playing?
Hasn't he / she / it been playing?

Haven't we been playing?
Haven't you been playing?
Haven't they been playing...?

Traduction :
Est-ce que je n'ai pas joué... ?, etc. / Est-ce que je ne joue pas... ?, etc.

c) Emploi du present perfect continu

Comme on l'a vu précédemment, le present perfect continu, en be +
-ing, permet à l'énonciateur de décrire, dans le présent, une action
passée (il a des indices présents pour le faire) et, éventuellement, de
commenter cette action, de porter un jugement, puisque nous savons
que la forme continue (be + -ing) exprime un point de vue subjectif.
Le present perfect simple est plus neutre et sert à « porter au crédit » du
sujet grammatical une action (c'est le rôle de « have »).
Il faut se souvenir que le present perfect (simple ou continu) « rattrape »
le passé et nous ramène toujours au temps de parole, à l'actuel.
Le présent perfect (simple ou continu) établit toujours un lien entre le
passé et le présent.
La différence d'emploi entre la forme simple et continue du present
perfect n'est donc pas une différence de temps (il se traduit toujours par
un présent ou un passé composé en français) mais une différence
d'« éclairage », de « mise en lumière ».
En effet, avec le present perfect simple, on fait le constat d'une situation ;
le present perfect simple permet de faire le bilan d'une action ou d'une
situation, d'en exprimer le résultat, de constater un fait.
Le present perfect continu nous renseigne surtout sur le sujet grammatical, sur l'activité du sujet grammatical et l'énonciateur, dans ce

cas, ne se limite pas à donner des informations, à constater, mais exprime son point de vue.

Comparez :

1. She's **worked** now for two hours. (Present perfect simple.)
   Elle travaille maintenant depuis deux heures.

L'énonciateur porte au crédit du sujet « she » l'action « worked for two hours ». Il nous renseigne, de façon neutre, sur le temps que le sujet « she » a passé à travailler au moment où il parle (« now »).
L'énonciateur met en évidence le temps de travail.

2. She's **been working** for two hours now. (Present perfect continu.)
   Elle travaille depuis deux heures maintenant !

Ici, l'énonciateur n'est plus neutre ; on peut imaginer, selon le contexte, qu'il se réjouit, par exemple, de l'effort accompli par le sujet (il pourrait s'agir de quelqu'un qui n'a pas l'habitude de travailler si longtemps). L'énonciateur, dans ce cas, met en évidence l'effort du sujet.

Ou encore :
On peut imaginer ici, par exemple, une mère qui apprendrait à son enfant que le chien (« he ») a mangé la part de tarte qui lui était destinée :

1. He's **eaten** your tart! (Present perfect simple.)
   Il a mangé ta tarte !

Mais il est facile d'imaginer que l'enfant qui découvrirait, avec colère et désespoir, que le chien (qui se lèche les babines par exemple) a mangé sa part de tarte dirait plutôt à sa mère :

2. He's **been eating** my tart! (Present perfect continu.)
   Il a mangé toute ma tarte !

Ici, l'enfant, qui a des indices suffisants pour accuser le chien du méfait, le dénonce et se plaint à sa mère.

⚠ **Attention :**
Les verbes qui n'ont pas de forme continue (be + -ing) (to be, to know, to have, to want, to like... cf. page 72) ne peuvent donc pas s'utiliser au present perfect continu mais existent au present perfect simple.

Ex. : I've **been** here for hours.   *Je suis là depuis des heures.*

On ne peut pas dire : « I've been being... ».

d) Ago / for / since / during...
(« Il y a... », « depuis... », « pendant... »)

Dans le cadre de l'étude du prétérit et du present perfect, il est bon de savoir traduire « *depuis* » (for et since), « *il y a* » (ago) et « *pendant* » (for et during).

Quand l'action se poursuit dans le présent,on peut utiliser le present perfect simple ou continu.

En revanche, pour pouvoir traduire « *depuis* » en anglais, il faut savoir s'il s'agit d'une durée (ex. : *deux jours, un an, trois mois...*) ou d'une date, d'un point de départ (ex. : *1985, Noël, septembre, mon anniversaire...*).

S'il s'agit d'une durée, on utilisera « for », s'il s'agit d'une date, on utilisera « since ».

Ex. : *Elle habite ici depuis trois jours. (Durée.)*
She's been living here for three days. (Present perfect continu.)
ou She's lived here for three days. (Present perfect simple.)

Ex. : *Elle habite ici depuis mardi. (Date.)*
She's been living here since Tuesday. (Present perfect continu.)
ou She's lived here since Tuesday. (Present perfect simple.)

Quand l'action se poursuivait à un moment du passé : on utilise le past perfect continu.

Ex. : *Elle habitait là depuis trois jours. (Durée.)*
She had been living there for three days. (Past perfect continu.)

Ex. : *Elle habitait là depuis la guerre. (Date, point de départ.)*
She had been living there since the War. (Past perfect continu.)

Quand l'action est achevée : on utilise le prétérit simple.

Ex. : *Elle est arrivée il y a trois jours. (Action achevée.)*
She arrived three days ago. (Prétérit simple.)

Ex. : *Elle a vécu ici pendant trois jours. (Action achevée.)*
She lived here for three days. (Prétérit simple.)

On peut aussi utiliser le past perfect simple.

Ex. : *Elle avait vécu ici pendant trois jours. (Action achevée.)*
She had lived here for three days. (Past perfect simple.)

⚠ **Attention :**

1. « *Pendant* » se traduit par « during » quand le sens est « *au cours de...* » ou par « for » quand le sens est « *pendant la durée de...* ».
« During » répond à la question « When...? » (« *Quand... ?* ») et indique à quel moment s'est produite l'action.
« For » répond à la question « How long...? » (« *Pendant combien de temps... ?* ») et indique la durée de l'action.

Ex. : I went to New York during the holidays.
Je suis allé(e) à New York pendant les vacances (au cours des vacances).

I stayed in New York for the holidays.
Je suis resté(e) à New York pendant les vacances (pendant la durée des vacances).

2. L'expression « Il y a... », suivie de la durée d'une action, n'est jamais traduite par « There is... / There are... » (cf. pages 33 et 34).

7. Le past perfect simple

Le past perfect, appelé aussi pluperfect, est la forme passée du present perfect.

Comme pour le present perfect, il existe, au past perfect, une forme simple et une forme continue (forme en be + -ing).

Le present perfect, appelé « parfait » en français, n'a pas d'équivalent dans la grammaire française ; en revanche, le past perfect correspond, la plupart du temps, au plus-que-parfait français.

Si le past perfect se traduit généralement par un plus-que-parfait français, il arrive néanmoins qu'un plus-que-parfait français se traduise par un prétérit et qu'un past perfect se traduise par un passé antérieur français.

a) Formation du past perfect

Le past perfect se forme comme le present perfect avec l'auxiliaire « **have** » suivi d'un **participe passé**, à la différence que « **have** » **est toujours conjugué au passé** :

> HAD + P. passé

RAPPEL DE LA CONJUGAISON DE L'AUXILIAIRE « HAVE » AU PASSÉ :

AFFIRMATION :

I had / I'd	We had / We'd
You had / You'd	You had / You'd
He / She / It had / He / She / It'd	They had / They'd

INTERROGATION :

Had I...?
Had you...?
Had he / she / it...?

Had we...?
Had you...?
Had they...?

INTERRO-NÉGATION :

Had I not... ? / Hadn't I...?
Had you not...? / Hadn't you...?
Had he / she / it not...? / Hadn't he / she / it...?

Had we not...? / Hadn't we...?
Had you not...? / Hadn't you...?
Had they not...? / Hadn't they...?

NÉGATION :

I had not / I hadn't
You had not / You hadn't
He / She / It had not / He /
She / It hadn't

We had not / We hadn't
You had not / You hadn't
They had not / They hadn't

Il faut, comme pour la formation du present perfect, se souvenir que les participes passés des verbes réguliers en anglais se forment avec -ed (ex. : loved, watched, called...) mais que ceux des verbes irréguliers ne répondent pas à cette règle et qu'il faut les apprendre par cœur (ex. : been, seen, bought, caught, cost, let...).

b) *Emploi du past perfect*

• Le past perfect sert à exprimer **une action antérieure à une autre action passée**.

On parle d'**antériorité dans le passé** ou **de passé dans le passé**.
En effet, lorsque, en parlant d'un moment passé, on se réfère à un passé antérieur, on emploie le past perfect simple pour parler du moment le plus ancien.

Ex. : When they got home they found that someone **had opened** their garden gate.
Quand ils (elles) arrivèrent chez eux, ils (elles) s'aperçurent que quelqu'un avait ouvert la porte de leur jardin.

L'action « someone had opened their garden gate » est antérieure à « when they got home... ».

Autre exemple : She didn't understand what **had happened**.
Elle ne comprenait pas ce qui s'était passé.

• On utilise souvent le past perfect pour faire des retours en arrière et ces « flashs-back » ont souvent une valeur explicative.

Comparez :

1. He accepted the offer. <u>Then</u> he was promoted. (Ordre chronologique.)
prétérit
Il accepta l'offre. Il eut <u>ensuite</u> une promotion.

2. He was promoted <u>because he **had acccepted** the offer</u>. (Flash-back.)
past perfect
Il eut une promotion <u>parce qu'il avait accepté l'offre</u>.
Flash-back à valeur explicative.

• Le past perfect correspond souvent au present perfect dans un contexte passé.

Aussi il est souvent associé à des adverbes comme « already, always, before, ever / never, just... » (cf. page 88).

Ex. : When she arrived the party **had already** begun.
Quand elle arriva, la fête avait déjà commencé.

They **had never seen** anything like it before.
Ils (Elles) n'avaient jamais rien vu de tel avant.

I **had just begun** to work when the telephone rang.
Je venais (juste) de commencer à travailler quand le téléphone sonna.

- Il arrive qu'un plus-que-parfait français se traduise par un prétérit en anglais et non par un past perfect :
Ex. : « *Voici votre côtelette, madame.*
— *Mais j'avais commandé un steak !* » (Plus-que-parfait.)
« Here's your chop, Madam.
— But I **ordered** a steak ! » (Prétérit.)

Ici, le plus-que-parfait français est employé pour parler d'un moment antérieur au moment présent, « *Voici votre côtelette...* / Here's (présent) your chop... », et non antérieur à un moment passé.

- Il arrive qu'un past perfect se traduise par un passé antérieur en français et non par un plus-que-parfait :
Ex. : When he **had finished** his work, he went for a walk.
Quand il eut fini son travail, il alla se promener.

Ici, le français emploie le passé antérieur « eut fini » pour traduire le past perfect.

- Au style indirect, le past perfect correspond souvent à un present perfect du style direct :

Style direct :
Ex. : « **Has** anyone **seen** (present perfect) my glasses? » I asked.
« *Est-ce que quelqu'un a vu mes lunettes ?* » demandai-je.

Style indirect :
Ex. : I asked if anyone **had seen** (past perfect) my glasses.
Je demandai si quelqu'un avait vu mes lunettes.

c) Conjugaison d'un verbe régulier et d'un verbe irrégulier au past perfect

Exemple du **verbe lexical régulier** « to arrive » (« *arriver* ») et du **verbe lexical irrégulier** « to come* » (« *venir* »).

* *Verbe irrégulier* **« to come »** :

Base verbale	*Prétérit*	*Participe passé*	*Traduction*
come	came	come	voir

Remarque :
On peut remplacer les formes contractées de « have » au passé ci-dessous par les formes pleines (cf. pages 98 et 99).

AFFIRMATION :

I'd (had) arrived
You'd arrived
He / She / It 'd arrived

We'd arrived
You'd arrived
They'd arrived

I'd (had) come
You'd come
He / She / It'd come

We'd arrived
You'd arrived
They'd arrived

Traduction :
J'étais arrivé(e), etc. / J'étais venu(e), etc.

INTERROGATION :

Had I arrived?
Had you arrived?
Had he / she / it arrived?

Had we arrived?
Had you arrived?
Had they arrived?

Had I come?
Had you come?
Had he / she / it come?

Had we come?
Had you come?
Had they come?

Traduction :
Est-ce que j'étais arrivé(e) ? ou Étais-je arrivé(e) ?, etc. / Est-ce que j'étais venu(e) ? ou Étais-je venu(e) ?, etc.

NÉGATION :

I hadn't arrived
You hadn't arrived
He / She / It hadn't arrived

We hadn't arrived
You hadn't arrived
They hadn't arrived

I hadn't come
You hadn't come
He / She / It hadn't come

We hadn't come
You hadn't come
They hadn't come

Traduction :
Je n'étais pas arrivé(e), etc. / Je n'étais pas venu(e), etc.

INTERRO-NÉGATION :

Hadn't I arrived?
Hadn't you arrived?
Hadn't he / she / it arrived?

Hadn't we arrived?
Hadn't you arrived?
Hadn't they arrived?

Hadn't I come?
Hadn't you come?
Hadn't he / she / it come?

Hadn't we come?
Hadn't you come?
Hadn't they come?

Traduction :
Est-ce que je n'étais pas arrivé(e) ? ou N'étais-je pas arrivé(e) ?, etc. /
Est-ce que je n'étais pas venu(e) ? ou N'étais-je pas venu(e) ?, etc.

8. Le past perfect continu

Comme pour le present perfect, il existe deux formes de past perfect, une forme simple et une forme continue (en be + -ing).

a) *Formation du past perfect continu*
Comme le present perfect continu, le past perfect continu (appelé aussi pluperfect continu) se forme avec l'auxiliaire « have » suivi du participe passé de « be », « been », et d'un verbe en -ing.
Mais à la différence du present perfect, l'auxiliaire « have » est conjugué au passé : « had ».
Le past perfect continu combine deux formes : celle du past perfect (had + participe passé) et celle de la forme continue (be + -ing). Les marqueurs du past perfect continu sont donc :

> had + been + V-ing

Ex. : They had been waiting for two hours when the phone rang.
Ils (Elles) attendaient depuis deux heures quand le téléphone sonna.

b) *Emploi du past perfect continu*
• Le past perfect continu correspond au present perfect continu dans un contexte passé.

Contexte présent : present perfect continu
I've been working here for two years now.
Je travaille ici depuis deux ans. (Présent.)

Contexte passé : past perfect continu
When I met him he had been working there for two years.
Quand je l'ai rencontré, il travaillait là depuis deux ans. (Imparfait.)

• Le past perfect continu, le plus souvent employé avec « for » et « since », correspond à un imparfait en français.
Ex. : How long had you been waiting? We had been waiting for months.
Depuis combien de temps attendiez-vous ? Nous attendions depuis des mois. (Imparfait.)

• Quand il n'est pas employé avec « for », le past perfect continu correspond, en français, au plus-que-parfait.
Ex. : We could see that they had been drinking.
On voyait qu'ils (elles) avaient bu.

c) *Conjugaison au past perfect continu*
Exemple du verbe lexical **« to walk »** : « *marcher* »

Remarque :
On peut remplacer les formes contractées de « have » au passé ci-dessous par les formes pleines (cf. pages 98 et 99).

AFFIRMATION :

I'd been walking	We'd been walking
You'd been walking	You'd been walking
He / She / It'd been walking	They'd been walking

Traduction :
Je marchais, j'avais marché, etc.

Remarque :
Le past perfect continu, utilisé avec « for » et « since », correspond à un imparfait en français, sinon il correspond à un plus-que-parfait.

INTERROGATION :

Had I been walking?	Had we been walking?
Had you been walking?	Had you been walking?
Had he / she / it been walking?	Had they been walking?

Traduction :
Est-ce que je marchais... ?, etc. / Avais-je marché... ? ou Est-ce que j'avais marché... ?, etc.

NÉGATION :

I hadn't been walking	We hadn't been walking
You hadn't been walking	You hadn't been walking
He / She / It hadn't been walking	They hadn't been walking

Traduction :
Je ne marchais pas, je n'avais pas marché, etc.

INTERRO-NÉGATION :

Hadn't I been walking?	Hadn't we been walking?
Hadn't you been walking?	Hadn't you been walking?
Hadn't he / she / it been walking?	Hadn't they been walking?

Traduction :
Est-ce que je ne marchais pas... ?, etc. / N'avais-je pas marché... ? ou Est-ce que je n'avais pas marché... ?, etc.

3) EXPRIMER L'AVENIR

Il n'existe pas de temps grammatical « futur » en anglais ; il n'y a donc pas d'équivalent du futur de l'indicatif français en anglais.

L'anglais ne comporte que deux temps de l'indicatif : le présent et le prétérit.

L'avenir n'étant jamais sûr (il y a toujours une marge d'incertitude quand on se prononce sur l'avenir, contrairement au présent et au passé dont on peut être sûr), l'anglais préfère utiliser des constructions, des périphrases qui font référence à l'avenir et dispose de nombreuses façons d'exprimer des événements à venir.

Le français aussi exprime l'avenir de différentes façons et pas seulement à l'aide du futur de l'indicatif.

En effet, le présent, le verbe « *aller* » + infinitif, ou encore le verbe « *devoir* » ou des expressions comme « *être sur le point de* » et des adverbes de temps comme « *demain* », « *bientôt* », « *prochainement* », etc. permettent d'exprimer des actions ou des événements à venir.

> Ex. : *Nous **partons** demain. / Il **va** pleuvoir. / Dis-lui qu'il **doit partir** ce soir. / Le ministre de l'Éducation nationale **est sur le point de** démissionner.*

1. Le couple « shall / will »

Les auxiliaires modaux **« shall »** et **« will »** renvoient au **domaine du probable** (avec « may » et « can », on est dans le domaine du possible) ; rien d'étonnant alors à ce qu'ils soient utilisés pour évoquer l'avenir.

L'énonciateur, à l'aide de ces modaux, évalue, quantifie les chances de réalisation d'un fait à venir. Il peut le juger peu probable, probable, très probable, etc.

Pour connaître les règles d'emploi des auxiliaires modaux, se reporter à la page 55.

Remarque :

Les auxiliaires du « probable », « shall » et « will », ont des sens proches mais font apparaître, respectivement, des nuances qui relèvent d'une étude plus approfondie de l'anglais que l'étude qui est proposée dans le cadre de cet ouvrage.

Nous rappelons néanmoins, sans développer, qu'il est préférable d'utiliser, en anglais britannique et dans une langue soignée, « shall » à la première personne du singulier et du pluriel (« I » et « We »), et « will » à toutes les autres personnes.

En anglais américain, on utilise « will » à toutes les personnes du singulier et du pluriel.

Cependant, cette distinction a tendance à disparaître aussi en anglais britannique, c'est pourquoi, dans le cadre de l'expression de l'avenir, seul « will » fera l'objet de notre étude.

Pour les autres emplois de l'auxiliaire de modalité « shall », se reporter à la leçon sur les auxiliaires modaux page 60.

a) Emploi de l'auxiliaire « will »

Avec « will », on prévoit que l'action se réalisera dans l'avenir, indépendamment de la situation présente ; c'est pourquoi « will » est souvent employé pour exprimer l'ordre inéluctable des choses.

Ex. : It will happen sooner or later.
Ça arrivera nécessairement un jour ou un autre.

« Will » est aussi très fréquemment associé aux **subordonnées en « If » et « When »**.

Ex. : When you come to dinner, I'll (will) make a crumble.
Quand tu viendras (vous viendrez) dîner, je ferai un crumble.

If it rains, we'll stay at home.
S'il pleut, nous resterons à la maison.

L'auxiliaire « will » permet donc d'exprimer des notions telles que :

Une intention, une volonté

Ex. : I'll (will) write to my grandparents on Sunday.
J'écrirai à mes grands-parents dimanche.

He won't (will not) come to the meeting.
Il ne viendra pas à la réunion.

Une résolution ferme

Ex. : After Christmas I'll make a diet.
Après Noël, je ferai un régime.

Une prédiction

Ex. : You'll have four children.
Vous aurez (tu auras) quatre enfants.

I'm sure it won't rain for the picnic on Sunday.
Je suis sûr(e) qu'il ne pleuvra pas pour le pique-nique dimanche.

L'inéluctable, un événement prédéterminé

Ex. : She will be 21 next week.
Elle aura 21 ans la semaine prochaine.

It will snow tomorrow.
Il neigera demain.

b) Conjugaison de « will »
Exemple du verbe **« to go »** : « aller »

Affirmation	Interrogation	Négation	Interro-négation
I'll (will) go...	Will I go... ?	I won't (will not) go	Won't I (Will I not) go... ?
J'irai...	*Est-ce que j'irai... ?*	*Je n'irai pas...*	*Est-ce que je n'irai pas... ?*

2. Be going to

a) Emploi de « be going to »
La tournure « be going to » sert à exprimer la certitude ou la conviction que quelque chose va se produire. L'action future est étroitement liée à la situation présente ; elle est la conséquence logique d'une situation présente : « *Vu ce que je sais du présent, je conclus que quelque chose va certainement se produire.* »

Ex. : It's going to rain.
Il va pleuvoir (parce que je vois des nuages noirs dans le ciel).

I'm going to miss my train.
Je vais rater mon train (parce que je suis très en retard).

Dans certains contextes, cette forme peut exprimer **une intention du sujet grammatical**. Dans ce cas, le sujet est souvent « I », « we » ou « you ».

Ex. : We're going to get married.
Nous allons nous marier (parce que nous l'avons décidé).

I'm going to work harder next year.
Je travaillerai davantage l'année prochaine (je l'ai décidé).

b) Conjugaison de « be going to »
Exemple du verbe **« to travel »** : « voyager »

Affirmation	Interrogation
I'm going to travel... *Je vais voyager, je voyagerai...*	Am I going to travel... ? *Est-ce que je vais voyager... ?*
Négation	**Interro-négation**
I'm not going to travel...	Am I not going to travel... ?
Je ne vais pas voyager, je ne voyagerai pas...	*Est-ce que je ne vais pas voyager... ?*

3. Le présent continu (en be + -ing)

Le présent continu peut exprimer une action à venir quand il s'agit d'actions projetées, planifiées qui doivent se produire sauf imprévu (en particulier pour des déplacements annoncés). Dans ce cas, la date de l'action ou l'horaire est précisé.

Ex. : We're leaving tomorrow.   *Nous partons demain. (C'est prévu.)*

Il s'agit, la plupart du temps, d'un arrangement préalable qui résulte d'une décision du sujet.

Ex. : We're meeting at the station at 3.30.
Nous nous retrouvons à la gare à 3 h 30. (C'est ce que nous avons prévu.)

4. Le présent simple

Le présent simple peut, lui aussi, s'employer pour l'expression d'un futur quand il s'agit d'un programme ou d'un horaire (dans ce cas, le programme ou l'horaire ne résulte pas de la décision du sujet).

Ex. : The train to Sarcelles leaves at 7.43, and we arrive at 7.53.
Le train pour Sarcelles part à 7 h 43 et nous arrivons à 7 h 53.

I have a gym class next Monday morning.
J'ai un cours de gym lundi matin.

5. Be about to

Cette tournure indique que **quelque chose est sur le point de se produire.**

Ex. : He's just about to go.   *Il est sur le point de partir.*

6. Be likely to

Cette tournure indique qu'**il y a de fortes chances pour que quelque chose se produise.**

Ex. : She's likely to work in Paris next year.
Elle travaillera probablement à Paris l'année prochaine.

7. Be to

• « Be to » indique que **quelque chose est prévu ou a été arrangé à l'avance**. On traduit souvent par « devoir » (mais « devoir » dans ce cas n'exprime pas l'obligation).

Ex. : He is to see them tomorrow.   *Il doit les voir demain (projet).*

- « Be to » peut aussi exprimer :
- **un ordre**, surtout à la forme négative :
  Ex. : You are not to answer back.   *Je t'interdis (vous interdis) de*
                                              répondre.

- ou encore **une nécessité**, surtout à la forme interrogative :
  Ex : What am I to do?   *Que faut-il que je fasse ?*

- **Au passé**, « be to » exprime souvent **une décision du destin** :
  Ex. : He was to die at the age of 40. *Il devait mourir à l'âge de 40 ans.*

8. Be bound to

Cette tournure exprime **l'inexorable, ce qui ne peut manquer d'arriver.**
    Ex. : He knew he was bound to fail.
        Il savait qu'il allait échouer. (Il ne pouvait pas en être autrement.)

9. Le futur antérieur

Le futur antérieur (« future perfect ») s'emploie, comme en français, pour parler d'une action qui aura été accomplie à un moment de l'avenir.
    Ex. : I **shall (ou will) have finished** this book by Sunday.
        J'aurai fini ce livre d'ici à dimanche.

Il se forme à l'aide de **« will have + participe passé »** (« shall have » est également possible à la première personne du singulier et du pluriel).
Toutefois, après les conjonctions de temps (« when, as soon as, as long as »...) il faut un present perfect et non un future perfect :
    Ex. : Call me as soon as you **have finished**.
        Appelle-moi (Appelez-moi) dès que tu auras (vous aurez) fini.

4) Exprimer le conditionnel

Il n'y a pas plus de conditionnel qu'il n'y a de futur en anglais.
Il existe néanmoins, en anglais, des périphrases à valeur de futur ou de conditionnel.
En effet, de même que les auxiliaires modaux « shall » et « will » permettent de former des périphrases à valeur de futur, les auxiliaires modaux « should » et « would » (prétérits de « shall » et « will ») servent à former des périphrases à valeur de conditionnel.

1. Les auxiliaires modaux à valeur de conditionnel

a) Le couple « should / would »

• Les auxiliaires modaux « should » et « would » sont les auxiliaires les plus courants que l'on utilise en anglais pour former des périphrases à valeur de conditionnel.

À la 1re personne du singulier et du pluriel (« I » et « We »), il est préférable d'employer « should » en anglais britannique et dans une langue soutenue.

En anglais américain, « would » est utilisé à toutes les personnes.

Ex. : **We should** be sorry if she failed her exam.
Nous serions désolé(e)s si elle échouait à son examen.

I should be very disappointed if you didn't come.
Je serais très déçu(e) si tu ne venais pas (vous ne veniez pas).

Néanmoins, on peut aussi employer « would » à la première personne du singulier et du pluriel en anglais britannique quand la phrase s'accompagne d'une idée de volonté, de consentement :

Ex. : **I would** help you if I could.
Je t'aiderais (vous aiderais) volontiers si je le pouvais.

Dans ce cas, l'énonciateur insiste sur sa volonté d'agir.

Il n'en demeure pas moins qu'aujourd'hui « would » s'emploie de plus en plus à la place de « should », d'autant qu'ils ont la même forme contractée (« 'd »).

• La forme continue (be + -ing) peut s'employer avec ces auxiliaires.

Comparez :

The man I should marry, if I were you, wouldn't be selfish.
L'homme que je devrais épouser, si j'étais à ta (votre) place, ne serait pas égoïste.

The man I should be marrying, if I were you, wouldn't be selfish.
L'homme que j'épouserais, si j'étais à ta (votre) place, ne serait pas égoïste.

Dans la deuxième phrase, « should » perd son sens de modal (obligation atténuée, suggestion ou conseil [cf. page 60]) et n'est utilisé que comme simple auxiliaire à valeur de conditionnel.

b) Autres auxiliaires modaux à valeur de conditionnel

Les auxiliaires modaux **« could »** et **« might »** (prétérits de « can » et « may »), ainsi que **« ought to »** s'emploient fréquemment aussi avec un sens de conditionnel.

Ex. : She **could** pass her exam if she worked harder.
Elle pourrait réussir son examen si elle travaillait davantage.

It **might** rain tomorrow.
Il se pourrait qu'il pleuve demain.

2. Emploi du « conditionnel »

On trouvera les **périphrases à valeur de conditionnel** :

* dans une principale dont la subordonnée exprime **une supposition ou une condition** ; dans ce cas, la subordonnée est introduite par **« if »** (« *si* ») et son verbe est au **prétérit**.
Ex. : If I were you, I wouldn't eat so much.
Si j'étais toi (vous), je ne mangerais pas tant.
Notez « If I were you... » dans ce cas et non « If I was you ».

If they had more money, they would buy a house.
S'ils (si elles) avaient plus d'argent, ils (elles) achèteraient une maison.

* utilisées par **politesse**, pour faire une offre, pour adoucir une demande ou une affirmation.
Ex. : Would you like a cup of tea?
Voudriez-vous (Voudrais-tu) une tasse de thé ?

I'd (would ou should) like a drink.
J'aimerais boire quelque chose.

I should think he was right.
Il me semble qu'il a raison.

* pour exprimer **le futur dans le passé.**
Ex. : She said she would come as soon as she was ready. (Style indirect.)
Elle a dit qu'elle viendrait dès qu'elle serait prête.

Même exemple au style direct :
She said : « I will come as soon as I am ready. »
Elle dit : « Je viendrai dès que je serai prête. »

En français, le conditionnel s'emploie aussi pour annoncer des **nouvelles non confirmées.**
Cet usage du conditionnel correspond à des passifs en anglais comme « be said » ou « be reported » (on utilise plutôt « reportedly » en américain).
Ex. : *Elle serait la fille d'un acteur célèbre.*
She is said to be a famous actor's daughter.

*Le Premier ministre **aurait** l'intention de se rendre à Londres la semaine prochaine.*
The Prime Minister is **reported** as intending to go to London next week. (= The Prime Minister is **reportedly** intending to go to London next week, en anglais américain.)

3. Le « conditionnel passé »

Le conditionnel passé ou « conditional perfect » en anglais (ex. : « I should have thought..., they would have been... ») s'emploie dans les mêmes cas qu'en français.

Ex. : If he had known you, he would have liked you.
S'il t'avait connu(e), il t'aurait apprécié(e).

What would you have said?
Qu'auriez-vous dit ? / Qu'aurais-tu dit ?

Toutefois, après les conjonctions de temps (« when, as soon as, as long as... »), on emploie le past perfect et non le « conditional perfect ».

Ex. : He promised to call as soon as he **had finished**. (Past perfect.)
*Il a promis d'appeler dès qu'il **aurait fini** son travail.*

Le conditionnel passé français s'emploie pour annoncer des **nouvelles non confirmées** (faits passés).
Il faut traduire cet usage du conditionnel passé par des **passifs** en anglais : « be said » ou « be reported » (on utilise plutôt « reportedly » en américain) :

Ex. : *La guerre **aurait** éclaté.*
The war is **reported** to have broken out. (= The war **reportedly** broke out, en anglais américain.)

5) Futur et conditionnel : concordance des temps

• Il faut retenir qu'en anglais, lorsque le verbe de la principale est au futur, on emploie le présent (simple) dans les propositions subordonnées introduites par les conjonctions suivantes :
when, as soon as, as long as, until, while, before, after, whenever, wherever, who, what, as much as, if, in case.

Ex. : When I'm eighteen, I'll learn to drive.
(Présent dans la subordonnée, futur dans la principale.)
Quand j'aurai 18 ans, j'apprendrai à conduire.

I'll go wherever you go.
(Futur dans la principale, présent dans la subordonnée.)
J'irai partout où tu iras (vous irez).

- De même, lorsque le verbe de la principale est au conditionnel, on emploie le prétérit (cf. prétérit modal pages 83 à 85) dans les subordonnées introduites par les mêmes conjonctions (when, as soon as...).

  Ex. : If I had enough money, I would buy a house.

     (Prétérit dans la subordonnée, conditionnel dans la principale.)
     Si j'avais assez d'argent, je m'achèterais une maison.

     If I were an artist, I would be a painter.

     (Prétérit dans la subordonnée, conditionnel dans la principale.)
     Si j'étais un(e) artiste, je serais peintre.

Chapitre 3

Les verbes

1) FORMES ET ASPECTS DES VERBES

Il y a deux types de verbes lexicaux en anglais, les verbes réguliers et les verbes irréguliers (cf. pages 135 à 137).

a) Les formes des verbes
Les verbes lexicaux réguliers ont cinq formes.

- **La base verbale** (BV) : c'est la forme qui apparaît dans le dictionnaire (ex. : sing, carry, work, ring...).
C'est aussi la forme du présent simple à toutes les personnes sauf à la 3e personne du singulier.
   Ex. : I love you ; you love me ; we love them ; they love us...
      Je t'aime ; tu m'aimes / vous m'aimez ; nous les aimons ; ils (elles) nous aiment...

On emploie aussi la base verbale après les auxiliaires de modalité (ex. : I can swim / *je sais nager*), après des expressions comme « had better », « would rather », dans les structures construites avec les verbes « to make », « to let » (ex. : You make me laugh / *Tu me fais [Vous me faites] rire*), à l'impératif (ex. : Get up, stand up ! Stand up for your rights ! / *Levez-vous [Lève-toi] ! Défendez [Défends] vos [tes] droits !*), etc.

- **L'infinitif** : to sing, to carry, to work, to ring...

- L'infinitif **se conjugue** ; il peut avoir **six formes** (cf. pages 125 à 127).

À la forme négative, l'infinitif est précédé de « not ».
   Ex. : To be or not to be...   *Être ou ne pas être...*

Remarque :
On dit souvent que la base verbale et l'infinitif sont en fait deux formes d'infinitif : l'infinitif sans « to » et l'infinitif complet (c'est-à-dire avec « to »).

J'ai choisi de les distinguer totalement pour éviter la confusion entre ces deux formes du verbe.

- **La base verbale + -s ou -es** : c'est la forme utilisée à la 3e personne du présent simple.
  Ex. : She loves him ; he loves her...   *Elle l'aime ; il l'aime...*

- **La base verbale + -ing** : c'est la forme du participe présent et du gérondif (ex. : singing, carrying, working, ringing...).

C'est aussi la forme utilisée pour la forme continue, en be + -ing, au présent continu, prétérit continu...
  Ex : I'm working ;   she's singing ;   he was sleeping...
      Je travaille ;   elle chante ;   il dormait...

- **La base verbale + -ed** : c'est la forme du prétérit et du participe passé des verbes réguliers (ex. : worked, played, carried...).
Le participe passé s'emploie pour former le present perfect, le past perfect et le passif.
  Ex. : He's (has) finished his lunch. (Present perfect.)
      Il a terminé de déjeuner.

Le participe passé peut aussi servir **d'adjectif qualificatif** ou de **substantif*** simple ou composé (ex. : broken / *cassé(e)* ; well-known / *célèbre* ; a grown-up / *un(e) adulte*...).

* *Un substantif est un nom courant.*

Les verbes lexicaux irréguliers peuvent, en revanche, avoir quatre, cinq ou six formes.
Ils ont en commun avec les verbes réguliers les quatre premières formes : la base verbale, l'infinitif, la base verbale + -s ou -es, la base verbale + -ing.
En revanche, pour le prétérit et le participe passé, il y a plusieurs possibilités.
On peut définir quatre groupes de verbes irréguliers :

▶ **1er groupe** : les trois formes (la base verbale BV, le prétérit et le participe passé) sont identiques.
  Ex. : « to cost » (« *coûter* »), « to cut » (« *couper* »), etc.
Le verbe n'a que quatre formes :
- cut (BV + prétérit + participe passé)
- to cut (infinitif)
- cuts (3e personne du singulier au présent simple)
- cutting (participe présent et gérondif ; forme continue en be + -ing)

▶ **2e groupe** : la base verbale et le participe passé sont identiques.
  Ex. : « to become » (« *devenir* »), « to run » (« *courir* »), etc.

Le verbe a 5 formes :
– run (BV + participe passé)
– to run (infinitif)
– ran (prétérit)
– runs (3ᵉ personne du singulier au présent simple)
– running (participe présent et gérondif)

▶ **3ᵉ groupe** : le prétérit et le participe passé sont identiques.
Ex. : « to bring » (« *apporter* »), « to buy » (« *acheter* »), etc.
Le verbe a 5 formes :
– bring (BV)
– to bring (infinitif)
– brought (prétérit et participe passé)
– brings (3ᵉ personne du singulier au présent simple)
– bringing (participe présent et gérondif)

▶ **4ᵉ groupe** : toutes les formes sont différentes.
Ex. : « to be » (« *être* »), « to draw » (« *dessiner* »)
Le verbe a 6 formes :
– draw (BV)
– to draw (infinitif)
– drew (prétérit)
– drawn (participe passé)
– draws (3ᵉ personne du singulier au présent simple)
– drawing (participe présent et gérondif)

Tableau récapitulatif des différents groupes de verbes irréguliers :

	Base verbale (BV)	Prétérit	Participe passé
Groupe 1	cost cut	cost cut	cost cut
Groupe 2	become run	became ran	become run
Groupe 3	bring buy	brought bought	brought bought
Groupe 4	be draw	was / were drew	been drawn

b) Les aspects
Il y a deux aspects en anglais :
• l'aspect have + -en* (= have + participe passé), appelé aussi **aspect perfectif.**
• l'aspect be + -ing, appelé aussi **aspect continu ou aspect progressif.**
* -en est le marqueur du participe passé anglais.

Le participe passé des verbes réguliers se forme, comme le prétérit, à l'aide de -ed (attention aux verbes irréguliers) ; mais pour éviter toute confusion entre le prétérit et le participe passé, -ed est le marqueur du prétérit et -en celui du participe passé.

- l'aspect have + -en (participe passé) est employé pour le present perfect et le past perfect.

L'aspect perfectif sert à évoquer un « aspect du présent » (present perfect) ou un « aspect du passé » (past perfect) ; dans les deux cas, l'énoncé est orienté sur le sujet grammatical, que l'on « crédite » (c'est le rôle de « have ») d'une action.

- l'aspect be + -ing correspond à la forme continue (ou progressive), par opposition à la forme simple des temps grammaticaux de l'anglais et indique, dans tous les cas, une prise de position de l'énonciateur, de celui qui parle. L'énoncé n'est pas neutre mais « filtré », « commenté » par l'énonciateur.

2) LES VERBES À PARTICULE ET LES VERBES PRÉPOSITIONNELS

Il existe en anglais de nombreux verbes composés.
On distingue deux types de verbes composés, les verbes à préposition (prepositional verbs) et les verbes à particule (phrasal verbs).
Attention, ce sont souvent les mêmes mots qui servent de préposition et de particule ; il ne faut pas les confondre.

Comparez :

It depends **on** (préposition) you.
Cela dépend de toi (vous).

Put your shoes **on** (particule) !
Mets (mettez) tes (vos) chaussures !

Dans le premier cas, « on » est une préposition ; le verbe « to depend on » (« *dépendre de* ») est un verbe prépositionnel.
Dans le second cas, « on » est une particule ; le verbe « to put on » (« *mettre* ») est un verbe à particule.

a) Les verbes à particule
Il faut retenir que :
- la particule est un adverbe ; on parle de particule adverbiale.
- un verbe à particule peut se construire sans complément, contrairement aux verbes prépositionnels. La particule adverbiale complète le verbe.

Ex. : He went **away**.
Il s'en alla.

She called him, so he ran **up**.
Elle l'appela, donc il monta en courant.

Les particules adverbiales « away » et « up » complètent respectivement les verbes « go » (« went » au prétérit) et « run » (« ran » au prétérit) ; les verbes « go away » (« *s'en aller* ») et « run up » (« *monter en courant* ») sont donc des verbes à particule.

Parfois, l'adverbe seul peut être utilisé avec la valeur du verbe.

Ex. : **Off** with you!   *Allez-vous-en ! / Va-t'en !*

• seule une particule est mobile, séparable du verbe qu'elle accompagne.

On peut dire : – He took **off** his hat.
                        Il enleva son chapeau.

                        – He took his hat **off**.
                        Il enleva son chapeau.

                        – He took it **off***
                        Il l'enleva.

* *Quand on remplace le complément d'objet direct par un pronom (« it » au lieu de « his hat »), la particule se place alors après le pronom complément.*
Une préposition, en revanche, ne se sépare pas du verbe qu'elle accompagne et se place toujours après ce verbe.

• une particule précise ou modifie le sens d'un verbe.
    Ex. : to wash : *laver*
            to wash **up** : *faire la vaisselle*
ou encore
            to sit : *être assis*
            to sit **down** : *s'asseoir*
            to sit **up** : *se redresser*

• il arrive qu'un même verbe puisse être tantôt un verbe prépositionnel, tantôt un verbe à particule.
Le verbe a des sens différents à chaque fois ; c'est le cas de « **to look** » qui signifie « *avoir l'air, sembler* ».
Il peut être aussi **un verbe à particule** :
    Ex. : To look **up** : *lever les yeux ; aller mieux*
            To look **down** : *baisser les yeux*
            To look **back** : *regarder en arrière*

ou un verbe prépositionnel :
   Ex. : To look at : *regarder*
          To look **after** : *s'occuper de*
          To look **for** : *chercher*
          To look into : *regarder dans*

b) Les verbes prépositionnels

Il faut retenir que :
• la préposition (si elle apparaît) introduit toujours un complément.
   Ex. : Look at this! *Regarde(z) ça !*
La préposition « at » introduit le complément « this ».
Le verbe « to look at » est **un verbe prépositionnel**.
Lorsqu'il n'y a pas de complément, la préposition n'apparaît pas.
   Ex. : Look! *Regarde(z) !*

• on maintient la préposition à droite du verbe dans :
– les questions :
   What is she waiting for?
   Qu'est-ce qu'elle attend ?

– les relatives :
   The man you're thinking of is still married.
   L'homme auquel tu penses (vous pensez) est toujours marié.

– les formes passives :
   I was made fun of.
   On s'est moqué de moi.

– les constructions à l'infinitif du type :
   There's nothing to worry about.
   Il n'y a pas de quoi s'inquiéter.

• Certains verbes ont deux constructions :
– avec préposition :
   My niece gave a nice drawing to me.
   Ma nièce m'a donné un joli dessin.

– sans préposition :
   My niece gave me a nice drawing.
   Ma nièce m'a donné un joli dessin.

• L'usage des prépositions est très souvent différent en anglais et en français ; nombreux sont les cas où :

– l'équivalent français d'un verbe prépositionnel anglais s'emploie sans préposition (ex. : to look at something / *regarder quelque chose* ; to listen to something / *écouter quelque chose* ; to look for something / *chercher quelque chose*...).

- ou inversement, il y a une préposition en français et non en anglais (ex. : répondre à une question / *to answer a question* ; entrer **dans** une pièce / *to enter a room*...).

- ou encore, la préposition en anglais n'a rien de commun avec la préposition utilisée en français (ex. : to laugh **at** / *rire de* ; to participate **in** / *participer à* ; to think **about** / *penser à* ; to depend **on** / *dépendre de*...).

Les verbes prépositionnels et les verbes à particule sont une source de difficultés pour ceux qui apprennent l'anglais ; ils sont très nombreux et la difficulté vient de ce qu'il n'y a pas de règles d'emploi mais que l'on doit s'en remettre à l'usage, souvent différent d'une langue à l'autre, de l'anglais au français notamment.

Il est donc très important de les noter et de les apprendre par cœur au cours de son apprentissage de l'anglais. D'autant que les prépositions, par exemple, ne sont pas seulement nécessaires à un certain nombre de verbes mais **accompagnent souvent aussi un nom** dans des expressions (ex. : on foot / *à pied* ; in the sun / *au soleil*...) ou un **adjectif** (ex. : good **at** / *bon en* ; interested **in** / *intéressé par*...).

Une bonne connaissance de l'usage de ces particules et prépositions relève à la fois de l'enrichissement de vocabulaire et de la correction grammaticale nécessaires à l'apprentissage et à la pratique de toute langue.

Liste des principaux verbes prépositionnels :

To abide **by** the law : *respecter la loi*
To account **for** sth (something) : *expliquer qch (quelque chose)*
To accuse sb (somebody) **of** (doing) sth : *accuser qn (quelqu'un) de (faire) qch*
To agree **with** sb **on** sth : *être d'accord avec qn sur qch*
To aim **at** sth : *viser qch*
To apologize **for** (doing) sth : *s'excuser de faire qch*
To approve **of** sth : *approuver qch*
To arrive **in** time : *arriver à temps*
To arrive **on** time : *arriver à l'heure*
To blame sb **for** sth : *reprocher qch à qn*
To borrow sth **from** sb : *emprunter qch à qn*
To break **into** a house : *entrer par effraction*
To charge sb **with** sth : *accuser qn de qch*
To confess **to** doing sth : *avouer avoir fait*
To confide **to** sb : *faire des confidences à qn*
To congratulate sb **on** sth : *féliciter qn de qch*
To consist **in** doing sth : *consister à faire qch*

To consist of different things : *se composer de choses différentes*
To cope with sth : *faire face à qch*
To count on sth : *compter sur qch*
To deal with sth : *s'occuper de qch*
To delight in sth : *se réjouir de qch*
To depend on sth : *dépendre de qch*
To deter sb from doing sth : *dissuader, empêcher qn de faire qch*
To devote oneself to (doing) sth : *se consacrer à (faire) qch*
To disagree with sb on sth : *ne pas être d'accord avec qn sur qch*
To disapprove of sth : *désapprouver qch*
To escape from somewhere : *s'échapper d'un lieu*
To excuse sb for (doing) sth : *excuser qn de (faire) qch*
To expect sth from sb : *attendre qch de qn*
To forgive sb for sth : *pardonner qch à qn*
To get on well with sb : *bien s'entendre avec qn*
To get used to (doing) sth : *s'habituer à (faire) qch*
To glance at sth : *jeter un coup d'œil sur qch*
To hear from sb : *avoir des nouvelles de qn*
To hear of sth : *entendre parler de qch*
To hope for sth : *espérer qch*
To indulge in doing sth : *s'adonner à qch*
To insist on doing sth : *vouloir absolument faire qch*
To keep from doing sth : *s'abstenir de faire qch*
To laugh at sb : *se moquer de qn*
To limit oneself to doing sth : *se limiter à faire qch*
To live by oneself : *vivre tout seul*
To live through sth : *survivre à qch*
To long to (doing) sth : *avoir très envie de (faire) qch*
To look after sb : *s'occuper de qn*
To look at sth : *regarder qch*
To look for sth : *chercher qch*
To look forward to doing sth : *attendre avec impatience, avoir hâte de faire qch*
To look like sb : *ressembler à qn*
To make for the door : *se diriger vers la porte*
To make up for something : *compenser qch*
To mistake sb for sb else : *confondre qn avec qn d'autre*
To object to doing sth : *désapprouver qch*
To pay (£x) for sth : *payer qch tant d'argent*
To persist in doing sth : *s'obstiner à faire qch*
To prevent sb from doing sth : *empêcher qn de faire qch*
To pride oneself on doing sth : *être fier de faire qch*
To provide for sb : *subvenir aux besoins de qn*

To provide sb with sth : *fournir qch à qn*
To put up with sb : *supporter qn*
To rely on sb : *compter sur qn*
To reproach sb for sth : *reprocher qch à qn*
To rob sb of sth : *dérober qch à qn*
To stand for sth : *représenter qch*
To steal sth from sb : *voler qch à qn*
To succeed in doing sth : *réussir à faire qch*
To take to doing sth : *prendre l'habitude de faire qch*
To think of doing sth : *envisager de faire qch*
To threaten sb with sth : *menacer qn de qch*

3) LES VERBES PRONOMINAUX

Le verbe pronominal est rare en anglais.
On emploie en français des pronoms réfléchis ou réciproques que l'on ne retrouve que rarement en anglais :

Ex. : *Il se lave.* Verbe pronominal « *se laver* » ; « *se* » dans « *Il se lave* » est un **pronom réfléchi**.
He's washing. Verbe « to wash » ; aucun pronom réféchi.

Elles se battent. Verbe pronominal « *se battre* » ; « *se* » dans « *Elles se battent* » est un **pronom réciproque**.
They're fighting. Verbe « to fight » ; aucun pronom réciproque.

Si les verbes pronominaux sont bien plus rares en anglais qu'en français, on distingue néanmoins en anglais aussi les pronoms réfléchis et les pronoms réciproques.

a) Les pronoms réfléchis

Au singulier :	1re personne	myself
	2e personne	yourself
	3e personne	himself (masculin) / herself (féminin) / itself
Au pluriel :	1re personne	ourselves
	2e personne	yourselves
	3e personne	themselves

Ex. : I really enjoyed myself this summer.
Je me suis vraiment bien amusé(e) cet été.

On emploie « oneself » à l'infinitif quand le verbe est pronominal (ex. : to defend oneself / « *se défendre* »).

b) Les pronoms réciproques

Les pronoms réciproques **« each other »** et **« one another »** sont des expressions invariables dont le sens est pluriel (échange entre deux ou plusieurs sujets).

En principe, **« each other »** s'emploie pour **deux sujets** et **« one another »** pour **plus de deux sujets.**

> Ex. : *Ils s'aiment.*
> They love each other (s'il s'agit de deux personnes, un couple par exemple).
> They love one another (s'il s'agit de plus de deux personnes, une famille par exemple).

Mais aujourd'hui, ces expressions sont pratiquement synonymes.

c) Emploi des verbes pronominaux en anglais

Les pronoms réfléchis en anglais (myself, yourself...) servent à insister sur le fait que le sujet fait l'action lui-même.

> Ex. : He killed himself (to kill / « *tuer* » ; to kill oneself / « *se tuer* »).
> *Il s'est suicidé.*
>
> She can dress herself.
> *Elle sait s'habiller seule.*

Attention, « *s'habiller* » se dit « to dress » en anglais donc l'emploi du pronom réfléchi, ici, sert à insister sur le fait que le sujet peut s'habiller seul.

Précédé de « by », le pronom réfléchi prend le sens de « alone » (« *tout[e] seul[e]* »).

> Ex. : She spent the evening by herself.
> *Elle a passé la soirée toute seule.*

Il existe donc des verbes pronominaux anglais qui correspondent à leurs équivalents français comme « to kill oneself », « *se suicider* », « to enjoy oneself », « *s'amuser* », « to help oneself », « *se servir* » mais encore une fois, ils sont bien moins nombreux en anglais qu'en français ; et il est courant de voir **un verbe pronominal français correspondre à un verbe simple anglais.**

C'est, entre autres, le cas des verbes suivants qu'il faut connaître :

S'apercevoir : *to notice*
S'arrêter : *to stop*
Se battre : *to fight*
Se concentrer : *to concentrate*
Se décider : *to decide*
Se demander : *to wonder*
Se dépêcher : *to hurry*

Se disputer : *to quarrel*
S'ennuyer : *to be bored / to get bored*
S'habiller : *to dress / to get dressed*
Se laver : *to wash*
Se lever : *to get up*
Se raser : *to shave*
Se rassembler : *to gather*
Se rencontrer : *to meet*
Se réveiller : *to wake up*
Se sentir : *to feel*
Se séparer : *to part*
Se servir de : *to use*
Se souvenir de, se rappeler de : *to remember*

Le français ne distingue pas la forme pronominale à sens réfléchi (myself, yourself...) et la forme pronominale à sens réciproque (each other, one another...). L'anglais, en revanche, fait nettement la différence.
Dans beaucoup de cas, la forme pronominale en français a un sens réciproque (ex. : *se battre* ; *s'aimer* ; *se détester*...) ; il faut toujours se demander s'il s'agit de « *(avec) soi-même* » ou de « *l'un l'autre / les uns les autres* », la traduction anglaise sera alors différente dans un cas et dans l'autre.

Forme pronominale réciproque :

Ex. : Ils *s'aiment* vraiment (l'un l'autre).
They really love **each other**.

Vous devriez **vous aider** (l'un l'autre / les uns les autres) *!*
You should help **each other / one another**!

Forme pronominale réfléchie :

Ex. : *Si seulement vous pouviez **vous voir*** (vous-même) *!*
I wish you could see **yourself**!

En résumé, il ne faut pas confondre :
They killed **themselves**.
Ils se sont suicidés (verbe pronominal à sens réfléchi).
et
They killed **one another**.
Ils se sont entre-tués (verbe pronominal à sens réciproque).

Les pronoms réciproques peuvent se mettre **au cas possessif.**
Ex. : They threw themselves into **each other's** arms.
Ils (Elles) se jetèrent dans les bras l'un(e) de l'autre.

They threw themselves into **one another's** arms.
Ils (Elles) se jetèrent dans les bras les un(e)s des autres.

4) Base verbale, infinitif ou forme en -ing ?

1. La base verbale

On trouve la base verbale (appelée aussi « l'infinitif sans to ») :

– à toutes les personnes du présent simple (sauf à la 3e personne du singulier) :
Ex. : I love you.
Je t'aime. / Je vous aime.

– après les auxiliaires modaux :
Ex. : I can swim.
Je sais nager.

– après les expressions modales :
Ex. : You'd better stay.
Tu ferais (Vous feriez) mieux de rester.

I'd rather stay.
Je préférerais rester.

– à l'impératif :
Ex. : Stay here !
Reste[z] ici !

– après « Why / Why not » dans les questions sans sujet :
Ex. : Why waste all this time waiting for him?
Pourquoi perdre tout ce temps à l'attendre ?

Why not go?
Pourquoi ne pas partir ?

– après les verbes de perception (to see, to hear, to feel, to taste, to smell...), sauf au passif :
Ex. : I heard her laugh.
Je l'ai entendue rire.

⚠ **Attention :**
He was seen to sleep. (Passif.)
On l'a vu dormir.

Remarque : ces verbes peuvent être aussi suivis de la forme en -ing ; dans ce cas, l'action est vue dans son déroulement ; la forme en -ing donne une valeur beaucoup plus descriptive.
Ex. : I saw him arriving.
J'ai vu son arrivée.

3. Les verbes : base verbale, infinitif ou forme en -ing

– après « let » et « make » :
Ex. : She let me go.
Elle m'a laissé(e) partir.

He made me go.
Il m'a fait partir.

– après des expressions figées comme :
To let go of   *lâcher*
To let slip   *laisser échapper*
To make do with   *se contenter de*

– après « except » et « but », dans le sens de « sauf » :
Ex. : He did nothing but (= except) worry.
Il n'a rien fait d'autre que de s'inquiéter.

Attention : « except » et « but » sont les seules prépositions qui, quand elles sont suivies d'un verbe, ne sont pas construites avec un gérondif (forme en -ing).

2. L'infinitif

a) *Avant-propos sur l'infinitif en anglais*
Avant tout, il ne faut pas confondre l'infinitif et la base verbale.

Exemple avec le verbe **« to help »** (« *aider* ») :

Base verbale : help
Ex. : I can help you.
Je peux t'aider.

Infinitif : to help
Ex. : I want to help you
Je veux t'aider.

L'infinitif, en anglais, **est précédé de « to » ; il se conjugue** :
• Infinitif présent, forme simple : to help
Ex. : I want to help you.
Je veux t'aider.
• Infinitif présent, forme continue (ou progressive) : to be helping
Ex. : I'd like to be helping you.
J'aimerais être en train de t'aider.
• Infinitif passé, forme simple : to have helped
Ex. : It seems to have helped you.
On dirait que cela t'a aidé.
• Infinitif passé, forme continue (ou progressive) : to have been helping
Ex. : He seems to have been helping them all day.
On dirait qu'il les a aidé(e)s toute la journée.

- Infinitif passé, présent : to be helped
  Ex. : I need to be helped.
      J'ai besoin que l'on m'aide.
- Infinitif passif, passé : to have been helped
  Ex. : She's the only one to have been helped.
      Elle est la seule qui a été aidée.

À la forme négative, l'infinitif est précédé de « not » :
  Ex. : « To be or not to be... »   *« Être ou ne pas être... »*

b) On trouve l'infinitif
– après de nombreux verbes et notamment ceux projetant l'action dans l'avenir, parmi lesquels les verbes de volonté ou de désir : to decide, to plan, to refuse, to want, to hope, to intend, etc. :
  Ex. : I hope to see them next week.
      J'espère les voir la semaine prochaine.

– après to allow, I can't afford, to ask, to expect, to force, to try.

– en complément d'adjectif :
  Ex. : It's difficult to understand.
      C'est difficile à comprendre.

– en complément de certains noms :
  Ex. : I won't forget his refusal to help us.
      Je n'oublierai pas son refus de nous aider.

– pour exprimer le but, « pour », « afin de », seul ou dans les expressions « in order to » (« *dans le but de* ») et « so as to » (« *afin de* ») :
  Ex. : We're getting up early tomorrow to go skiing.
      Nous nous levons tôt demain pour aller skier.

  He'll hurry up so as not to keep you waiting.
      Il va se dépêcher pour ne pas te (vous) faire attendre.

Formes négatives : « in order not to », « so as not to ».
L'infinitif exprimant le but peut être précédé de « as if » :
  Ex. : She put her hand in her pocket as if to take out her handkerchief.
      Elle mit sa main dans sa poche comme pour sortir son mouchoir.

– après des adjectifs (ou adverbes) accompagnés de « too » ou de « enough » :
  Ex. : We're too young to die.
      Nous sommes trop jeunes pour mourir.
et dans l'expression « to be so + adjectif + as to... » :
  Ex. : Will you be so kind as to give me a lift to Paris ?
      Auriez-vous (Aurais-tu) l'amabilité de me déposer à Paris ?

3. Les verbes : base verbale, infinitif ou forme en -ing

– après un pronom relatif :
  Ex. : He told me **where** to go.
      Il m'a dit où aller.

– dans des propositions infinitives introduites par « for » (à ne pas confondre avec la proposition infinitive ou « It's time for... » ou encore par « There's no need for... » :
  Ex. : **There's** no need for you to worry.
      Il n'y a aucune raison pour que tu t'inquiètes (vous vous inquiétiez).

  It's time for me to leave.
  Il est temps que je parte.

– en début de phrase, comme sujet de la phrase :
  Ex. : **To** wait for him would be a waste of time, he's never on time.
      L'attendre serait une perte de temps, il n'est jamais à l'heure.

– dans certains cas, l'infinitif se présente de façon elliptique, c'est-à-dire que le verbe est sous-entendu :
  Ex. : You do it if you want to (sous-entendu : « ... if you want **to do** it »).
      Tu le fais si tu le veux. / Vous le faites si vous le voulez.

L'infinitif, dans ce cas, est réduit à sa particule « to » (appelée alors « to anaphorique ») pour éviter une répétition. L'infinitif elliptique existe à la forme négative :
  Ex. : He wanted to smoke but she asked him **not** to.
      Il voulait fumer mais elle lui a demandé de ne pas le faire.

  Don't eat it if you **don't** want to.
  Ne le mange(z) pas si tu n'en veux (vous n'en voulez) pas.

3. La proposition infinitive

Ce que l'on appelle en grammaire anglaise **« la proposition infinitive »** n'a pas d'équivalent en grammaire française.
C'est une construction propre à la langue anglaise qu'il faut connaître afin d'éviter de nombreuses erreurs de traduction.
Seul un nombre restreint de verbes anglais admettent la proposition infinitive mais ces verbes sont très courants.
Utiliser ces verbes et la proposition infinitive demande à l'apprenant français un effort de mémoire et de compréhension pour manipuler et transformer la phrase en une construction grammaticale qui n'existe pas dans sa langue.
Observez les trois phrases suivantes :

1. I want **to help you**.   *Je veux t'aider.*
      complément

2. I want **Mary to help you**.   *Je veux que Marie t'aide.*
       complément
3. I want **her to help you**   *Je veux qu'elle t'aide.*
       complément

Chacune de ces phrases contient une proposition infinitive ; on reconnaît l'infinitif « to help » dans les trois exemples, mais ce qui fait de la proposition infinitive une construction propre à la langue anglaise est illustré dans les phrases 2 et 3.

a) *Formation de la proposition infinitive*

La construction des phrases 2 et 3 est la suivante :

> Sujet + want + nom ou pronom complément + infinitif (to ...)

Dans les exemples ci-dessus (1, 2, 3), tout ce qui est souligné est **complément** de « I want ». C'est pourquoi, dans la phrase 3, le pronom qui remplace « Mary » est le **pronom complément** « her » et non le pronom sujet « she ».

Autres exemples :
> I don't want them to stay.
> *Je ne veux pas qu'ils (qu'elles) restent.*

> He'd like John (or him) to come.
> *Il aimerait que John (ou qu'il) vienne.*

> They did'nt ask me to wait.
> *Ils (Elles) ne m'ont pas demandé d'attendre.*

> She doesn't allow her children (or them) to go out alone.
> *Elle n'autorise pas ses enfants (Elle ne les autorise pas) à sortir seuls.*

Rappel des pronoms personnels sujets et compléments en anglais :

Pronoms personnels **sujets**	I	You	He	She	It	We	You	They
Pronoms personnels **compléments**	me	you	him	her	it	us	you	them

Le calque, c'est-à-dire la traduction mot à mot d'une langue à l'autre, induit à bien des erreurs.
Dans le cas de la proposition infinitive, l'apprenant français est souvent tenté de calquer sa traduction sur le français, ce qui l'amène à traduire les phrases 2 et 3, par exemple, de la façon suivante : « I want *that Mary helps you* » ou « I want *that she helps you* ».

3. Les verbes : base verbale, infinitif ou forme en -ing

Pour éviter ce type d'erreurs, il est impératif de connaître les verbes anglais, comme « want », employés avec **la proposition infinitive**.

b) Liste des principaux verbes anglais, employés avec la proposition infinitive

To want somebody to do something
Vouloir que quelqu'un fasse quelque chose

To ask somebody to do something
Demander à quelqu'un de faire quelque chose

To expect somebody to do something
S'attendre (à ce) que quelqu'un fasse quelque chose

To hate somebody to do something
Détester que quelqu'un fasse quelque chose

To need somebody to do something
Avoir besoin que quelqu'un fasse quelque chose

To order somebody to do something
Ordonner à quelqu'un de faire quelque chose

To prefer somebody to do something
Préférer que quelqu'un fasse quelque chose

To remind somebody to do something
Rappeler à quelqu'un de faire quelque chose

To teach somebody to do something
Apprendre à quelqu'un à faire quelque chose

To allow somebody to do something
Permettre à quelqu'un de faire quelque chose

To force somebody to do something
Forcer quelqu'un à faire quelque chose

To tell somebody to do something
Ordonner à quelqu'un de faire quelque chose

To advise somebody to do something
Conseiller à quelqu'un de faire quelque chose

To wish somebody to do something
Souhaiter que quelqu'un fasse quelque chose

To wait for somebody to do something
Attendre que quelqu'un fasse quelque chose

I'd like (You'd like, He'd like...) somebody to do something
> *J'aimerais (Tu aimerais, Il aimerait...) que quelqu'un fasse quelque chose*

c) La proposition infinitive sans « to »

Il existe des verbes dont la construction est très proche de la proposition infinitive. En effet, leur schéma est le suivant :

> Sujet + make + nom ou pronom complément + base verbale

Ex. : He **makes** them laugh.   *Il les fait rire.*

La construction du verbe « make » ci-dessus est si proche de la proposition infinitive qu'elle est souvent appelée : **la proposition infinitive sans « to ».**

Comparons :
> He **wants** me to drive.   *Il veut que je conduise.*
>   proposition infinitive

et
> He **makes** me drive.   *Il me fait conduire.*
>   proposition infinitive sans « to »

Les **deux principaux verbes de la proposition infinitive sans « to »** sont :

To make somebody do something
> *Faire faire quelque chose à quelqu'un*

To let somebody do something
> *Laisser quelqu'un faire quelque chose*

Remarque :

Les verbes de perception « see » (« *voir* ») et « hear » (« *entendre* ») peuvent aussi être suivis parfois d'un nom ou pronom complément et d'une base verbale.

Ex. : We **heard** a lion roar.   *Nous avons entendu rugir un lion.*

I **saw** the man run away.   *J'ai vu l'homme s'enfuir en courant.*

4. La forme en -ing

Les formes verbales en -ing peuvent être selon le cas : un participe présent, un gérondif ou un adjectif verbal.

a) Le participe présent est un verbe qui s'emploie

– pour construire la forme continue avec l'auxiliaire « be » :

Ex. : The children **are having** breakfast in the kitchen.
> *Les enfants prennent leur petit déjeuner dans la cuisine.*

3. Les verbes : base verbale, infinitif ou forme en -ing

– après « when » et « while » :
Ex. : When **realizing** her mistake, she apologized at once.
Quand elle se rendit compte de son erreur, elle fit ses excuses immédiatement.

She was listening to music **while cooking.**
Elle écoutait de la musique tout en cuisinant.

– comme équivalent de l'expression « en + participe présent » :
Ex. : She left, **taking** all her things away.
Elle partit en emportant toutes ses affaires.

b) Le gérondif

On parle souvent du gérondif comme d'un « nom verbal » ; en effet, le gérondif a les propriétés d'un nom (il peut être sujet ou complément d'objet) et celles d'un verbe (il admet les compléments).
On emploie donc **le gérondif (V-ing) :**

– en tant que verbe :
Ex. : **Painting** tin soldiers used to be his favourite hobby.
Peindre des soldats de plomb était autrefois son passe-temps favori.

– en tant que nom :
Ex. : **Reading** is what she likes best (gérondif sujet).
La lecture, c'est ce qu'elle préfère.

I like her **singing** (gérondif complément).
J'aime sa façon de chanter.

Autres exemples : travelling : *les voyages ;* teaching : *l'enseignement ;* hunting : *la chasse à courre ;* to do the shopping, the cooking, the washing up... : *faire les courses, la cuisine, la vaisselle...*

– après toutes les prépositions (in, of, with, about, for...) à l'exception de « except » et « but » (dans le sens de « sauf ») :
Ex. : He's not interested **in swimming.**
Il n'est pas intéressé par la natation.

– de ce fait, on trouve le gérondif après les adjectifs ou les verbes (verbes prépositionnels) construits avec des prépositions.
Exemples d'**adjectifs suivis du gérondif :**
To be crazy about, to be fond of, to be keen on, to be mad about...
être passionné de...
Exemples de **verbes suivis du gérondif :**
To accuse of (*accuser de*), to think of (*penser à*), to thank for (*remercier pour*), to feel like (*avoir envie de*)...

Cas particulier de **« to »** :

« To » peut être **tantôt la marque de l'infinitif** (ex. : to read, « lire ») tantôt **préposition** :

Ex. : She looks forward to seeing you again.
Il lui tarde de te revoir.

Il existe un certain nombre de verbes, comme « to look forward to » (« *avoir hâte de, attendre avec impatience* »), construits avec la préposition « to ». Lorsqu'ils sont suivis d'un verbe, ce verbe est nécessairement un gérondif (comme « seeing » dans l'exemple précédent).

To be used to : *être habitué à**
To devote time to : *consacrer du temps à*
To get used to : *s'habituer à**
To object to : *désapprouver*
To look forward to : *avoir hâte de, attendre avec impatience*
To take to : *se mettre à (une habitude)*
To accustom to : *accoutumer à*
To amount to : *équivaloir à / revenir à*
To be given to : *être enclin à*
To be reduced to : *(en) être réduit à*
To confess to : *avouer*
To confine oneself to : *se borner à, se cantonner à*
To contribute to : *contribuer à*

* Ne pas confondre :

To be used to	I'm not used to working so early.
	Je ne suis pas habitué(e) à travailler si tôt.
To get used to	I never got used to working so early.
	Je ne me suis jamais habitué(e) à travailler si tôt.

et

« *used to* »	I used to work earlier. I didn't use to wake up at
(cf. pages 80 et 81)	8 o'clock.
	Avant, je travaillais plus tôt. Je ne me levais pas à 8 heures.

On trouve aussi le gérondif :

– après les verbes ou expressions suivants (attention, certains verbes, comme « to like », « to love », « to hate », « to begin »... admettent d'être suivis d'un gérondif ou d'un infinitif, selon le contexte – cf. page 134) :

To burst out laughing : *éclater de rire*
To go on, to keep on : *continuer, ne cesser de*
To stop, to finish : *arrêter de*

3. Les verbes : base verbale, infinitif ou forme en -ing

To succeed in : *réussir à*
To begin, to start : *commencer*
To cease : *cesser*
To continue : *continuer*
To spend one's time / money : *passer son temps à, dépenser son argent en*
To avoid : *éviter*
To give up : *renoncer à*
can't bear, can't stand : *ne pouvoir supporter*
To resist : *résister à*
To resent : *irriter*
To postpone : *retarder*
To put off, to defer : *ajourner*
I can't help : *je ne peux m'empêcher de*
To prevent somebody from : *empêcher quelqu'un de*
To report : *signaler*
To mind (surtout dans les questions : *Cela vous ennuie-t-il de... ?*
ou à la forme négative : *Cela ne m'ennuie pas de...*)
To be worth : *valoir la peine de*
It's no use / It's no good / There's no point in : *il ne sert à rien de...*
What's the use? / What's the good? / What's the point of? : *à quoi bon... ?*
To be fed up with : *(en) avoir assez*
There's no + -ing : *il n'y a pas moyen de*
To anticipate : *s'attendre à*
To advise : *conseiller*
To allow : *permettre*
To attempt : *tenter de*
To contemplate, to consider : *envisager*
To contribute to : *contribuer à*
To enjoy : *avoir plaisir à*
To feel like : *avoir envie de*
To imagine, to fancy : *imaginer*
To intend : *avoir l'intention*
To practise : *pratiquer*
To risk : *risquer de*
To suggest : *suggérer*
To think of : *penser à*
There is no harm in : *il n'y a pas de mal à*
To forgive : *pardonner*
To excuse : *excuser*
To acknowledge : *reconnaître*
To admit, to confess (to) : *avouer*

Verbes admettant les deux constuctions :
Certains verbes admettent les deux constructions, tantôt le gérondif, tantôt l'infinitif.
Les plus courants sont :

To like : *apprécier*
To love : *aimer*
To prefer : *préférer*
To stop : *arrêter*
To forget : *oublier*
To remember : *se souvenir de*
To hear : *entendre*
To see : *voir*
To try : *essayer*

Le sens de ces verbes est différent selon qu'ils sont suivis d'une forme ou de l'autre.
En effet, il ne faut pas confondre :
   Ex. : He **stopped** smoking (gérondif).
      Il s'est arrêté de fumer.
et   He **stopped** to smoke a cigarette (infinitif).
      Il s'est arrêté (de travailler, par exemple) pour fumer une cigarette.

c) L'adjectif verbal
Les adjectifs en -ing sont dérivés de verbes (to amuse, amusing ; to surprise, surprising ; to fascinate, fascinating...).

Ils peuvent être :

– adjectifs épithètes :
   Ex. : This is an **amusing** story.
      C'est une histoire amusante.

– ou adjectifs attributs :
   Ex. : This story is **amusing**.
      Cette histoire est amusante.

Il ne faut pas confondre ces adjectifs en -ing (participes présents à sens actif) avec les adjectifs en -ed (participes passés à sens passif) :
   Ex. : A **tiring** journey (adjectif en -ing).
      Un voyage fatigant.

      The **tired** passengers (adjectif en -ed).
      Les voyageurs fatigués.

5) LES VERBES IRRÉGULIERS ANGLAIS

Il existe environ 250 verbes irréguliers, dont une centaine figurent ci-dessous. Certains de ces verbes sont d'un usage très courant (ex. : eat, drink, buy, go, come, see, sleep, do, etc.).

Il faut apprendre ces verbes par cœur et savoir les prononcer (cf. phonétique).

Rappel :
Sont appelés verbes irréguliers les verbes qui ne forment pas leur **prétérit** et leur **participe passé** comme les autres verbes lexicaux.

BASE VERBALE	PRÉTÉRIT	PARTICIPE PASSÉ	TRADUCTION COURANTE

Groupe 1 : Les trois formes sont identiques

bet	[bet]	bet	bet	parier
burst	[bɜːst]	burst	burst	éclater
cost	[kɒst]	cost	cost	coûter
cut	[kʌt]	cut	cut	couper
hit	[hɪt]	hit	hit	frapper
hurt	[hɜːt]	hurt	hurt	blesser, faire mal
let	[let]	let	let	permettre
put	[pʊt]	put	put	mettre
shut	[ʃʌt]	shut	shut	fermer
spread	[spred]	spread	spread	(s')étendre, (se) répandre

Groupe 2 : L'infinitif et le participe passé sont identiques

become	[bɪˈkʌm]	became	[bɪˈkeɪm]	become	devenir
come	[kʌm]	came	[keɪm]	come	venir
run	[rʌn]	ran	[ræn]	run	courir

Groupe 3 : Le prétérit et le participe passé sont identiques

bend	[bend]	bent	[bent]	bent	plier, se pencher
bleed	[bliːd]	bled	[bled]	bled	saigner
bring	[brɪŋ]	brought	[brɔːt]	brought	apporter
build	[bɪld]	built	[bɪlt]	built	construire
burn	[bɜːn]	burnt*	[bɜːnt]	burnt*	brûler
buy	[baɪ]	bought	[bɔːt]	bought	acheter
catch	[kætʃ]	caught	[kɔːt]	caught	attraper
dig	[dɪg]	dug	[dʌg]	dug	creuser
dream	[driːm]	dreamt*	[dremt]	dreamt*	rêver
feed	[fiːd]	fed	[fed]	fed	(se) nourrir
feel	[fiːl]	felt	[felt]	felt	sentir
fight	[faɪt]	fought	[fɔːt]	fought	se battre

*Il existe une forme régulière : burned, dreamed.

I. CONJUGAISON ANGLAISE

find	[faɪnd]	found	[faʊnd]	found	trouver
get	[get]	got	[gɒt]	got	obtenir, devenir
hang	[hæŋ]	hung*	[hʌŋ]	hung*	suspendre
have	[hæv]	had	[hæd]	had	avoir, prendre
hear	[hɪə]	heard	[hɜːd]	heard	entendre
hold	[həʊld]	held	[held]	held	tenir
keep	[kiːp]	kept	[kept]	kept	garder
kneel	[niːl]	knelt	[nelt]	knelt	être à genoux, s'agenouiller
lay	[leɪ]	laid	[leɪd]	laid	poser à plat, mettre
lead	[liːd]	led	[led]	led	mener
learn	[lɜːn]	learnt*	[lɜːnt]	learnt*	apprendre
leave	[liːv]	left	[left]	left	partir
lend	[lend]	lent	[lent]	lent	prêter
light	[laɪt]	lit	[lɪt]	lit	allumer, éclairer
lose	[luːz]	lost	[lɒst]	lost	perdre
make	[meɪk]	made	[meɪd]	made	faire
mean	[miːn]	meant	[ment]	meant	signifier
meet	[miːt]	met	[met]	met	rencontrer
pay	[peɪ]	paid	[peɪd]	paid	payer
read	[riːd]	read	[red]	read	lire
say	[seɪ]	said	[sed]	said	dire
seek	[siːk]	sought	[sɔːt]	sought	chercher
sell	[sel]	sold	[səʊld]	sold	vendre
send	[send]	sent	[sent]	sent	renvoyer
shine	[ʃaɪn]	shone	[ʃɒn]	shone	briller
shoot	[ʃuːt]	shot	[ʃɒt]	shot	tirer, viser
sit	[sɪt]	sat	[sæt]	sat	être assis
sleep	[sliːp]	slept	[slept]	slept	dormir
smell	[smel]	smelt	[smelt]	smelt	sentir
spell	[spel]	spelt	[spelt]	spelt	épeler
spend	[spend]	spent	[spent]	spent	dépenser, passer du temps
spoil	[spɔɪl]	spoilt	[spɔɪlt]	spoilt	gâcher, gâter
stand	[stænd]	stood	[stʊd]	stood	être debout
stick	[stik]	stuck	[stʌk]	stuck	coller
sweep	[swiːp]	swept	[swept]	swept	balayer
teach	[tiːtʃ]	taught	[tɔːt]	taught	apprendre
tell	[tel]	told	[təʊld]	told	dire, raconter
think	[θɪŋk]	thought	[θɔːt]	thought	penser, croire, réfléchir
understand	[ʌndəˈstænd]	understood	[ʌndəˈstʊd]	understood	comprendre
win	[wɪn]	won	[wʌn]	won	gagner

*Hang, hanged, hanged : pendre quelqu'un.
*Il existe une forme régulière : learned.

Groupe 4 : Toutes les formes sont différentes

a) Schéma i - a - u

begin	[bɪˈgɪn]	began	[bɪˈgæn]	begun	[bɪˈgʌn]	commencer	
drink	[drɪŋk]	drank	[dræŋk]	drunk	[drʌŋk]	boire	
ring	[rɪŋ]	rang	[ræŋ]	rung	[rʌŋ]	sonner, téléphoner	
sing	[sɪŋ]	sang	[sæŋ]	sung	[sʌŋ]	chanter	
sink	[sɪŋk]	sank	[sæŋk]	sunk	[sʌŋk]	couler, s'enfoncer	
swim	[swɪm]	swam	[swæm]	swum	[swʌm]	nager	

b) Tous les autres schémas

awake	[əˈweɪk]	awoke	[əˈwəʊk]	awoken	[əˈwəʊkn]	s'éveiller
be	[biː]	was/were	[wɒz/wɜː]	been	[biːn]	être
bear	[beə]	bore	[bɔː]	born	[bɔːn]	supporter
bite	[baɪt]	bit	[bɪt]	bitten	[bɪtn]	mordre
blow	[bləʊ]	blew	[bluː]	blown	[bləʊn]	souffler
break	[breɪk]	broke	[brəʊk]	broken	[ˈbrəʊkən]	casser
choose	[tʃuːz]	chose	[tʃəʊz]	chosen	[tʃəʊzn]	choisir
do	[duː]	did	[dɪd]	done	[dʌn]	faire
draw	[drɔː]	drew	[druː]	drawn	[drɔːn]	dessiner
drive	[draɪv]	drove	[drəʊv]	driven	[ˈdrɪvn]	conduire
eat	[iːt]	ate	[et/eɪt]	eaten	[iːtn]	manger
fall	[fɔːl]	fell	[fel]	fallen	[ˈfɔːlən]	tomber
fly	[flaɪ]	flew	[fluː]	flown	[fləʊn]	voler
forbid	[fəˈbɪd]	forbade	[fəˈbeɪd]	forbidden	[fəˈbɪdn]	interdire
forget	[fəˈget]	forgot	[fəˈgɒt]	forgotten	[fəˈgɒtn]	oublier
forgive	[fəˈgɪv]	forgave	[fəˈgeɪv]	forgiven	[fəˈgɪvn]	pardonner
freeze	[friːz]	froze	[frəʊz]	frozen	[frəʊzn]	geler
give	[gɪv]	gave	[geɪv]	given	[gɪvn]	donner
go	[gəʊ]	went	[went]	gone	[gɒn]	aller
grow	[grəʊ]	grew	[gruː]	grown	[grəʊn]	grandir, faire pousser
hide	[haɪd]	hid	[hɪd]	hidden	[hɪdn]	cacher
know	[nəʊ]	knew	[njuː]	known	[nəʊn]	connaître
lie	[laɪ]	lay	[leɪ]	lain	[leɪn]	être étendu, s'étendre
ride	[raɪd]	rode	[rəʊd]	ridden	[ˈrɪdn]	aller à cheval, à bicyclette
rise	[raɪz]	rose	[rəʊz]	risen	[ˈrɪzn]	s'élever, se lever
see	[siː]	saw	[sɔː]	seen	[siːn]	voir
shake	[ʃeɪk]	shook	[ʃʊk]	shaken	[ʃeɪkn]	secouer
show	[ʃəʊ]	showed	[ʃəʊd]	shown	[ʃəʊn]	montrer
speak	[spiːk]	spoke	[spəʊk]	spoken	[spəʊkn]	parler
steal	[stiːl]	stole	[stəʊl]	stolen	[stəʊln]	voler
swear	[sweə]	swore	[swɔː]	sworn	[swɔːn]	jurer
take	[teɪk]	took	[tʊk]	taken	[teɪkn]	prendre
throw	[θrəʊ]	threw	[θruː]	thrown	[θrəʊn]	jeter, lancer
wake	[weɪk]	woke	[wəʊk]	woken	[wəʊkn]	réveiller
wear	[weə]	wore	[wɔː]	worn	[wɔːn]	porter (sur soi)
write	[raɪt]	wrote	[rəʊt]	written	[ˈrɪtn]	écrire

Deuxième partie

Grammaire anglaise

par Anne-Marie Bonnerot

Chapitre 1

Les natures

1) LES ARTICLES

1. L'article indéfini a / an *(un, une)*

a) Règle

- a s'emploie devant les consonnes.
  Ex. : a girl / *une fille*, a cat / *un chat*.

  a s'emploie aussi devant les mots qui commencent par :
- – le son [j]
  Ex. : a uniform / *un uniforme*, a European man / *un Européen*, a year / *une année*, a university / *une université*.
- – ou encore le son [w]
  Ex. : a one-way ticket / *un aller simple*.

- an s'emploie devant les voyelles (sauf devant les noms qui commencent par les sons [j] et [w]).
  Ex. : an animal / *un animal*, an umbrella / *un parapluie*, an hour / *une heure*.

  an s'emploie aussi devant les noms qui commencent par un « h » muet.
  Ex. : an hour / *une heure*, an honest person / *une personne honnête*, an heir / *un(e) héritier(ière)*, an honour / *un honneur*.

b) *Emploi*

On emploie **a / an** :

- devant les noms de métier au singulier.

  Ex. : His mother is **a** nurse.   *Sa mère est infirmière.*

- dans les expressions de temps et de mesure.
  Ex. : She works eight hours **a** day.
       Elle travaille huit heures par jour.

      It's £7 **a** kilo.   *C'est 7 livres le kilo.*

- après « what » et « such » dans les phrases exclamatives au singulier (cf. p. 195).

  Ex. : What **a** nice horse!   *Quel joli cheval !*
       It's such **a** pity!   *Quel dommage !*

⚠ Attention !
- Au pluriel **a / an** disparaît.
  Ex. : I've seen a stray cat in the street.
       J'ai vu un chat errant dans la rue.

      I've seen stray cats in the street.
      J'ai vu des chats errants dans la rue.

- Il ne faut jamais utiliser **a / an** devant un nom indénombrable (ex. : furniture, advice, information, news... cf. p. 146).
  Ex. : I've got good news.
       J'ai une bonne nouvelle / de bonnes nouvelles.

2. L'article défini The *(le, la, l', les)*

L'article défini **the** est invariable en genre et en nombre. Il se prononce [ðə] devant les consonnes (ex. : **the** cat / *le chat*, **the** milk / *le lait*...) et [ði] devant les voyelles (ex. : **the** animal / *l'animal*, **the** umbrella / *le parapluie*...).

On emploie **the** :

- pour faire référence à quelque chose de spécifique, de déterminé.
  Ex. : **The** boy in black.
       Le garçon en noir. (Ce garçon-là en particulier)

      The apples she bought.
      Les pommes qu'elle a achetées. (Et pas d'autres)

- devant un nom désignant une notion ou une chose unique, ou que l'on souhaite désigner comme telle.

  Ex. : The sun   *Le soleil*
  The sea   *La mer*
  The universe   *L'univers*
  The president of the United States *Le président des États-Unis*

- devant un adjectif représentant un ensemble de personnes.

  Ex. : The young   *Les jeunes*
  The blind   *Les aveugles*
  The Blacks   *Les Noirs*

- devant un nom de famille au pluriel, les noms de fleuves, de rivières, d'océans et de mers.

  Ex. : The Johnsons   *Les Johnson (pas de « s » en français dans ce cas)*
  The Duponts   *Les Dupont*
  The Thames   *La Tamise*
  The Atlantic ocean   *L'océan Atlantique*

⚠ Attention ! **The** n'est pas employé :

- dans les concepts généraux.

  Ex. : Time is money.   *Le temps, c'est de l'argent.*

- devant un titre suivi d'un nom propre.

  Ex. : Queen Elizabeth   *La reine Élisabeth*
  Duke Philipp   *Le duc Philippe*

- devant les noms de pays.

  Ex. : Italy   *L'Italie*
  France   *La France*
  India   *L'Inde*

Exceptions : The United States	*Les États-Unis*
The Soviet Union	*L'Union soviétique*
The Netherlands	*Les Pays-Bas*

3. L'article zéro Ø

Il existe en anglais une forme d'article qui ne se « voit » pas.
L'article zéro, représenté par ce symbole Ø, est courant en anglais et n'existe pas en français. Cette « absence » d'article a toujours un sens.

Il y a absence d'article ou article zéro :

* pour parler des choses en général.
  Ex. : Cats like milk.   *Les chats aiment le lait.*
        Love is what we need.   *L'amour est ce dont nous avons besoin.*

Comparez :

Tigers are very dangerous animals. (article zéro)
Les tigres (catégorie générale) sont des animaux très dangereux.

The tigers I saw yesterday at the zoo were wonderful. (article défini the)
Les tigres que j'ai vus hier au zoo étaient magnifiques.

* pour exprimer l'idée du partitif *(du, de la, de l', des)*.
  Ex. : I drink milk and I eat cereals at breakfast.
        Je bois du lait et je mange des céréales au petit déjeuner.

2) LES NOMS

1. Le pluriel régulier

* Le pluriel régulier se forme en anglais en ajoutant un « s » qui se prononce [s], [z] ou [iz].
  Ex. : cats [s] / *des chats*, games [z] / *des jeux*, buses [iz] / *des bus*.

⚠ Attention, le pluriel peut entraîner des variations d'orthographe.

Noms singuliers terminés en :	Pluriel
• consonne + -y Ex. : baby, country • -s, -z, -x, -ch, -sh Ex. : bus, buzz, box, church, brush • Certains noms terminés en -o Ex. : tomato • certains noms terminés en -f, -fe Ex. : leaf, knife, calf	• -ies [iz] Ex. : babies, countries • -es [iz] Ex. : buses, buzzes, boxes, churches, brushes • -es [z] Ex. : tomatoes • -ves Ex. : leaves, knives, calves

* Dans les noms composés, c'est le deuxième élément qui prend le plus souvent le « s ».
  Ex. : a traffic-jam / *un embouteillage* ; traffic-jams / *des embouteillages*.

2. Les pluriels irréguliers

Il n'existe qu'une dizaine de pluriels irréguliers en anglais. Il faut les apprendre par cœur.

A man / *un homme*	**Men** / *des hommes*
A woman / *une femme*	**Women** [wɪmɪn] / *des femmes*
A child [aɪ]/ *un enfant*	**Children** [tʃɪldrən] / *des enfants*
A foot / *un pied*	**Feet** / *des pieds*
A tooth / *une dent*	**Teeth** / *des dents*
A mouse [au] / *une souris*	**Mice** / *des souris*
A sheep / *un mouton*	**Sheep** / *des moutons*
A penny / *un penny*	**Pence** / *des pence*

3. Singuliers et pluriels particuliers

• Certains noms anglais n'existent qu'au pluriel et sont donc suivis d'un verbe au pluriel.
  Ex. : My trousers **are** new.   *Mon pantalon est neuf.*
  Les noms les plus courants sont notamment les vêtements constitués de deux parties identiques : trousers / *pantalon*, shorts / *short,* jeans / *jean,* pyjamas / *pyjama.*

• D'autres noms n'existent aussi qu'au pluriel (et sont donc toujours suivis d'un verbe au pluriel) mais n'ont pas de « s » final.
  Les plus courants sont : the police / *la police*, people / *les gens*, the cattle / *le bétail.*
  Ex. : The police **have** arrested that dangerous thief.
      La police a arrêté ce dangereux voleur.

      People **are** strange.   *Les gens sont étranges.*

• D'autres noms sont eux des singuliers malgré le « s » final. Ils sont donc suivis d'un verbe au singulier.
  Seront suivis d'un verbe au singulier les noms de sciences terminés en "ics" (ex. : mathematics, economics...), le mot "news" et "the United States".
  Ex. : The news **is** good.   *Les nouvelles sont bonnes.*

      Economics **is** an interesting science.
      L'économie est une science intéressante.

• Les noms de groupe sont souvent suivis d'un verbe au pluriel :
the governement / *le gouvernement*, the audience / *le public*, the
family / *la famille*, the crowd / *la foule*, the team / *l'équipe*.
Ex. : The team are confident.   *L'équipe est confiante.*

4. Noms dénombrables et indénombrables

• **Les noms dénombrables** désignent ce que l'on peut compter.
Un nom dénombrable existe au singulier et au pluriel.
Ex. : a cat / *un chat*   one, two, three cats... / *un, deux, trois chats*...

• **Les noms indénombrables** désignent ce que l'on ne peut pas compter.
Un nom indénombrable n'est jamais précédé de l'article a / an, et il
est toujours accompagné d'un verbe au singulier.
Ex. : My hair is long and fair. / *Mes cheveux sont longs et blonds.*

⚠ Attention ! La perception anglaise et française de l'indénombrable
n'est pas toujours la même. Certains noms sont indénombrables en
anglais mais leurs équivalents français sont des dénombrables pluriels.

Sont **indénombrables** en anglais :
– **les noms de matériaux et d'aliments** : wool *(de la laine)*, bread *(du pain)*, tea *(du thé)*, milk *(du lait)*, etc.
– **les noms renvoyant à une notion ou à un ensemble d'éléments.**
• **concrets** : furniture *(des meubles)*, rubbish / refuse *(des détritus)*, lug-gage *(des bagages)*, hair *(des cheveux)*, fruit *(des fruits)*, etc.
• **abstraits** : advice *(des conseils)*, news *(des nouvelles)*, information *(des renseignements)*, progress *(des progrès)*, evidence *(des preuves)*, etc.

Pour un certain nombre d'entre eux, on peut obtenir un singulier à l'aide
de « a piece of ».
Ex. : News, *des nouvelles*   a piece of news, *une nouvelle.*
Advice, *des conseils*   a piece of advice, *un conseil.*
Les dictionnaires utilisent le signe (U) (uncountable, *indénombrable*) pour
indiquer qu'un nom est indénombrable en anglais.
Certains noms peuvent être employés dans un sens indénombrable ou
dans un sens dénombrable.
Ex. : There were times when... (**dénombrable pluriel**) *Il y eut des périodes où...*
Time is money. (**indénombrable**) *Le temps, c'est de l'argent.*

5. Le cas possessif

Le cas possessif, appelé aussi génitif saxon, sert à exprimer un rapport de possession ou d'appartenance entre deux éléments.

⚠ Attention ! En anglais, on place le « possesseur » en première position. Dans la plupart des cas, le premier élément, le « possesseur », est une personne ou un animal.

• « possesseur » singulier :

> « possesseur » +'s + nom

Ex. : John's [s] house.   *La maison de John.*
  My sister's [z] friends.   *Les amis de ma sœur.*
  Mrs Moss's [z] son.   *Le fils de Mme Moss.*

• « possesseur » pluriel régulier :

> « possesseurs » +' + nom

Ex. : My parents' [s] garden.   *Le jardin de mes parents.*
  The boys' [z] bedroom.   *La chambre des garçons.*
  The horses' [iz] food.   *La nourriture des chevaux.*

• « possesseur » pluriel irrégulier :

> « possesseurs (pluriels irréguliers) » +'s + nom

Ex. : The children's [s] toys.   *Les jouets des enfants.*

⚠ Attention ! Lorsque le possesseur est un prénom (ex. : John) ou un nom de famille au singulier (ex. : Mrs Moss), il n'est pas précédé de l'article défini « the ».
Ex. : John's / Mrs Moss's dog.   *Le chien de John / Mme Moss.*

• Au cas possessif, on peut omettre le deuxième élément de la construction s'il a été mentionné précédemment.
Ex. : Whose book is it?   It's Sam's.
  À qui est ce livre ?   C'est celui de Sam.

• Le cas possessif peut servir à traduire le français « *chez* ».
Ex. : She's going to Mr Won's and on the way she'll stop at the baker's.
  Elle va chez M. Won et sur le chemin, elle s'arrêtera chez le boulanger.

- Le cas possessif est fréquent dans des expressions de temps ou de distances telles que :
today's paper, *le journal d'aujourd'hui*
a week's holiday, *une semaine de vacances*
last year's events, *les événements de l'année dernière*
a mile's walk, *une marche d'un kilomètre et demi*

  ou encore, pour parler d'éléments du monde, de repères connus de tous tels que :
France's workers, *les travailleurs français*
London's underground, *le métro de Londres*
the world's population, *la population mondiale*
the government's policy, *la politique du gouvernement*

3) LES ADJECTIFS

1. Les adjectifs qualificatifs

- L'adjectif qualificatif en anglais est **invariable** (il ne s'accorde pas en genre et en nombre avec le nom qu'il qualifie).
Ex. : Three **big** cars.   *Trois grosses voitures.*
- Il peut être épithète ou attribut, comme en français.

⚠ Attention ! En anglais, l'adjectif épithète se place **devant le nom** qu'il qualifie.
Ex. : She's got **blue** eyes.   *Elle a les yeux bleus.*

- Quelques adjectifs en anglais ne s'emploient **qu'en position attribut.**
Ex. : He is **asleep.**   *Il est endormi.*
Les plus courants sont : **afraid** / *apeuré(e)*, **alive** / *vivant(e)*, **alone** / *seul(e)*, **asleep** / *endormi(e)*, **awake** / *réveillé(e)*.

- Lorsqu'il y a plusieurs adjectifs devant le nom, ils apparaissent dans un ordre hiérarchique bien établi qu'il faut connaître et respecter.
Ex. :

A	pretty	small	young	blonde	French	actress.
	appréciation personnelle	*taille, forme, dimension*	*âge*	*couleur*	*nationalité, religion, marque*	

Une jeune et jolie petite actrice blonde française.

A big old blue American car.
Une grosse et vieille voiture bleue américaine.

- Il faut aussi noter et retenir que lorsqu'un nom est qualifié par plusieurs adjectifs, l'anglais n'utilise pas "and" (« et »), sauf pour faire référence à différentes parties d'un tout.

Comparez :

She sometimes wears horrible old red trousers.
Elle porte parfois un pantalon rouge, vieux et moche.
A black and white scarf.   *Une écharpe noir et blanc.*

2. Le comparatif et le superlatif

Quand on compare un élément à un autre, on utilise un **comparatif**.
Quand on compare un élément à tous les autres, on utilise un **superlatif**.

a) Le comparatif
Il existe trois formes de comparatif.

- Le comparatif d'égalité : *aussi... que*
L'adjectif est précédé et suivi de « as ».

> as + adjectif + as

Ex. : He is as tall as his father. *Il est aussi grand que son père.*
She is not as tidy as you. *Elle n'est pas aussi ordonnée que toi.*

- Le comparatif de supériorité : *plus... que*
Adjectifs d'une syllabe (ex. : tall, small, cold...) :

> adjectif-er + than

Ex. : I'm taller than you. *Je suis plus grand(e) que toi.*

Adjectifs de deux syllabes terminés en -y, -er, -ow, -le (ex. : happy, funny, tidy, clever, narrow...) :

> adjectif-er + than

Ex. : She's happier than her sister.
Elle est plus heureuse que sa sœur.
Si l'adjectif se termine en -y, le -y se transforme en -i au comparatif de supériorité.

Adjectifs de deux syllabes et plus (ex. : modern, expensive...) :

> more + adjectif + than

Ex. : He's more careful than his wife.
Il est plus prudent que sa femme.

On peut renforcer le comparatif de supériorité à l'aide de l'adverbe "much".

Ex. : I'm much taller than you. *Je suis bien plus grand(e) que toi.*

- Le comparatif d'infériorité : *moins... que*
L'adjectif (quel que soit le nombre de syllabes) est précédé de « less » et suivi de « than ».

> less + adjectif + than

Ex. : His car is less fast than mine.
Sa voiture est moins rapide que la mienne.

⚠ Attention ! Il existe des adjectifs et des adverbes qui possèdent un comparatif irrégulier.

Adjectifs et Adverbes	Adjectifs et Adverbes irréguliers au comparatif
good, well (*bon, bien*)	better than (*meilleur que, mieux que*)
bad (*mauvais*)	worse than (*plus mauvais que*)
far (*loin*)	farther than, further than (*plus loin que*)
old (*vieux, âgé au sens d'aîné*)	elder, older (*plus vieux*)
much, many (*beaucoup*)	more (*plus*)
little (*peu*)	less (*moins*)

b) Le superlatif
Il existe deux formes de superlatif.

- Le superlatif de supériorité : *le plus...*
Adjectifs d'une syllabe (ex. : tall, small, cold...) :

> the + adjectif-est

Ex. : Tom is the tallest boy in the class.
Tom est le plus grand garçon de la classe.

Remarque : le complément est toujours introduit par la préposition **in** s'il s'agit d'un lieu et par la préposition **of** s'il s'agit d'un groupe.

• Adjectifs de deux syllabes terminés en -y, -er, -ow, -le (ex. : happy, funny, tidy, clever, narrow...) :

> the + adjectif-est

Ex. : She's **the** funni**est** girl I've ever met.
    C'est la fille la plus drôle que j'aie jamais rencontrée.
Si l'adjectif se termine en -y, le -y se transforme en -i au superlatif.

Adjectifs de deux syllabes et plus (ex. : modern, expensive...) :

> the + most + adjectif

Ex. : It's **the most** expensive restaurant in town.
    C'est le restaurant le plus cher de la ville.

• Le superlatif d'infériorité : *le moins...*
L'adjectif (quel que soit le nombre de syllabes) est précédé de "the least" :

> the least + adjectif

Ex. : This is **the least** interesting book I've ever read.
    C'est le livre le moins intéressant que j'aie jamais lu.

⚠ Attention ! Il existe des adjectifs et des adverbes qui possèdent un superlatif irrégulier.

Adjectifs et Adverbes	Adjectifs et Adverbes irréguliers au superlatif
good, well *(bon, bien)*	the best *(le meilleur, le mieux)*
bad *(mauvais)*	the worst *(le plus mauvais)*
far *(loin)*	the farthest, the furthest *(le plus loin)*
old *(vieux, âgé au sens d'aîné)*	the eldest *(le plus vieux, l'aîné)*
much, many *(beaucoup)*	the most *(le plus)*
little *(peu)*	the least *(le moindre, le moins)*

3. Le double comparatif

Pour exprimer une progression (« de plus en plus..., de moins en moins... »), on emploie le verbe "get" à la forme progressive et deux fois le comparatif.

Ex. : The weather is getting hotter and hotter.
Il fait de plus en plus chaud.

It is getting more and more interesting.
C'est de plus en plus intéressant.

It is getting less and less interesting.
C'est de moins en moins intéressant.

4. The + comparatif

• Pour exprimer une double progression, augmentation ou diminution proportionnelles (« plus... plus..., moins... moins..., plus... moins..., moins... plus... »), on emploie des **comparatifs** introduits par "the".

Ex. : **The** more, **the** merrier.
Plus on est de fous, plus on rit.

The less she talks, **the** happier I am.
Moins elle parle, plus je suis heureux(se).

The more I see you, **the** more I love you.
Plus je te vois, plus je t'aime.

The less I work, **the** less I want to work.
Moins je travaille, moins j'ai envie de travailler.

• Lorsque la comparaison porte sur deux éléments, et deux seulement, la langue anglaise utilise **un comparatif de supériorité** précédé de l'article the.

Ex. : He is **the younger** of the two.   *Il est le plus jeune des deux.*

Kate is **the taller** of the twins.   *Kate est la plus grande des jumelles.*

5. Les adjectifs et les noms composés

a) Les adjectifs composés

Un adjectif composé peut se former à partir de plusieurs éléments : nom, adverbe, adjectif, participe passé, participe en -ing. Comme les adjectifs simples, les adjectifs composés sont invariables et se placent devant le nom lorsqu'ils sont épithètes (cf. p. 148). Ils sont très fréquents en anglais. En voici quelques exemples :

Nom + participe passé man + made Ex. : It's a man-made lake.	C'est un lac artificiel.
adjectif + participe en -ing strange + looking Ex. : He's a strange-looking man.	Cet homme a une allure étrange.
Adverbe + participe en -ing never + ending Ex. : It could be a never-ending story.	Ce pourrait être une histoire sans fin.
adjectif + adjectif bitter + sweet Ex. : It was a bitter-sweet speech.	Ce fut un discours aigre-doux.
adjectif + nom + -ed dark + hair + -ed Ex. : This is a dark-haired boy.	C'est un garçon aux cheveux bruns.

b) Les noms composés

Les noms composés sont très courants en anglais.

⚠ Attention ! Le mot principal est placé en dernière position. Le mot qui le précède en précise le sens, à la façon d'un adjectif épithète.
   Ex. : A business trip.   Un voyage d'affaires.

En règle générale, au pluriel, c'est le nom porteur du sens principal qui prend la marque du pluriel.
   Ex. : Business trips.   Des voyages d'affaires.

• Il faut faire attention à l'ordre des mots.

Comparez :

I'm fond of horse races.   J'adore les courses de chevaux.
I'm fond of race horses.   J'adore les chevaux de course.

• Un nom utilisé comme adjectif se met normalement au singulier, même s'il a un sens pluriel.
   Ex. : A photo exhibition.   Une exposition de photos.
      A dog trainer.   Un dresseur de chiens.

• Certains noms composés s'écrivent avec un trait d'union et d'autres en un seul mot. Il n'y a pas de règle générale. Dans tous les cas, il faudra se référer au dictionnaire.
   Ex. : A dining-room.   Une salle à manger.
      A toothbrush.   Une brosse à dents.

6. Les adjectifs nominalisés

En général, on ne peut pas utiliser en anglais un adjectif qualificatif seul en tant que nom.

Ex. : *Le pauvre !*   Poor man!
Un mort.   A dead man.

Cependant, il faut noter quelques exceptions :
• Pour désigner une catégorie de personnes, certains adjectifs peuvent être transformés en nom.

Dans ce cas, ils sont précédés de l'article "the" (jamais de "a / an") et ils sont, en général, au singulier (sans « s ») mais suivis d'un verbe au pluriel.

Ex. : The homeless are more and more numerous in this district.
Il y a de plus en plus de sans-abri dans ce quartier.

Un très petit nombre d'adjectifs nominalisés prend la marque du pluriel (un « s » final). En voici quelques exemples courants :
The Whites, *les Blancs*
The Blacks, *les Noirs*
The twenty-year-olds, *les jeunes de vingt ans.*

• Les cas où un adjectif peut être utilisé comme un nom sont rares. Voici la liste des adjectifs nominalisés les plus courants :

Catégories de personnes :
– the young, *les jeunes*
– the old, *les vieux*
– the rich, *les riches*
– the poor, *les pauvres*
– the healthy, *les riches, les gens aisés*
– the blind, *les aveugles*
– the handicapped, *les handicapés*
– the hungry, *ceux qui n'ont pas de quoi se nourrir*
– the innocent, *les innocents*
– the guilty, *les coupables*
– the unemployed, *les chômeurs*
– the homeless, *les sans-abri*
– the dead, *les morts*
– the sick, *les malades*

Nationalités en -sh, -ch, -ese (cf. ci-dessous) :
– the British (*les Britanniques*), the English (*les Anglais*), the Irish (*les Irlandais*), the Welsh (*les Gallois*), the Spanish (*les Espagnols*)...
– the French (*les Français*), the Dutch (*les Hollandais*)...
– the Portuguese (*les Portugais*), the Japanese (*les Japonais*), the Chinese (*les Chinois*)...

⚠ Attention ! Les nationalités en **-an** prennent un « s ».
Ex. : The Americans   *Les Américains*

• Il est également possible (surtout dans un style littéraire ou philosophique) d'utiliser « the » devant certains adjectifs pour leur donner un sens absolu.
Ex. : The good, *le bien*
      The unknown, *l'inconnu*
      To distinguish the true from the false, *distinguer le vrai du faux*

7. Les adjectifs et noms de nationalité

On emploie deux mots pour parler des nationalités :
– un adjectif
Ex. : Scottish / *écossais(e)*, French / *français(e)*, Greek / *grec(que)*...

– un nom
Ex. : a Scot / *un(e) Écossais(e)*, a Frenchman, a Frenchwoman / *un(e) Français(e)*, a Greek / *un(e) Grec(que)*...

Dans tous les cas, il faut retenir que tous les mots qui se rapportent à la nationalité s'écrivent avec une majuscule en anglais.

Voici quelques exemples :

Pays	Adjectifs	Noms
Algeria	Algerian	an Algerian
Belgium	Belgian	a Belgian
Brazil	Brazilian	a Brazilian
Britain	British	a British / a Britisher (US)
China	Chinese	a Chinese
Czechoslovakia	Czech	a Czech
Denmark	Danish	a Dane
England	English	an Englishman, an Englishwoman
Finland	Finnish	a Finn
France	French	a Frenchman, a Frenchwoman
Germany	German	a German

Greece	Greek	a Greek
Holland	Dutch	a Dutchman, a Dutchwoman
Hungary	Hungarian	a Hungarian
Iran	Iranian	an Iranian
Ireland	Irish	an Irishman, an Irishwoman
Israel	Israeli	an Israeli
Japan	Japanese	a Japanese
Mexico	Mexican	a Mexican
Morocco	Moroccan	a Moroccan
Norway	Norwegian	a Norwegian
Poland	Polish	a Pole
Portugal	Portuguese	a Portuguese
Russia	Russian	a Russian
Scotland	Scottish / Scotch	a Scot
Spain	Spanish	a Spaniard
Sweden	Swedish	a Swede
Switzerland	Swiss	a Swiss
Tunisia	Tunisian	a Tunisian
Turkey	Turkish	a Turk
The USA	American	an American
Vietnam	Vietnamese	a Vietnamese
Wales	Welsh	a Welshman, a Welshwoman

Remarque :

• Pour parler de la nation en général, on emploie normalement « the + le pluriel du nom ».
   Ex. : The Germans / *les Allemands*, the Greeks / *les Grecs*...

⚠ Attention ! Pour les nationalités en -sh, -ch, -ese, on emploie "the + l'adjectif (sans 's')".
   Ex. : The English / *les Anglais*, the French / *les Français*...
Notez aussi l'exception : the Swiss / *les Suisses*

• "Arab" s'emploie souvent comme adjectif dans un contexte politique ; "Arabic" s'emploie pour parler de la langue ou de la culture arabe.

• L'adjectif seul s'emploie pour désigner la nationalité et la langue.
   Ex. : English, *anglais(e)* / *l'anglais* ; French, *français(e)* / *le français*...

4) LES PRONOMS

1. Les pronoms personnels sujet et complément

Les pronoms personnels servent à remplacer un nom ou un groupe de noms. Ils peuvent être sujet ou complément d'un verbe.

Ex. : She   likes   me.   *Elle m'aime bien.*
    sujet   complément

	Pron. Pers. Sujet	**Pron. Pers. Complément**
1re pers. singulier	I, *je*	me, *moi*
2e pers. singulier	you, *tu*	you, *toi*
3e pers. singulier	he, *il* ; she, *elle* ; it *(neutre)*	him, *lui* ; her, *elle* ; it *(neutre)*
1re pers. pluriel	we, *nous*	us, *nous*
2e pers. pluriel	you, *vous*	you, *vous*
3e pers. pluriel	they, *ils / elles*	them, *eux / elles*

• En anglais, le pronom personnel complément se place toujours après le verbe.
    Ex. : Did you buy the presents?   Yes, I bought **them** this morning.
         As-tu acheté les cadeaux ?   *Oui, je les ai achetés ce matin.*

• En anglais, les animaux (les nourrissons dont on ignore le sexe) et les choses sont considérés comme neutres. C'est pourquoi on utilise le pronom neutre "it" pour s'y référer.
    Ex. : Where's the cat?   It's in the garden.
         Où est le chat ?   *Il est dans le jardin.*

       How much is this pullover?   It's £ 25.
         Combien coûte ce pull ?   *Il coûte 25 livres.*

• On peut toutefois utiliser :
– "he" ou "she" pour les animaux que l'on connaît et que l'on aime.
    Ex. : Where's your cat?   He's sleeping under the bed.
         Où est ton chat ?   *Il dort sous le lit.*

– "she" pour les bateaux, voitures ou motos auxquels on est très attaché.
    Ex. : Look at my new car!   Isn't **she** marvellous?
         Regarde ma nouvelle voiture !   *N'est-elle pas magnifique ?*

⚠ Attention ! Le « on » français n'existe pas en anglais. Pour le traduire, on utilisera selon les circonstances "it", "you", "we", "they", "one", "people" ou une construction passive (cf. p. 196-200).

Ex. : **It** is said that French food is good. (généralisation)
People say that French food is good. (généralisation)
On dit que la cuisine française est bonne.

In France, **we** like wine.
En France, on aime le vin. (celui qui parle est français, vit en France ou s'assimile aux Français)
In France, **they** like wine.
En France, on aime le vin. (celui qui parle n'est pas français ou veut se dissocier du peuple français)

One can't make an omelette without breaking eggs. (une vérité, style soigné)
You can't make an omelette without breaking eggs. (une vérité, style plus familier)
On ne fait pas d'omelette sans casser des œufs.

2. Les pronoms réfléchis

Ex. : to enjoy **oneself**, *s'amuser.*

	Pronoms réfléchis	Exemples
1re pers. singulier	myself, *moi-même*	Ex. : I enjoy myself, *je m'amuse*
2e pers. singulier	yourself, *toi-même*	Ex. : You enjoy yourself, *tu t'amuses*
3e pers. singulier	himself (m), *lui-même* herself (f), *elle-même* itself (n), *soi-même*	Ex. : He enjoys himself, *il s'amuse* She enjoys herself, *elle s'amuse* It enjoys itself, *il s'amuse*
1re pers. pluriel	ourselves, *nous-mêmes*	Ex. : We enjoy ourselves, *nous nous amusons*
2e pers. pluriel	yourselves, *vous-mêmes*	Ex. : You enjoy yourselves, *vous vous amusez*
3e pers. pluriel	themselves, *eux / elles-mêmes*	Ex. : They enjoy themselves, *ils / elles s'amusent*

- Un pronom réfléchi renvoie au sujet, il le « réfléchit ».
  Ex. : She looked at **herself** in the mirror. (le sujet et l'objet sont la même personne)
  Elle se regarda dans la glace.

- Le pronom réfléchi peut permettre d'insister sur une personne ou un objet.
  Ex. : Do it **yourself**!   *Fais-le toi-même ! (Faites-le vous-même !)*

- Les verbes réfléchis en français (ex. : se laver, se raser, etc.) ne le sont pas nécessairement en anglais. L'usage des pronoms réfléchis est **moins répandu en anglais** qu'en français.
  Ex. : I got dressed.   *Je me suis habillé(e).*
  (to get dressed : *s'habiller,* verbe pronominal en français)
Autres exemples :
  to hurry up : *se dépêcher,* to shave : *se raser,* to have fun : *s'amuser, etc.*

- Après "by", le pronom réfléchi signifie « tout(e) seul(e) ».
  Ex. : He stayed **by** himself.   *Il resta tout seul.*

3. Les pronoms réciproques

On emploie les pronoms réciproques, **"each other"** et **"one another"**, pour exprimer l'idée d'un échange entre deux ou plusieurs personnes. Ils renvoient à l'autre ou aux autres.
  Ex. : They never write to **each other**.
        Ils ne s'écrivent jamais (l'un à l'autre).
Il ne faut pas confondre les pronoms réciproques avec les pronoms réfléchis qui, eux, renvoient à soi-même.

En principe, « **each other** » s'emploie pour **deux personnes** et « **one another** » pour **plus de deux personnes**.
  Ex. : They are looking at **each other** / **one another**.
        Ils se regardent l'un l'autre / les uns les autres.

Les anglophones ne respectent pas toujours cette distinction. Les deux formes sont souvent utilisées indifféremment.

4. Le pronom de remplacement "one / ones"

Pour éviter la répétition d'un nom dans une phrase, on utilise souvent le pronom de remplacement **"one"**.

- Pour **reprendre un nom singulier**, on utilise **"one"** ; pour **reprendre un nom pluriel**, on utilise **"ones"**.
  Ex. : I'd like to have a car. I'll buy **one** as soon as I can.
  J'aimerais avoir une voiture. J'en achèterai une dès que je le pourrai.

These shoes are too small. Have you got bigger **ones**?
Ces chaussures sont trop petites. En avez-vous (as-tu) de plus grandes ?

- **Avec un adjectif**, on utilise :

- au singulier **"a / the + adjectif + one"** :
  Ex. : Which scarf do you want? **The blue one** or **the red one**? (et non The blue or the red?)
  Quelle écharpe veux-tu (voulez-vous) ? La bleue ou la rouge ?

- au pluriel **"Ø* / the + adjectif + ones"** :
  Ex. : I've got so many scarves, Ø **blue ones**, Ø **red ones**...
  J'ai tellement d'écharpes, des bleues, des rouges...

* Ø est l'article zéro ; il signale l'absence de tout article (cf. p. 143-144).

5. Le pronom personnel indéfini "one"

- L'usage du pronom personnel indéfini « one » est réservé à des constatations d'ordre général ou moral.
  Ex. : **One** should never lie.   *On ne devrait jamais mentir.*
  One never knows.   *On ne sait jamais.*

- Ce pronom personnel a une forme réfléchie, **"oneself"**, et une forme au génitif, **"one's"**.
  Ex. : Learning Chinese by **oneself** is no easy task.
  Apprendre le chinois tout seul n'est pas une tâche facile.

  It's a pleasure not a duty to help **one's** friends.
  C'est un plaisir plus qu'un devoir d'aider ses amis.

6. Les adjectifs et pronoms possessifs

Adjectifs possessifs	Pronoms possessifs
my / *mon, ma, mes*	mine / *le mien, la mienne, les miens, les miennes*
your / *ton, ta, tes*	yours / *le tien, la tienne, les tiens, les tiennes*
his / *son, sa, ses* (possesseur masculin)	his / *le sien, la sienne, les siens, les siennes*
her / *son, sa, ses* (possesseur féminin)	hers / *le sien, la sienne, les siens, les siennes*
its / *son, sa, ses* (possesseur neutre)	n'existe pas, on emploie its own
our / *notre, nos*	ours / *le nôtre, la nôtre, les nôtres*
your / *votre, vos*	yours / *le vôtre, la vôtre, les vôtres*
their / *leur, leurs*	theirs / *le leur, la leur, les leurs*

⚠ Attention ! Si la langue française accorde l'adjectif et le pronom possessif avec ce qui est possédé, l'anglais les accorde avec le possesseur. Attention en particulier à la troisième personne du singulier.

Ex. : possesseur masculin
Marc came with his car. *Marc est venu avec sa voiture.*
It's his, not his father's. *C'est la sienne, pas celle de son père.*

possesseur féminin
Sue came with her car. *Sue est venue avec sa voiture.*
It's hers, not her father's. *C'est la sienne, pas celle de son père.*

possesseur neutre
That's a nice pullover. *C'est un beau pull-over.*
I like its colour and shape. *J'aime bien sa couleur et sa forme.*

7. Les adjectifs et pronoms démonstratifs

En anglais, les démonstratifs s'accordent uniquement en nombre.
This (pluriel : these) et that (pluriel : those) servent à désigner un objet ou une personne. Ils sont adjectifs ou pronoms.

• This (pluriel : these) désigne un objet qui appartient à la situation présente (d'où l'idée de « proximité » à laquelle on a coutume d'associer « this »).
Ex. : This is our neighbour.
Voici notre voisin. (le voisin est devant celui qui parle)

161

On emploie **this** (**these** au pluriel) pour un objet dont on parle pour la première fois.

>   Ex. : Look at this!
>   *Regarde ça !* (l'interlocuteur n'est pas censé avoir remarqué l'objet en question)

• **That** (pluriel : **those**) est utilisé pour tout objet ou fait qui n'est pas dans la situation présente (d'où l'idée d'« éloignement » à laquelle on a coutume d'associer "that").

Comparez :

>   Things were much easier **in those days**.
>   *Les choses étaient bien plus faciles* **en ce temps-là.** (passé)
>
>   Things are much easier **these days**.
>   *Les choses sont bien plus faciles* **de nos jours.** (présent)

On emploie **that** (**those** au pluriel) lorsque celui auquel on s'adresse sait de quel objet il s'agit.

>   Ex. : Yes, **that's** great.   *Oui, c'est super.*

• Dans la mesure où **that** peut exprimer une idée d'éloignement, il prend parfois une valeur de **jugement** (souvent négatif).

>   Ex. : Look at **that**!
>   *Regarde-moi ça !* (le ton peut exprimer le dégoût, le mépris, le reproche...)
>
>   Look at **those** awful paintings!
>   *Regarde ces horribles tableaux !*

• **This** et **that** peuvent être suivis de **one**. (**These** et **those** le sont rarement.)

>   Ex. : *Do you want this shirt? No, I prefer* **that one**.
>   *Veux-tu cette chemise ? Non, je préfère celle-là.*
>
>   Do you want these photos? No, I prefer **those**.
>   *Veux-tu ces photos ? Non, je préfère celles-là.*

8. Les pronoms relatifs

• Dans la langue parlée, les pronoms relatifs sont moins courants en anglais qu'en français. Chaque fois que c'est possible, l'anglais préfère deux phrases courtes à une phrase longue avec une subordonnée.

Ex. : This child often cries at night. I can hear him.
J'entends souvent cet enfant pleurer la nuit.

• Les pronoms relatifs, comme leur nom l'indique, introduisent une proposition subordonnée relative. Ils peuvent être **soit sujet soit complément** du verbe de cette subordonnée.

Pronom relatif **sujet** de la subordonnée :
The man who is here is my brother.
L'homme qui est là est mon frère.

Pronom relatif **complément** de la subordonnée :
The man (that) you can see is my brother.
L'homme que tu vois est mon frère.

• En anglais, dans la langue parlée, et même dans la langue écrite lorsque celle-ci n'est pas trop formelle, **le pronom relatif complément est souvent omis.** Il est en fait sous-entendu. On parle parfois dans ce cas du relatif zéro, symbolisé par ∅.

⚠ Attention ! Lorsque le pronom relatif est sujet, il ne peut être omis.
Ex. : She is the woman ∅ you wrote to*.
C'est la femme à qui tu as écrit.

The last book ∅ I read was fascinating.
Le dernier livre que j'ai lu était fascinant.

* Notez que lorsque le pronom est sous-entendu et que le verbe comprend une préposition, celle-ci est rejetée après le verbe et son complément (to write to someone : *écrire à quelqu'un*).

Dans un anglais plus formel, on écrira :

She is the woman to whom you wrote. (pronom complément)
The last book that I read was fascinating. (pronom complément)

• Enfin, il faut savoir qu'il existe **deux types de relatives** : les relatives déterminatives ou restrictives et les relatives non déterminatives ou explicatives.

Relatives 1 :
Les relatives déterminatives ou restrictives sont indispensables à la phrase. Elles ont un sens restrictif, limitatif. Elles délimitent le sens de l'antécédent, qui ne peut pas en être séparé par une virgule.
Ex. : I haven't read the book that he mentioned.
Je n'ai pas lu le livre dont il a parlé.

Relatives 2 :

Les relatives non déterminatives apportent des précisions « accessoires » et peuvent être supprimées sans que l'équilibre de la phrase en souffre. C'est pourquoi elles sont placées entre virgules (ou encore entre tirets ou entre parenthèses).

Ex. : His last films, which were shot in Europe, were a great success.
Ses derniers films, qui furent tournés en Europe, ont eu un grand succès.

Ces relatives sont beaucoup moins fréquentes que les premières. Elles ne seront mentionnées dans le tableau ci-dessous que s'il y a un changement de pronom par rapport aux relatives 1.

• Choix du pronom relatif

Pour choisir un pronom relatif, il faut repérer le nom qu'il remplace et qui le précède (son antécédent). Il faut aussi déterminer sa fonction dans la phrase.

Fonction du relatif dans la subordonnée	Antécédent animé	Antécédent inanimé
Sujet	who The girl who lives next door.	which ou that The car which / that we want to buy.
Complément	Omis le plus souvent sinon whom* ou that The man I love. The man whom I love. The man that I love. The man I talked to**.	Omis le plus souvent sinon which ou that The car we want. The car which we want. The car that we want. The car we looked at**.
Génitif	whose The boy whose name is John.	whose ou rarement of which The house whose door is blue. The house the door of which is blue.
Complément circonstanciel (lieu, temps, cause)		I know (the place) where you live. I remember (the time) when we visited London. I know (the reason) why you came.

* whom a tendance à disparaître.
** Dans ces constructions, n'oubliez pas de laisser la préposition à côté de son verbe.

a) Le pronom relatif est sujet

⚠ Attention ! Le pronom relatif <u>sujet</u> ne peut jamais être omis.

- pour un humain : WHO
  Ex. : The girl **who** is there is my sister.   *La fille qui est là est ma sœur.*

- pour un non-humain : WHICH ou THAT
  Ex. : Give me the bottle **which / that** is on the table.
  Donne-moi la bouteille qui est sur la table.

⚠ Attention ! Dans les relatives 2 (cf. p. 33), on ne trouvera pas le pronom "that".
  Ex. : His last films, **which** were shot in Europe, were a great success. (pronom sujet)
  Ses derniers films, qui furent tournés en Europe, ont eu un grand succès.

  Mr Smith, **who** is sitting there, is a doctor. (pronom sujet)
  M. Smith, qui est assis là-bas, est médecin.

b) Le pronom est complément : Ø (omission du relatif) ou THAT

Lorsque le pronom relatif est complément, on peut utiliser "that" quel que soit l'antécédent mais il est omis le plus souvent.
  Ex. : This is the man **(that)** she loves.
  C'est l'homme qu'elle aime.

  I liked the meat **(that)** we had for lunch.
  J'ai bien aimé la viande que nous avons mangée au déjeuner.

On peut aussi utiliser "whom" si l'antécédent est animé, "which" si l'antécédent est inanimé.
  Ex. : This is the man **whom** she loves. (antécédent animé, pronom objet)
  I liked the meat **which** we had for lunch. (antécédent inanimé, pronom objet)

⚠ Attention ! Dans les relatives 2 (cf. p. 164), on emploiera obligatoirement "whom" pour un humain, "which" pour un non-humain (jamais "that").
  Ex. : Mr Smith, **whom** you met at the conference, is a doctor. (pronom objet)
  M. Smith, que tu as rencontré à la conférence, est médecin.

This car, **which** you fancy so much, is far too expensive. (pronom objet)
Cette voiture qui te (vous) plaît tant est beaucoup trop chère.

c) Traduction de « ce que / ce qui » : WHAT et WHICH

WHAT annonce quelque chose qui va être précisé.

Ex. : I didn't understand **what** he said.
Je n'ai pas compris ce qu'il a dit.

What I like best is music.
Ce que je préfère, c'est la musique.

WHICH reprend ce qui a déjà été énoncé.

Ex. : It didn't rain at all, **which** surprised me.
Il n'a pas du tout plu, ce qui m'a surpris(e).

She was a famous singer, **which** I didn't know.
C'était une chanteuse célèbre, ce que j'ignorais.

⚠ Attention ! N'oubliez pas la virgule avant "which", qui est obligatoire entre les deux propositions.

d) Traductions de « DONT »

On traduit « dont » par "whose" en anglais (pronom relatif, complément du nom) si l'antécédent est animé et même parfois s'il est inanimé, car les constructions avec "of which" sont rares.

Ex. : This is the boy **whose** sister is our neighbour.
C'est le garçon dont la sœur est notre voisine.

Is this the house **whose** windows were broken?
Is this the house the windows **of which** were broken?
Est-ce la maison dont les fenêtres ont été cassées ?

⚠ Attention ! On ne traduit « dont » par « whose » et « of which » que lorsque le pronom exprime la possession. Or, « dont » apparaît en français chaque fois que le verbe est suivi de la préposition « de », et il n'est pas toujours question de possession.

Ex. : *L'homme dont tu parlais est mort.*
The man you were talking about is dead.

Dans ce cas, s'il y a préposition en anglais (ex. : about), on la maintient à droite du verbe et on n'utilise pas de pronom relatif.

e) Traductions de « Où »

Lieu : WHERE

Ex. : Paris is the city where I was born.
Paris est la ville où je suis né(e).

Temps : WHEN

Ex. : I'll always remember the day when I saw him.
Je me souviendrai toujours du jour où je l'ai vu.

f) Whatever / Whoever / Wherever / Whenever

Ces mots sont formés à partir de relatifs (**what, who, where, when**) et de **-ever** qui ajoute à chacun des relatifs l'idée de **quelconque**.

whatever	quoi que ce soit qui...	Whatever happens, don't panick!	Quoi qu'il arrive, ne panique pas !
	quoi que ce soit que...	Whatever she thinks, she's wrong!	Quelle que soit sa pensée, elle a tort !
whoever	qui que ce soit qui...	Whoever calls her, she mustn't go out.	Quiconque l'appelle, elle ne doit pas sortir.
	qui que ce soit que...	Whoever you meet, don't stop!	Qui que ce soit que tu rencontres, ne t'arrête pas !
wherever	où que ce soit que...	Wherever you go, I'll follow you.	Je te suivrai où que tu ailles.
whenever	à quelque moment que ce soit que...	You can leave whenever you like!	Tu peux partir quand tu le veux.

9. Les pronoms, adjectifs et adverbes interrogatifs

Lorsqu'une question ne commence pas par un auxiliaire (cf. p. 191-194), elle est introduite par un terme interrogatif qui peut être, selon le cas, pronom, adjectif ou adverbe. Les principaux sont les suivants :

a) Les pronoms interrogatifs

• WHO / WHOM, *qui*

Ex. : Who are you?   *Qui êtes-vous (es-tu) ?*
For whom does the bell ring?   *Pour qui sonne le glas ?*

- **WHOSE**, *à qui, de qui*
Ex. : I found a T-shirt that isn't mine. **Whose** is it?
  J'ai trouvé un T-shirt qui n'est pas à moi. À qui est-il ?

- **WHAT**, *que*
Ex. : **What** is it?   *Qu'est-ce que c'est ?*

- **WHICH**, *lequel, laquelle*
Ex. : There are two glasses. **Which** is mine?
  Il y a deux verres. Lequel est le mien ?

Note : Seuls « who » et « whom » sont uniquement pronoms, « whose », « what » et « which » étant aussi adjectifs.

b) Les adjectifs interrogatifs

- **WHAT**, *quel(le), quels(les)*
Ex. : **What** floor did she say?   *Quel étage a-t-elle dit ?*

- **WHICH**, *quel(le), quels(les)*
Ex. : **Which** pullover do you choose?
  Quel pull-over choisissez-vous (choisis-tu) ?

- **WHOSE**, *à qui, de qui*
Ex. : **Whose** book is it?   *À qui est ce livre ?*

c) Les adverbes interrogatifs

- **WHY**, *pourquoi*
Ex. : **Why** didn't you call me sooner?
  Pourquoi ne m'as-tu (m'avez-vous) pas appelé(e) plus tôt ?

- **WHEN**, *quand*
Ex. : **When** is his birthday?   *Quand est son anniversaire ?*

- **WHERE**, *où*
Ex. : **Where** are you going?   *Où vas-tu (allez-vous) ?*

- **HOW**, *comment*
Ex. : **How** can I tell him the truth?
  Comment puis-je lui dire la vérité ?

⚠ **Attention !**

- **"How are you?, How is he?, etc."** signifie « *Comment allez-vous / vas-tu ?, Comment va-t-il ?, etc.* ».

« À quoi ressemblez-vous / ressembles-tu ?, À quoi ressemble-t-il ? etc. » se traduit par "What do you look like? / What are you like?, What does he look like? / What is he like?, etc.".

• Ne pas confondre "How are you?" avec "How do you do?" qui est une formule de pure politesse à laquelle on ne répond pas littéralement mais simplement en répétant "How do you do?". En revanche, "How are you?" appelle une réponse du type "I'm fine, thank you".

• Pour dire *« Comment s'appelle... ? / Comment appelle-t-on.... ? »*, on emploie What et non How : "What do you call... ?".

HOW peut se combiner avec différents éléments.
Exemples : How much, How many, How old, etc. (cf. p. 192-193).

5) LES QUANTIFICATEURS INDÉFINIS

1. Some et any
Some et any expriment l'idée d'une certaine quantité ou d'un certain nombre, sans autre précision. Ils signifient *« quelque »* et sont souvent employés dans le sens des articles partitifs français, *« du, de la, de l', de, des »*.
Partitif : qui désigne une quantité d'un tout indénombrable (pour la notion d'indénombrable, voir p. 146).

Ex. : I need **some** fresh air.　　　　*J'ai besoin d'air frais.*
He doesn't have **any** real friends.　*Il n'a pas de vrais amis.*

Si some et any ont le même sens, ils ne s'emploient pas de la même façon. **Not... any** peut être remplacé par **no**. Le verbe est alors à la forme affirmative.

Phrases affirmatives	Toujours some	Ex. : **Some** drivers are dangerous. *Il y a des conducteurs dangereux.* I need **some** help. *J'ai besoin d'aide.*
Phrases négatives	not... any	Ex. : He won't give you **any** help. *Il ne (vous) t'aidera pas.* There aren't any eggs in the fridge. *Il n'y a pas d'œufs dans le frigo.*

Phrases interrogatives	some	On propose ou on souhaite une certaine quantité. Ex. : Would you like **some** wine? *Voulez-vous (Veux-tu) du vin ?*
	ou	Can I have **some** milk, please? *Est-ce que je peux avoir du lait, s'il vous (te) plaît ?*
	any	On veut simplement se renseigner sur l'existence d'une quantité : « Est-ce qu'il y en a ? » Ex. : Is there **any** milk? *Est-ce qu'il y a du lait ?* Have you got **any** children? *Avez-vous (As-tu) des enfants ?*

Ex. : **There aren't any eggs** in the fridge = **There are no eggs** in the fridge.

None signifie « *aucun, aucune* » et s'utilise comme pronom (contrairement à "no" qui ne s'utilise que comme adjectif).
Ex. : How many gifts did you get? – **None!**
Combien de cadeaux as-tu (avez-vous) eus ? – Aucun !

• **Some, any** et **no** peuvent être suivis de **more**.
Ex. : Can I have **some more** milk, please?
Puis-je avoir plus de lait / encore du lait, s'il vous (te) plaît ?

He won't give you **any more** help. *Il ne (vous) t'aidera plus.*
I have **no more** money. *Je n'ai plus d'argent.*

• Lorsque **any** est utilisé dans une phrase affirmative, il a le sens de « *n'importe lequel (laquelle)* ».
Ex. : Take **any** train but come!
Prends n'importe quel train mais viens !

• Il ne faut pas utiliser **some** quand il s'agit de la nature de ce que l'on veut et non de la quantité.

Comparez :

I'd like tea, not coffee. *J'aimerais du thé, pas du café.*
I'd like some tea. *J'aimerais du thé. (Je sais qu'il y a du thé et j'en voudrais un peu.)*

2. Les composés de some, any et no

a) Chose indéfinie : **something** (*quelque chose*), **anything** (*quelque chose*), **nothing** (*rien*)

b) Personne indéfinie : **somebody / someone** (*quelqu'un*), **anybody / anyone** (*quelqu'un*), **nobody / no one** (*personne*)

c) Lieu indéfini : **somewhere** (*quelque part*), **anywhere** (*quelque part*), **nowhere** (*nulle part*)

• Les règles d'emploi de ces formes dans les phrases affirmatives, négatives et interrogatives sont les mêmes que pour **some**, **any**, et **no** (cf. tableau p. 170).

• Les composés de **some**, **any** et **no** peuvent être suivis de l'adverbe **else** qui a le sens de « *autre* ».
Ex. : There was **someone else** in the room.
Il y avait quelqu'un d'autre dans la pièce.

Is there **anybody else**?   *Y a-t-il quelqu'un d'autre ?*

Nothing else to say?   *Rien (d'autre) à ajouter ?*

• **Anything**, **anybody / anyone**, **anywhere** dans les phrases affirmatives ont le sens de « *n'importe quoi* », « *n'importe qui* », « *n'importe où* ».
Ex. : I'll do **anything** for you.   *Je ferai n'importe quoi pour toi (vous).*

3. De « beaucoup » à... « trop »

⚠ Attention ! Voici d'autres quantificateurs indéfinis. Il est indispensable de connaître leur compatibilité ou leur incompatibilité avec les noms dénombrables et indénombrables (pour la notion de dénombrable et d'indénombrable, voir p. 146).

a) Beaucoup...
Pour signifier qu'une chose existe en grand nombre ou en grande quantité, on emploie :

• MUCH + indénombrable
Ex. : Has he got **much** money?   *Est-ce qu'il a beaucoup d'argent ?*

On peut remplacer « much » par "a lot of"
Ex. : Has he got **a lot of** money? *Est-ce qu'il a beaucoup d'argent ?*

- MANY + dénombrable pluriel

  Ex. : She hasn't got **many** friends. *Elle n'a pas beaucoup d'ami(e)s.*

On peut remplacer "many" par "a lot of" ou "lots of"

  Ex. : She's got **a lot of/lots of** friends. *Elle a beaucoup d'ami(e)s.*

Note :

"much" et "many" s'emploient rarement dans les phrases affirmatives. Dans ce cas, les anglophones préfèrent utiliser "a lot of" ou "lots of".

- PLENTY OF + indénombrable / dénombrable pluriel

  Ex. : I have **plenty of** time / friends. *J'ai beaucoup de temps / d'ami(e)s.*

b) Trop...

Pour exprimer l'excès, on a recours à :
- TOO + adjectif / adverbe

  Ex. : It's **too** big.   *C'est trop grand.* (adjectif)
        He drives **too** fast.   *Il conduit trop vite.* (adverbe)

- TOO MUCH

  Ex. : You eat **too much**.   *Tu manges (Vous mangez) trop.*

- TOO MUCH + indénombrable

  Ex. : There's **too much** noise.   *Il y a trop de bruit.*

- TOO MANY + dénombrable pluriel

  Ex. : There were **too many** peo-   *Il y avait trop de monde.*
ple.

4. De « assez » à... « tout »

⚠ Attention ! Voici d'autres quantificateurs indéfinis. Il est indispensable de connaître leur compatibilité ou leur incompatibilité avec les noms dénombrables et indénombrables (pour la notion de dénombrable et d'indénombrable, voir p. 146).

a) Assez...

Pour exprimer une quantité suffisante, on emploie :

- ENOUGH devant un nom

  Ex. : I've got **enough** money to pay my rent.
        J'ai assez d'argent pour payer mon loyer.

ou après un adjectif
> Ex. : He isn't **rich enough** to buy it.
> *Il n'est pas assez riche pour l'acheter.*

b) *Plusieurs...*

• SEVERAL + dénombrable pluriel
> Ex. : We have **several** places to visit.
> *Nous avons plusieurs endroits à visiter.*

c) *Tout...*

Pour exprimer la totalité, on emploie :

• ALL + indénombrable / dénombrable pluriel
> Ex. : She has finished **all** her work. (indénombrable)
> *Elle a fini tout son travail.*
>
> **All** these cars (dénombrable pluriel) are German.
> *Toutes ces voitures sont allemandes.*

• EVERY + dénombrable <u>singulier</u>
> Ex. : He gets up at 7 **every** day. *Il se lève à 7 heures tous les matins.*

⚠ Attention ! Il ne faut pas confondre "every" (« tous ») et "each" (« cha-cun »).
> Ex. : **Each** of you must wear a uniform.
> *Chacun(e) d'entre vous doit porter un uniforme.*

• BOTH + dénombrable pluriel
> Ex. : I like **both** films.   *J'aime les deux films.*
>
> I like them **both**.   *Je les aime tous les deux.*

⚠ Attention à la place de "both" et de "all" quand ils sont associés à des pronoms.
> Ex. : I like them **both**. / I like **both** of them.
> *Je les aime tous (toutes) les deux.*
>
> We bought them **all**. / We bought **all** of them.
> *Nous les avons tous achetés.*

d) *De un peu de à... quelques*

Pour signifier qu'une chose existe en petite quantité (un peu...) ou en nombre réduit (quelques...), on emploie :

• A LITTLE + indénombrable
> Ex. : Can I have **a little** sugar?   *Puis-je avoir un peu de sucre ?*

- A FEW + dénombrable pluriel
  Ex. : He only had a few friends there.
  Il n'avait que quelques ami(e)s ici.

e) *Peu de...*

Pour signifier qu'une chose existe en trop petite quantité ou en nombre trop réduit (peu de...), on emploie :

- LITTLE + indénombrable
  Ex. : He had very little time.   *Il avait très peu de temps.*
- FEW + dénombrable pluriel
  Ex. : Few pupils study Latin.   *Peu d'élèves étudient le latin.*

f) *De la plupart à... des millions*

Pour évoquer une quantité très importante envisagée sous l'angle de la généralité (la plupart...), on emploie :

- MOST + indénombrable / dénombrable pluriel
  Ex. : Most people like travelling. *La plupart des gens aiment voyager.*

- MOST OF + déterminant + nom
  Ex. : Most of my friends can speak English.
  La plupart de mes ami(e)s savent parler anglais.

Pour évoquer un nombre approximatif (des dizaines*, des centaines, des milliers...), on emploie **les nombres cardinaux au pluriel suivis de "of"** :
  Ex. : They receive hundreds of letters.
  Ils (Elles) reçoivent des centaines de lettres.

  Thousands / Millions of tourists come to France every year.
  Des milliers / des millions de touristes viennent en France chaque année.

* « *Des dizaines de...* » se traduit en anglais par **"Dozens of..."** (« *Des douzaines de...* »).

5. Autres indéfinis

a) *Either | neither*

- Either et neither ne s'emploient que dans le cas où l'on désigne deux éléments dans une phrase.

either (forme affirmative) signifie « *l'un(e) ou l'autre, n'importe lequel (laquelle) des deux* ».

Ex. : Do you prefer tea or coffee?   **Either** will be fine.
     Préférez-vous (Préfères-tu)   *L'un ou l'autre me conviendra.*
     le thé ou le café ?

neither (forme négative) signifie « *ni l'un(e) ni l'autre, aucun(e) des deux* ».
    Ex. : Which do you prefer?   **Neither** of them.
     Lequel (Laquelle) préférez-vous Ni l'un(e) ni l'autre.
     (préfères-tu) ?

- L'expression « *soit... soit... / ou... ou...* » se traduit par "either... or...".
    Ex. : He's **either** German **or** Swedish.
     Il est soit allemand soit suédois.

À l'inverse, l'expression « *ni... ni...* » se traduit par "neither... nor...".
    Ex. : I'm **neither** a liar **nor** a hypocrit!
     Je ne suis ni menteur(euse) ni hypocrite !

- **not either** et **neither** signifient « *non plus* » :
    Ex. : He told me he didn't like tea but he doesn't like coffee **either**.
     Il m'a dit qu'il n'aimait pas le thé mais il n'aime pas le café non
     plus.

⚠ Attention ! Neither, dans le sens de « *non plus* », est utilisé avec un auxiliaire et un sujet exprimé (voir **les tags** p. 204).
    Ex. : He never drinks tea. – **Neither do I.**
     Il ne boit jamais de thé. – Moi non plus.

b) Other, else, same
- Other, *autre, d'autre*, est invariable lorsqu'il est utilisé comme adjectif indéfini.
    Ex. : I have no **other** sister.   *Je n'ai pas d'autre sœur.*

En revanche, en tant que pronom, il peut porter la marque du pluriel.
    Ex. : I don't know where the **others** are.
     Je ne sais pas où sont les autres.

- **Else,** *d'autre, autrement,* est un adverbe invariable qui s'emploie exclusivement avec les composés de **every, some, any** et **no** ainsi qu'avec **what, who, where**. Il se place immédiatement après eux.
    Ex. : **Someone else** called you yesterday.
     Quelqu'un d'autre t'a (vous a) appelé(e) hier.

    What else could I do for you?
    Qu'est-ce que je pourrais faire d'autre pour toi (vous) ?

- **The same** signifie *le même, la même, les mêmes*.
  Ex. : It's always the same old story!
    C'est toujours la même histoire !

Si l'on veut exprimer une comparaison, **the same** se construit comme un comparatif d'égalité, c'est-à-dire avec **as**.
  Ex. : He likes the same books as you.
    Il aime les mêmes livres que toi (vous).

Si l'on veut exprimer une identité, **the same** se construit avec **that** + proposition verbale.
  Ex. : She came by the same road that you took.
    Elle est venue par la même route que toi (vous).

6. Les quantificateurs définis (nombres, poids et mesures)

a) Les nombres cardinaux

0 zero	10 ten	20 twenty	100 a / one hundred
1 one	11 eleven	21 twenty-one	101 a / one hundred and one
2 two	12 twelve	22 twenty-two	102 a / one hundred and two
3 three	13 thirteen	30 thirty	200 two hundred
4 four	14 fourteen	40 forty	300 three hundred
5 five	15 fifteen	50 fifty	1,000 a / one thousand
6 six	16 sixteen	60 sixty	1,001 a / one thousand and one
7 seven	17 seventeen	70 seventy	2,000 two thousand
8 eight	18 eighteen	80 eighty	3,000 three thousand
9 nine	19 nineteen	90 ninety	100,000 a / one hundred thousand

1,000,000 a / one million
1,000,001 a / one million and one
2,000,000 two million
1,000,000,000 *(un milliard)* a / one thousand million ou a / one milliard (GB) ou a / one billion (US)
1,000,000,001 a / one thousand million and one ou a / one milliard and one (GB) ou a / one billion and one (US)
2,000,000,000 two thousand million ou two milliard (GB) ou two billion (US), etc.

⚠ Attention !
- De 13 à 19 les nombres cardinaux se terminent en -teen.
  Les dizaines (20, 30, 40...) se terminent en -ty.

- Notez qu'il faut toujours ajouter **"and"** après "hundred" quand il est suivi d'un chiffre ou d'un nombre.
  Ex. : 820,999   eight hundred **and** twenty thousand nine hundred **and** ninety-nine

- Hundred, thousand, million... ne prennent pas de « s » au pluriel sauf s'ils sont employés avec **"of"**.
  Ex. : **Three hundred** men died there.
  Trois cents hommes sont morts là-bas.

  Hundreds of men died there.
  Des centaines d'hommes sont morts là-bas.

- En anglais, la séparation des milliers et des millions s'écrit avec une virgule et la séparation décimale s'écrit avec un point ; c'est l'inverse en français.
  Ex. : français | anglais
  2 556 | **2,556**
  5 622 321 | **5,622,321**
  3,4 | **3.4** (on dit : "three point four")

- Il y a plusieurs façons d'exprimer le 0 :
  Numéros de téléphone : **O** (prononcé [aʊ] comme la lettre de l'alphabet)
  Ex. : 01 88 56 32 01   **O** one double eight five six three two **O** one
  Température : **zero** [zɪərəʊ]
  Mathématiques : **zero** ou **naught** [nɔ:t]
  Points au tennis : **love** [lʌv] (fifteen-love : *quinze-zéro*)
  Score au football : **nil**-[nil] (3-0, three-nil : *trois buts à zéro*)

- Pour parler d'une décennie, par exemple des années « trente », on écrit :
  The 30's, the 30s ou **the thirties**, et on dit "the thirties".

- Pour dire l'année, on prend généralement les chiffres deux par deux.
  Ex. : 1956   nineteen fifty-six ; 1742   seventeen forty-two

⚠ Attention : 1801   eighteen **O** one
1700   seventeen **hundred**
2000   two **thousand**

b) *Les nombres ordinaux*
Les nombres ordinaux indiquent un rang. À l'exception de first (1ˢᵗ, 21ˢᵗ twenty-first, 31ˢᵗ, 41ˢᵗ, etc.), second (2ⁿᵈ, 22ⁿᵈ twenty-second, 32ⁿᵈ,

42nd, etc.) et third (3rd, 23rd twenty-third, 33rd, 43rd, etc.), ils se forment en ajoutant -th aux nombres cardinaux.

Ex. : 4th / fourth, 6th / sixth, 27th / twenty-seventh, etc.

⚠ Attention aux transformations orthographiques suivantes :
Five devient fifth, nine devient ninth, twelve devient twelfth.
Les cardinaux qui se terminent en -ty (dizaines) deviennent des ordinaux se terminant en -tieth : twenty devient twentieth, thirty devient thirtieth, etc.

On utilise les nombres ordinaux en anglais pour :

– les dates
Ex. : Saturday, July 14th ou Saturday, July 14 ou encore Saturday 14th July
On dit généralement "Saturday, the fourteenth of July"
En-tête de lettres : *Le 11 mai 1993*   11th May 1993

– le nom des souverains

On écrit : Elizabeth II   et on dit   "Elizabeth the second"
Henry VIII   "Henry the eighth"

c) Les mesures anglo-saxonnes
• Les longueurs :
inch, *pouce* : 0,0254 m
foot, *pied* : 0,3048 m (= 12 inches)
yard, *yard* : 0,9144 m (= 3 feet)
mile, *mile* : 1 609 m

⚠ Attention à ne pas confondre le mile anglais avec le mile marin :
mile anglais : 1 609 m
mile marin : 1 852 m

• Les surfaces :
Carré se dit square. Il y a donc des square inches, des « *pouces carrés* » et des square feet, des « *pieds carrés* », et des square yards, des « *yards carrés* ». De plus en plus, cependant, les Anglo-Saxons emploient les *mètres carrés*, square meters.

✓ Notez aussi :
acre : 0,4047 ha (environ un demi-hectare)
square mile : 258,9988 ha (environ 260 hectares)

• Les volumes :
Cube se dit cubic. Il y a donc des cubic inches, des « *pouces cubes* », des cubic feet, des « *pieds cubes* », des cubic yards, des « *yards*

cubes », etc. Là encore, de plus en plus souvent, les Anglo-Saxons emploient des *mètres cubes*, **cubic meters**.

* Les capacités :
fluid ounce : 29,573 cm^3
pint : 0,568 l
gallon (GB) : 4,546 l
gallon (US) : 3,785 l

* Les poids :
ounce (Oz) : 28,35 g
pound (Lb) : 453,59 g
quarter (Q) : 12,70 kg
hundredweight : 50,802 kg
ton long ton : 1 016 kg
     short ton : 907 kg

✓ Notez que les Anglo-Saxons emploient aussi la tonne métrique, dite **metric ton**, de 1 000 kg.

✓ Notez aussi que le système de poids traditionnel anglais est lentement mais peu à peu remplacé par le système des kilos : **kilo(s)** ou **kilogram(s)**.

* Température en degrés **Fahrenheit** :
° Fahrenheit : (1,8 fois le ° centigrade) + 32

7. Les quantificateurs comme pronoms

La plupart des quantificateurs, indéfinis ou non (à l'exception de « every »), peuvent être employés comme **pronoms**.

— Dans des structures où ils sont souvent suivis de "of" :
Ex. : **Some of** the children.   *Certains des enfants.*
      Many of them.   *Beaucoup d'entre eux (elles).*
      A few of you.   *Quelques-un(e)s parmi vous.*
      One of the pupils.   *Un(e) des élèves.*
      Two of us.   *Deux d'entre nous.*

— Ou tout seuls :
Ex. : **Some** have come.   *Certain(e)s sont venu(e)s.*
      He saw **many**.   *Il en a vu beaucoup.*
      She bought **a few**.   *Elle en a acheté quelques-un(e)s.*
      Give me **three**.   *Donne(z)-m'en trois.*
      I want **ten**.   *J'en veux dix.*

6) LES ADVERBES

En anglais, comme en français, l'adverbe est un mot invariable.

1. Formation des adverbes

En anglais, les adverbes se forment le plus souvent à partir de l'adjectif auquel on ajoute le suffixe -ly.

Adjectif		Adverbe	
sad	*triste*	sadly	*tristement*
kind	*gentil*	kindly	*gentiment*

• Les adverbes concernés par cette règle peuvent subir des **modifications orthographiques**, c'est pourquoi il faut souvent se référer au dictionnaire.

Adjectif		Adverbe	
lucky	*chanceux*	luckily	*avec de la chance*
simple	*simple*	simply	*simplement*
full	*plein*	fully	*pleinement*

⚠ Attention ! Certains mots se terminant en -ly sont des adjectifs et non des adverbes. Ils sont rares.

À retenir :

Adjectif		Adverbe	
friendly	*amical*	in a friendly way	*amicalement*
lovely	*joli, mignon*	in a lovely way	*d'une jolie façon*
silly	*sot*	in a silly way	*de façon idiote*

De même qu'en français tous les adverbes ne se terminent pas en -ment, en anglais tous les adverbes ne se terminent pas en -ly.

• Certains adverbes ont la même forme que l'adjectif qui leur correspond. C'est le cas des adverbes-adjectifs suivants :
daily, weekly, monthly, yearly, early / late, back, close, fast, first / last, hard, inside / outside, little, long, loud, low, near, next, only, opposite, quick, slow, round, very, etc.
Ex. : This is a **daily** (adjectif) newspaper.
  C'est un journal quotidien.

  I read it **daily** (adverbe).   *Je le lis quotidiennement.*

• Certains adverbes ne correspondent à aucun adjectif. C'est le cas des adverbes suivants :
almost, always, often, sometimes, never, etc.

2. La position de l'adverbe dans la phrase

• Les adverbes de manière se placent généralement après le complément, mais parfois aussi avant le verbe.
Ex. : I speak English fluently.   *Je parle anglais couramment.*
I really enjoy dancing.   *J'aime vraiment bien danser.*

• Les adverbes de fréquence se placent toujours avant le verbe (et après l'auxiliaire s'il y en a un) sauf avec le verbe to be.

Adverbes de fréquence : rarely *(rarement)*, sometimes *(parfois)*, occasionally *(occasionnellement)*, frequently *(fréquemment)*, often *(souvent)*, usually *(habituellement)*, always *(toujours)*, never *(jamais)*.
Ex. : She often gets up early. (avant le verbe)
Elle se lève souvent tôt.

She has never driven a car. (avant le verbe et après l'auxiliaire)
Elle n'a jamais conduit de voiture.

He is sometimes late. (après le verbe to be)
Il est parfois en retard.

Les locutions adverbiales de fréquence comme every day *(tous les jours)*, once a week *(une fois par semaine)*, twice a month *(deux fois par mois)*, three times a year *(trois fois par an)*, etc., se placent en début ou en fin de phrase.
Ex. : We see her every day.   *Nous la voyons tous les jours.*

• Les adverbes de lieu et de temps comme here *(ici)*, there *(là-bas)*, yesterday *(hier)*, tomorrow *(demain)*, today *(aujourd'hui)*, etc., se placent généralement en fin de phrase.
Ex. : We're leaving tomorrow.   *Nous partons demain.*

• Les adverbes de degré comme too *(trop)*, very *(très)*, more *(plus)*, totally *(totalement)*, nearly *(presque)*, etc., se placent immédiatement avant l'adjectif ou l'adverbe qu'ils modifient.
Ex. : These boots are too small. *Ces bottes sont trop petites.*

• Les adverbes négatifs comme barely, hardly, scarcely *(à peine, presque pas)* se placent avant le verbe (et après l'auxiliaire s'il y en a un).

⚠ Comme le sens de ces notes est négatif, le verbe apparaît toujours à la forme affirmative.

Ex. : I could **scarcely** believe it. *Je pouvais à peine y croire.*

7) LES PRÉPOSITIONS

• Quelques prépositions courantes :

above, *au-dessus de*	**in front of**, *en face de*
across, *à travers / de l'autre côté*	**into**, *dans*
along, *le long de*	**near / close to / by**, *près de*
among, *parmi*	**next to**, *à côté de*
around, *autour de*	**off**, *au large de / éloigné*
at, *à*	**on**, *sur / dans (un bus, un train)*
behind, *derrière*	**opposite**, *en face de*
below, *au-dessous de*	**over**, *par-dessus / au-dessus*
between, *entre*	**to**, *à*
down, *en bas de / vers le bas*	**towards**, *vers*
from, *(en provenance) de*	**under**, *sous*
in, *dans*	**up**, *en haut de / vers le haut de*

• **In ou into ?**
On utilise **in** (*dans*) quand on localise quelqu'un ou quelque chose.
Ex. : He's **in** the kitchen.   *Il est dans la cuisine.*
On utilise **into** (*dans*) pour indiquer que l'on pénètre dans un lieu.
Ex. : Someone went **into** my bedroom when I wasn't in.
    Quelqu'un est entré dans ma chambre alors que je n'y étais pas.

• **At ou to ?**
On utilise **at** (*à*) quand il n'y a pas de mouvement.
Ex. : They're **at** school.   *Ils (Elles) sont à l'école.*
On utilise **to** (*à*) quand il y a un mouvement, déplacement d'un point vers un autre.
Ex. : They're going **to** school.   *Ils (Elles) vont à l'école.*

• **To ou from ?**
On utilise **from** (*de*) quand on se réfère à la provenance, à l'origine.
Ex. : She's **from** London.   *Elle est de Londres.*
On utilise **to** (*de*) quand on se réfère à la direction, à la destination.
Ex. : I saw him on the train **to** London.
    Je l'ai vu dans le train de (qui allait à) Londres.

• **Les prépositions de temps**

after, *après*	in, *en*
at, *à (+ heure)*	on, *le (+ jour)*
before, *avant*	since, *depuis*
during, *pendant*	until, *jusqu'à*
for, *pendant / depuis*	within, *en / avant*
from, *à partir de*	

Ex. : **Be on time!**   *Sois (Soyez) à l'heure !*
We worked **from** eight to twelve.
Nous avons travaillé de huit heures à midi.

• **Autres prépositions**

about, *à propos de*	for, *pour*
as, *en tant que*	instead of, *au lieu de*
because of, *à cause de*	like, *comme*
by, *par*	thanks to, *grâce à*
except for, *excepté*	with, *avec*

• **Rejet de la préposition en fin de phrase**
Dans les wh-questions (cf. p. 191-192) et les propositions relatives (cf. p. 216), la préposition est le plus souvent séparée de son complément et rejetée en fin de phrase.
Ex. : What are you looking **at**?
Qu'est-ce que tu regardes (vous regardez) ?

Who does she usually go to the cinema **with**?
Avec qui va-t-elle au cinéma habituellement ?

I know the man you're writing **to**.
Je connais l'homme à qui tu écris (vous écrivez).

• **Différences d'usage des prépositions entre l'anglais et le français**
L'usage des prépositions entre l'anglais et le français est tellement différent qu'il faut se référer au dictionnaire le plus souvent possible et apprendre par cœur ces variations d'usage d'une langue à l'autre au cas par cas.

Verbes prépositionnels anglais, verbes simples français :

approve of, *approuver*	comment on, *commenter*	cut down on, *réduire*
listen to, *écouter*	look for, *chercher*	pay for, *payer*, etc.

Verbes prépositionnels français, verbes simples anglais :

address, *s'adresser à*	answer, *répondre à*	discuss, *discuter de*
enter, *entrer dans*	need, *avoir besoin de*	obey, *obéir à*
phone, *téléphoner à*	remember, *se souvenir de*	trust, *faire confiance à*
use, *se servir de*, etc.		

Prépositions différentes du français :
– verbes : consist in / of, *consister à*
 depend on, *dépendre de*
 live on, *vivre de*
 look after, *s'occuper de*
 look like, *ressembler à*
 think about / of, *penser à*
 speak about, *parler de*
 suffer from, *souffrir de*, etc.
– expressions : on foot, *à pied*
 in the sun, *au soleil*
 in the rain, *sous la pluie*
 in the morning / afternoon / evening, *le matin / l'après-midi / le soir*
 at night, *la nuit*, etc.
– adjectifs : good / bad at, *bon, mauvais en*
 interested in, *intéressé par*
 nice to, *gentil avec*
 happy with, *heureux de*
 responsible for, *responsable de*, etc.

Chapitre 2

La phrase

1) LA PHRASE AFFIRMATIVE

Il existe deux types de phrases affirmatives en anglais et un cas particulier :

Cas n° 1 : la phrase affirmative avec auxiliaire, composée essentiellement d'un sujet, d'un auxiliaire, d'un verbe et éventuellement de compléments.

Sujet	Auxiliaire	Verbe	Compléments	Traduction
They	are	cooking	breakfast.	*Ils / Elles préparent le petit déjeuner.*
There	has	been	an accident.	*Il y a eu un accident.*
They	were	reading	when I arrived.	*Ils / Elles lisaient quand je suis arrivé(e).*
It	will	rain	tomorrow.	*Il pleuvra demain.*
He	can	swim	very well.	*Il nage très bien.*

Il est très important de distinguer en anglais le verbe de l'auxiliaire ; il faut donc connaître et savoir reconnaître les auxiliaires anglais.

Cas n° 2 : la phrase affirmative sans auxiliaire, composée essentiellement d'un sujet, d'un verbe et de compléments.

Sujet	Verbe	Compléments	Traduction
I	like	tea.	*J'aime bien le thé.*
John	likes	tea.	*John aime bien le thé.*
They	drank	tea yesterday.	*Ils / Elles ont bu du thé hier.*

Cas n° 3 : cas particulier de "to be" :

Sujet	Auxiliaire	Verbe	Compléments	Traduction
They		are	French.	*Ils / Elles sont français(es).*

"To be" est à la fois verbe et auxiliaire dans l'exemple ci-dessus.
Dans la phrase "They are cooking breakfast", il s'agit de l'auxiliaire "be" et non du verbe "to be".
Il faut noter le caractère unique du verbe "to be" en anglais.
Il est unique dans la langue anglaise pour plusieurs raisons :

a) Il est tantôt verbe (et, dans ce cas, il est en quelque sorte son propre auxiliaire), tantôt auxiliaire.

b) Il a sa propre conjugaison au présent et au passé (il se distingue ainsi de tous les autres verbes anglais).

c) Il est aussi, du fait de sa double fonction (verbe / auxiliaire), le seul verbe anglais à pouvoir se passer d'auxiliaire dans les phrases négatives et interrogatives.

2) LA PHRASE NÉGATIVE

1. Règle générale
La marque de la négation en anglais est "not".
On insère la négation "not" dans la phrase après l'auxiliaire.

2. Choix de l'auxiliaire dans les phrases négatives
Dans tous les cas (sauf cas particulier de "to be"), la phrase négative doit comporter un auxiliaire.
Le choix de cet auxiliaire est très important.

Il existe deux cas de figure et un cas particulier :

Cas n° 1 : la phrase affirmative de départ comporte un auxiliaire ; on applique la règle générale sans difficulté.

Affirmation	Négation
They are cooking breakfast.	They are not / aren't* cooking breakfast.
There has been an accident.	There has not / hasn't been an accident.
They were reading when I arrived.	They were not / weren't** reading when I arrived.
It will rain tomorrow.	It will not / won't rain tomorrow.
He can swim very well.	He cannot / can't swim very well.

* Bien souvent, "not" apparaît sous sa forme contractée "n't" (le "o" disparaît ; il est remplacé par une apostrophe) et, dans ce cas, il est « accroché » à l'auxiliaire (ex. : aren't, hasn't...).
Il existe cependant des formes négatives contractées qui ne répondent pas à cette règle et qu'il faut apprendre (ex. : won't pour will not, shan't pour shall not, can't pour cannot...)

** On notera la prononciation de "aren't" [a:nt] et de "weren't" [wɜ:nt] ; dans les deux cas, on ne prononce pas le "r".

Cas n° 2 : la phrase affirmative de départ ne comporte pas d'auxiliaire, il faut alors faire appel à d'autres auxiliaires : do, does, did.

On utilise :
• do auquel on ajoute "not" dans les phrases au présent simple.
  Ex. : I don't like tea.   *Je n'aime pas le thé.*
• does auquel on ajoute "not" dans les phrases au présent simple à la troisième personne du singulier.
  Ex. : John doesn't like tea.   *John n'aime pas le thé.*

• did auquel on ajoute "not" dans les phrases au prétérit simple.
  Ex. : They didn't drink tea yesterday.
     Ils (Elles) n'ont pas bu de thé hier.

Affirmation	Négation
I like tea.	I do not / don't like tea.
John likes tea.	John does not / doesn't like tea.
They drank tea yesterday.	They did not / didn't drink tea yesterday.

Cas n° 3 : cas particulier de "to be" :

Affirmation	Négation
They are French.	They are not / aren't French.

Il existe d'autres types de phrases négatives en anglais, notamment les phrases négatives dans lesquelles "not" n'apparaît pas.
Les plus courantes sont celles avec "**never**" et "**no**".
Avec l'adverbe de fréquence "**never**" (« *jamais* »), la phrase est négative mais "not" n'apparaît pas ; il en est de même avec le quantificateur "**no**" et ses composés (nothing, nobody, no one, nowhere).

Ex. : I have **never** seen him.   *Je ne l'ai jamais vu.*
There is **no** milk left.   *Il ne reste pas de lait.*

3) LA PHRASE INTERROGATIVE

1. Règle générale

Un auxiliaire, un sujet et un verbe sont les trois éléments, dans l'ordre, indispensables à la formation de phrases interrogatives en anglais (cas particulier de "to be" mis à part*).
L'ordre de ces mots dans les questions est toujours le même.
Il est essentiel de le respecter et de le retenir.
On peut le noter ainsi : A / S / V ? et retenir la phrase suivante : « Anne S'en Va » pour mémoriser l'ordre et les trois éléments de ce schéma.

A / S / V ? est le schéma type des questions en anglais

Ex. : Has   she   got   a brother? (schéma type : A / S / V ?)
A   S   V
A-t-elle un frère ?

* Cas particulier de "to be" :

⚠ Attention ! Il existe un autre schéma, non moins important mais moins fréquent : le **schéma V / S ?** (Verbe / Sujet ?), propre au verbe "to be".
Nous nous souvenons (cf. p. 186) que "to be" peut être tantôt verbe tantôt auxiliaire.

Quand il est utilisé comme verbe, il est en quelque sorte son propre auxiliaire.

C'est pourquoi il est le seul verbe anglais qui peut se passer d'auxiliaire dans les questions.

> Pour formuler une question avec le verbe "to be", il suffit d'inverser le sujet et le verbe (schéma V / S ?).

Ex. : Is she French? (schéma V / S ?)
        V S
        Est-elle française ?

2. Choix de l'auxiliaire dans les questions

Dans tous les cas (sauf cas particulier de "to be" et rares exceptions), la phrase interrogative doit comporter un auxiliaire.

Le choix de cet auxiliaire est très important.

Comme pour les phrases affirmatives et négatives, il existe **deux cas de figure et un cas particulier** :

Cas n° 1 : la phrase affirmative de départ comporte un auxiliaire ; il suffit de changer l'ordre des mots :

Affirmation	Interrogation schéma A / S / V ?
They are cooking breakfast.	Are they cooking breakfast?
There has been an accident.	Has there been an accident?
They were reading when I arrived.	Were they reading when I arrived?
It will rain tomorrow.	Will it rain tomorrow?
He can swim very well.	Can he swim very well?

Cas n° 2 : il n'y a pas d'auxiliaire dans la phrase affirmative de départ, il faut alors faire appel à d'autres auxiliaires : do, does, did.

On utilise :

- **do** dans les questions au **présent simple**

- **does** dans les questions au **présent simple à la troisième personne du singulier**

- **did** dans les questions au **prétérit simple** :

Affirmation	Interrogation schéma A / S / V ?
I like tea.	Do you like tea?
John likes tea.	Does John like tea?
They drank tea yesterday.	Did they drink tea yesterday?

Cas n° 3 : cas particulier du verbe "to be" :

Affirmation	Interrogation schéma V / S ?
They are French.	Are they French?

3. Les deux types de questions en anglais

Il existe deux types de phrases interrogatives en anglais : les "Yes /No questions" et les "Wh questions".

a) Les "Yes / No questions"

Souvent appelées « questions fermées », ce sont les questions auxquelles on répond par « oui » ou par « non », d'où le nom de "Yes / No questions" en anglais.

En français, ce sont toutes les questions qui peuvent commencer par « Est-ce que... ? »

Ex. : **Est-ce que** Paul est parti ? *Has Paul left?*

Dans cet exemple, la réponse sera affirmative ou négative ; la question s'interprète de la façon suivante : « *Est-ce que Paul est, oui ou non, parti ?* »

Toutes les questions des pages 188 à 190 sont des "Yes / No questions" ; en effet, elles appellent toutes une réponse en « oui » ou « non ».

1) Are they cooking breakfast?	Yes, they are. / No, they aren't.
2) Has there been an accident?	Yes, there has. / No, there hasn't.
3) Were they reading when I arrived?	Yes, they were. / No, they weren't.
4) Will it rain tomorrow?	Yes, it will. / No, it won't.
5) Can he swim very well?	Yes, he can. / No, he can't.
6) Do you like tea?	Yes, I do. / No, I don't.
7) Does John like tea?	Yes, he does. / No, he doesn't.
8) Did they drink tea yesterday?	Yes, they did. / No, they didn't.
9) Are they French?	Yes, they are. / No, they aren't.

On notera qu'il est préférable, en anglais, de ne pas répondre à ces questions par "Yes" ou "No" mais par ce que l'on appelle, en anglais, des "short answers" (littéralement, des « réponses courtes »).
Pour ce faire, il suffit de reprendre, dans la réponse, le sujet et l'auxiliaire, à la forme affirmative ou négative selon le cas.
On notera également que l'auxiliaire, dans les "short answers" ou « réponses courtes » affirmatives, n'est jamais contracté (on ne peut pas dire "Yes, they're").

Enfin, on retiendra que l'intonation des "Yes / No questions" est ascendante (montante).

b) Les "Wh questions"
Souvent appelées « questions ouvertes », ce sont les questions qui sont introduites par des mots interrogatifs qui commencent tous par les lettres "Wh", comme leur nom l'indique en anglais.
"How" et ses composés, "How much", "How many"…, s'ils ne commencent pas par les lettres "Wh", font partie des mots interrogatifs en "Wh".

Le choix du mot interrogatif de départ dépend de ce sur quoi porte la question.
Contrairement aux "Yes / No questions", les "Wh questions" appellent une réponse qui apporte une information telle que le lieu, le temps, la distance, etc.
Il existe un grand nombre de mots interrogatifs en "Wh" ; la liste qui suit n'est pas exhaustive mais rassemble les principaux mots interrogatifs en "Wh" et en "How".

Mots interrogatifs en "Wh"

La question porte sur

- une personne : Who
  Who did you see yesterday?   *Qui as-tu (avez-vous) vu hier ?*

- une chose, une activité, un événement : What
  What is it?   *Qu'est-ce que c'est ?*
  What are you doing?   *Qu'est-ce que tu fais (vous faites) ?*
  What did they hear?   *Qu'est-ce qu'ils (elles) ont entendu ?*

- l'aspect, l'apparence : Who... like? What... like?
  Who is she like?   *À qui ressemble-t-elle ?*
  What is she like?   *Comment est-elle ?*

- le possesseur : Whose
  Whose car is it?   *À qui est cette voiture ?*

- le choix, une sélection : Which
  Which song do you like best? *Quelle chanson préfères-tu (préférez-vous) ?*

- la cause :
  1) la raison : Why
  Why are they late?   *Pourquoi sont-ils (elles) en retard ?*
  2) le but : What for?
  What are you doing this for? *Pourquoi fais-tu (faites-vous) cela ?*

- le moment : When
  When did he arrive?   *Quand est-il arrivé ?*

- l'heure : What time
  What time does the train leave? *À quelle heure part le train ?*

- le lieu : Where
  Where is she going?   *Où va-t-elle ?*

"HOW" ET SES COMPOSÉS

La question porte sur

- l'état, la manière : How
  How are you?   *Comment vas-tu (allez-vous) ?*
  How did the accident happen? *Comment l'accident est-il arrivé ?*

- la durée : How long
  How long has she lived there? *Combien de temps a-t-elle vécu là-bas ?*

- la longueur : How long
  How long is this table?   *Quelle est la longueur de cette table ?*

- la quantité : How much (+ nom indénombrable)
  How much money have they got? *Combien d'argent ont-ils (elles) ?*

192

- le nombre : How many (+ nom dénombrable pluriel)
  How many sisters and brothers have you got?
  Combien de frères et sœurs as-tu (avez-vous) ?

- l'âge : How old
  How old is your father?   *Quel âge a ton (votre) père ?*

- la distance : How far
  How far is the station?   *À quelle distance est la gare ?*

- la taille : How tall
  How tall are you?   *Combien mesures-tu (mesurez-vous) ?*

- la dimension : How big
  How big is the room?   *Quelle est la taille de la pièce ?*

- le poids : How heavy
  How heavy is this case?   *Combien pèse cette valise ?*

- la hauteur : How high
  How high is the wall?   *Quelle est la hauteur du mur ?*

- la largeur : How wide
  How wide is this table?   *Quelle est la largeur de cette table ?*

- la profondeur : How deep
  How deep is the river Thames?   *Quelle est la profondeur de la Tamise ?*

- la superficie : How large
  How large is this garden?   *Quelle est la superficie de ce jardin ?*

- la fréquence : How often
  How often does she see him?   *À quelle fréquence le voit-elle ?*

Le schéma « How + adjectif ou adverbe » permet de poser de nombreuses questions.
Il existe, en plus des exemples précédents, d'autres possibilités sur ce schéma ("How soon...", "How long ago...", "How come...", etc.).

Cas particulier de "who" et "what" sujets :
Il est des cas où "who" et "what" sont sujets dans une question.
L'ordre des mots, dans ce cas, n'est pas celui de l'interrogation (A / S / V ? ou V / S ?), mais celui des phrases affirmatives.

Comparez :

Phrases interrogatives :

Who	comes	tomorrow?	What	happened	yesterday?
sujet	verbe	complément ?	sujet	verbe	complément ?

Qui vient demain ? *Que s'est-il passé hier ?*

Phrases affirmatives :

Alice	comes	tomorrow.	Nothing	happened	yesterday.
sujet	verbe	complément.	sujet	verbe	complément.

Alice vient demain. *Il ne s'est rien passé hier.*

Quand "who" et "what" sont sujets dans une question, l'ordre des mots est le même que dans les phrases affirmatives ; seule la ponctuation change.

On retiendra, enfin, que l'intonation dans les "Wh questions" est descendante.

4. La forme interro-négative

La phrase interro-négative est une phrase interrogative qui comporte une négation.

Cette forme est courante en anglais.

Pour la construire, on part de la phrase négative contractée que l'on transforme en question.

Exemples :

Phrases négatives	Phrases interro-négatives
They aren't French. *Ils (Elles) ne sont pas français(es).*	Aren't they French? *Ne sont-ils (elles) pas français(es) ?*
John doesn't like tea. *John n'aime pas le thé.*	Doesn't he like tea? *N'aime-t-il pas le thé ?*
He can't swim very well. *Il ne sait pas très bien nager.*	Can't he swim very well? *Ne sait-il pas très bien nager ?*
They aren't cooking breakfast. *Ils (Elles) ne sont pas en train de préparer le petit déjeuner.*	Aren't they cooking breakfast? *Ne sont-ils (elles) pas en train de préparer le petit déjeuner ?*
It won't rain tomorrow. *Il ne pleuvra pas demain.*	Won't it rain tomorrow? *Ne pleuvra-t-il pas demain ?*

Les phrases interro-négatives ci-dessus sont toutes des "Yes / No questions" interro-négatives.

Exemples de "Wh questions" interro-négatives :

Why can't you help me?
Pourquoi ne peux-tu (ne pouvez-vous) pas m'aider?

Where didn't she go last year?
Où n'est-elle pas allée l'année dernière ?

Remarque :

"Am" et "not" ne peuvent pas se contracter à la forme interro-négative. On dira donc dans une phrase interro-négative : "Am I not in England?" (« *Ne suis-je pas en Angleterre ? »*)
On trouve toutefois, en anglais familier, "Aren't I... ?" et plus familièrement "Ain't I... ?" pour "Am I not... ?".

4) LA PHRASE EXCLAMATIVE

Il existe plusieurs types de phrases exclamatives.
L'exclamation peut porter sur un **nom**, sur un **adjectif**, sur un **adverbe** ou encore sur **un verbe**.

1. L'exclamation porte sur un nom

Dans ce cas, on utilise "what" ou "such".

Ex. : What a lovely day!	*Quelle belle journée !*
This is such a lovely day!	*C'est une si belle journée !*
What an awful tragedy!	*Quelle affreuse tragédie !*
This is such an awful tragedy!	*C'est une tragédie si affreuse !*
What beautiful shoes!	*Quelles belles chaussures !*
They're such beautiful shoes!	*Ce sont de si belles chaussures !*

On notera la présence indispensable de l'article "a" devant une consonne et "an" devant une voyelle quand le nom sur lequel porte l'exclamation est un **dénombrable singulier** (ex. : day, tragedy...), par opposition à un **dénombrable pluriel** (ex. : shoes...) ou à un **indénombrable** (ex. : hair, milk, sugar...). (cf. p. 146)

2) L'exclamation porte sur un adjectif, un adverbe ou un verbe

Dans ce cas, on utilise "how" ou "so".

Ex. : **How** nice of you to come!   *Que c'est gentil à vous (toi) de venir !*
It's **so** nice of you to come!   *C'est si gentil à vous (toi) de venir !*

How silly!   *Que c'est bête !*
It's **so** silly!   *C'est si bête !*

How fast he runs!   *Comme il court vite !*
He's **so** fast!   *Il court si vite !*

How I love you!   *Comme je t'aime (vous aime) !*
I love you **so** much!   *Je t'aime (vous aime) tant !*

⚠ Attention, il ne faut pas confondre : "**How tall he is!**" (« *Comme il est grand !* ») et "**How tall is he?**" (« *Combien mesure-t-il ?* »). L'ordre des mots est toujours très important.

5) LA PHRASE À LA VOIX PASSIVE

Le passif est beaucoup plus courant en anglais qu'en français.

1. Emploi et formation du passif

• À la voix passive, le COD occupe la place de sujet.
  Le COD, devenu sujet à la voix passive, est placé en **première position** dans la phrase.

Exemple 1 :
phrase active :   Mrs White has cleaned the house.
                   sujet   complément (COD)
                   Mme White a nettoyé la maison.

Exemple 2 :
phrase passive : The house has been cleaned by Mrs White.
                 sujet   complément d'agent
                 La maison a été nettoyée par Mme White.

Dans la phrase passive ci-dessus (ex. 2), ce n'est plus la personne qui a nettoyé la maison qui nous intéresse, mais le fait que la maison ait été nettoyée.
Le COD, "the house", est devenu sujet dans la phrase passive.

• L'emploi du passif indique que l'on attache plus d'importance à l'action elle-même qu'à la personne qui l'a accomplie.

D'ailleurs, le complément d'agent, introduit par "by" ("by Mrs White"), n'est pas toujours mentionné.

On aurait pu dire aussi : "The house has been cleaned."

En effet, on ne mentionne le complément d'agent que si celui-ci a une importance particulière.

Ex. : He was treated **by the best doctor.**

Il a été soigné par le meilleur médecin.

• Grammaticalement, le passif se forme à l'aide de l'auxiliaire "be" et du participe passé du verbe lexical (be + participe passé).

On peut utiliser le passif à tous les temps.

Pour conjuguer le passif, il suffit de conjuguer l'auxiliaire "be" au temps demandé :

• au présent simple :
The house **is built.**　　　　*La maison est construite.*

• au présent continu (be + ing) :
The house **is being built.**　　*La maison est en construction.*

• au futur :
The house **will be built.**　　*La maison sera construite.*

• au prétérit simple :
The house **was built.**　　　*La maison a été construite.*

• au prétérit continu (be + ing) :
The house **was being built.**　*On construisait la maison.*

• au present perfect :
The house **has just been built.** *La maison vient juste d'être construite.*

• au past perfect :
The house **had been built.**　　*On avait construit la maison.*

On peut aussi combiner **les auxiliaires de modalité et le passif** pour exprimer par exemple :

• La possibilité :
The house **can be built.**　　*On peut construire la maison.*

• L'impossibilité :
The house **can't be built.**　*On ne peut pas construire la maison.*

- L'obligation :
  The house **must be built**.   *Il faut construire la maison.*

- L'interdiction :
  The house **mustn't be built**.   *Il ne faut pas construire la maison.*

- L'éventualité :
  The house **may be built**.   *Il se peut que la maison soit construite.*

- La permission :
  The house **may be built**.   *On peut construire la maison.*

- Le conseil :
  The house **should be built**.   *Il faudrait construire la maison.*

Les deux éléments indispensables au passif et communs aux exemples ci-dessus sont : l'auxiliaire "be" et le participe passé du verbe lexical.

- Quand le verbe, à la voix active, est suivi d'une particule ou d'une préposition, **la particule ou la préposition sont maintenues, à la voix passive, à la droite du verbe.**

  Phrase active Someone will take care **of** the children. (verbe à pré-position : to take care of)
  Quelqu'un s'occupera des enfants.

  Phrase passive The children will be taken care **of**. (la préposition "of" est maintenue, à la droite du verbe)
  On s'occupera des enfants.

2. Les verbes à deux compléments

En anglais, certains verbes peuvent être suivis de **deux compléments** : un **complément d'objet direct** (COD, « quoi ? ») et un **complément d'objet indirect** (COI, « à qui ? »), appelé aussi complément d'attribu-tion.

En anglais, ces verbes donnent lieu à **deux phrases actives** :
  Ex. : The boys **gave a present to their teacher**.
      Les garçons ont donné un cadeau à leur professeur.
ou
      The boys **gave their teacher a present**.
      Les garçons ont donné à leur professeur un cadeau.

- On peut transformer ces deux phrases actives en phrases passives si l'on veut **donner de l'importance au COD ou au COI** et les mettre en première position dans la phrase.

Cette transformation donne lieu à **deux phrases passives** ; dans la première, le COD est devenu sujet, dans la deuxième, c'est le COI qui devient sujet :

> **A present was given to the teacher** (by the boys).
> Le COD est devenu sujet.
> *On a donné un cadeau au professeur.*

ou

> **The teacher was given a present** (by the boys).
> Le COI est devenu sujet et, dans ce cas, on ne peut pas traduire en français le complément d'agent (by the boys).
> *On a donné au professeur un cadeau.*

On utilise souvent en anglais des phrases passives qui ont pour sujet le COI (ex. : The teacher was given a present.).

De telles constructions n'existent pas en français, c'est pourquoi on utilise « *on* » en français.

• Les verbes à deux compléments les plus courants en anglais sont :

Give   To give somebody something / To give something to somebody
        donner quelque chose à quelqu'un

Bring   To bring somebody something / To bring something to some-
        body
        apporter quelque chose à quelqu'un

Show   To show somebody something / To show something to some-
        body
        montrer quelque chose à quelqu'un

Teach   To teach somebody something / To teach something to some-
        body
        enseigner quelque chose à quelqu'un

Tell   To tell somebody something / To tell something to somebody
        dire quelque chose à quelqu'un

Promise To promise somebody something / To promise something to
        somebody
        promettre quelque chose à quelqu'un

Offer   To offer somebody something / To offer something to somebody
        offrir quelque chose à quelqu'un

Ask   To ask somebody something / To ask something to somebody
        demander quelque chose à quelqu'un

Send   To send somebody something / To send something to some-
        body
        envoyer quelque chose à quelqu'un
Lend   To lend somebody something / To lend something to somebody
        prêter quelque chose à quelqu'un

  Ex. : **She is sent** a letter every day.
        On lui envoie une lettre tous les jours.

        He was given a job.
        On lui a donné un emploi.

        The minister **will be asked** many questions.
        On posera beaucoup de questions au ministre.

6) LA PHRASE À L'IMPÉRATIF

La forme impérative sert, comme en français, à exprimer des choses
différentes :

– **des ordres** Go away! *Va-t'en ! / Allez-vous-en !*
– **des offres** Have a cup of tea! *Prends (Prenez) une tasse de thé !*
– **des suggestions** Let's dance! *Allez, dansons !*
– **des requêtes** Let me try again! *Laisse-moi (Laissez-moi) essayer
encore !*

1. Les formes de l'impératif

a) À la 2ᵉ personne du singulier et du pluriel

• À la forme affirmative, on utilise

la base verbale*

  Ex. : **Go** away!   *Va-t'en ! / Allez-vous-en !*
        Keep quiet!   *Tais-toi ! / Taisez-vous !*
        Be a good girl!   *Sois sage !*
        Be good girls!   *Soyez sages, les filles !*
        Take a seat!   *Prends (Prenez) un siège !*

* On parle de **base verbale** quand le verbe n'est pas conjugué ou ne
porte aucune marque de temps ni marqueur grammatical quelconque.

- À la forme négative, on utilise

> Don't + la base verbale

Ex. : **Don't go** away!   *Ne pars pas ! / Ne partez pas !*
      Don't tell John!   *Ne le dis (dites) pas à John !*
      Don't be so envious! *Ne sois (soyez) pas si jaloux (jalouse[s]) !*

b) À la 1re personne du pluriel

- À la forme affirmative, on utilise

> Let's (let us) + la base verbale

Ex. : **Let's dance!**   *Dansons !*
      Let's go!   *Allons-y !*
      Let's take a taxi! *Prenons un taxi !*

- À la forme négative, on utilise

> Let's not + la base verbale

ou

> Don't let's + la base verbale

Ex. : **Let's not play** cards!   *Ne jouons pas aux cartes !*
      Don't let's play cards!

      Let's not shout!   *Ne crions pas !*
      Don't let's shout!

c) À la 3e personne du singulier et du pluriel

- À la forme affirmative, on utilise

> Let + un pronom complément (him, her, them) + la base verbale

Ex. : **Let him go!**   *Qu'il parte !*
      Let her try again!   *Qu'elle essaie à nouveau !*
      Let them play!   *Qu'ils (Qu'elles) jouent !*

- À la forme négative, on utilise

> Don't let + un pronom complément (him, her, them)
> + la base verbale

Ex. : **Don't let him go!**   *Qu'il ne parte pas !*
      Don't let her try again!   *Qu'elle n'essaie pas à nouveau !*
      Don't let them play!   *Qu'ils (Qu'elles) ne jouent pas !*

2. L'impératif + « tag »

Une phrase à l'impératif peut être suivie d'un « tag » qui va ajouter à la phrase soit une nuance d'autorité, soit une nuance de persuasion.
Dans les deux cas, ce « tag » sera "will you", ou "shall we" à la 1re pers. du pluriel.

- **Tags d'autorité :**

  Don't go away, will you!   *Ne pars pas, veux-tu ! / Ne partez pas, voulez-vous !*

  Let him go, will you!   *Laisse-le partir, veux-tu ! / Laissez-le partir, voulez-vous !*

- **Tags de persuasion :**

  Don't go away, will you?   *Allez, ne pars pas, je t'en prie ! / Allez, ne partez pas, je vous en prie !*

  Let's dance, shall we?   *Allez, on danse, oui ?*

À l'oral, l'intonation d'un tag d'autorité sera descendante, celle d'un tag de persuasion, ascendante.
À l'écrit, un tag d'autorité sera suivi d'un point d'exclamation, un tag de persuasion, d'un point d'interrogation.

3) L'impératif emphatique

L'impératif peut aussi être précédé de "do" pour insister ou **persuader**.
On peut l'utiliser à toutes les personnes mais c'est à la 2e personne qu'il est le plus courant.
Il s'agit de l'**impératif emphatique** qui sert à marquer plus d'insistance.

Ex. : **Do** try and understand. *Essaie / Essayez donc de comprendre.*

Do come if you can.   *Viens, je t'en prie, si tu le peux. / Venez, je vous en prie, si vous le pouvez.*

7) LA PHRASE EMPHATIQUE

L'emphase n'apporte aucune information nouvelle, elle permet d'insister sur un élément particulier dans le but de confirmer ou de contredire ce qui vient d'être dit ou sous-entendu.
Elle s'exprime de plusieurs façons, à l'oral comme à l'écrit.

1. À l'oral

On accentue le mot qui porte l'emphase.
On le met en relief en l'accentuant, c'est-à-dire, en insistant sur ce mot.
L'accent emphatique peut être porté par différents types de mot dans la phrase (le sujet, le verbe, le complément...).
Selon le mot que l'on choisit d'accentuer – sur lequel on fait porter l'emphase –, la phrase prend un sens différent.

Phrase de départ :
John always wears a tie. *John porte toujours une cravate.*

Observez :
- John **always** wears a tie. *C'est **John** qui porte toujours une cravate* (et non Paul, par exemple).
- John **always** wears a tie. *John porte **toujours*** (et non parfois, par exemple) *une cravate.*
- John always wears **a** tie. *John porte toujours **une cravate*** (et non un nœud papillon, par exemple).

Dans ces exemples, l'emphase ajoute à chaque fois du sens à la phrase et **confirme** ce qui vient d'être dit ou le **contredit**.

2. À l'écrit

- Dans un texte manuscrit, on marque l'emphase en **soulignant** le mot que l'on veut accentuer, mettre en relief.
  Ex. : A – "Does she like him?"   – « *Est-ce qu'elle l'apprécie ?* »
        B – "She <u>loves</u> him."   – « *Elle <u>l'aime</u>.* »

- Dans un texte imprimé, on utilise l'italique :
        B – "She *loves* him."

Dans cet exemple, l'emphase sert à ajouter un degré d'intensité à ce qui vient d'être dit. "Love" est bien sûr plus fort que "like".

Autre exemple :
      A – "He's nice, isn't he?"   – « *Il est gentil, non ?* »
      B – "Nice? He's *horrible*!"   – « *Gentil ? Il est **horrible** !* »

Dans cet exemple, B n'est pas d'accord avec A, il pense même le contraire.
L'emphase sert ici à exprimer le contraste.
B contredit ce qui vient d'être dit en insistant sur l'adjectif *"horrible"*.

3. Les auxiliaires et l'emphase

• Quand l'emphase porte sur un auxiliaire, l'auxiliaire ne peut pas être contracté.

Ex. : She *has* got a sister!   *Elle a bien une sœur !* (l'emphase confirme)
                                  Elle a une sœur, je t'assure ! (l'emphase contredit)

He *will* divorce her!   *Il va bien divorcer !*
                                  Il va divorcer, je t'assure !

I *can* drive!   *Mais si, je sais conduire !*

• Quand l'emphase porte sur un verbe et qu'il n'y a pas d'auxiliaire dans la phrase, on fait appel aux auxiliaires "do-does-did".
Le présent simple et le prétérit simple ne font habituellement pas apparaître d'auxiliaire à la forme affirmative.
Pourtant, les auxiliaires **"do"** (présent simple), **"does"** (présent simple, 3e personne du singulier) et **"did"** (prétérit simple) **peuvent exister dans des phrases affirmatives pour exprimer l'emphase.**

Ex. : I *do* believe you.   *Je t'assure que je te crois./Je vous assure que je vous crois.* (l'emphase confirme)
                                  Mais si, je te (vous) crois. (l'emphase contredit)

He *does* want to work. *Il veut vraiment travailler.*
                                  Mais si, il veut travailler.

She *did* lose her job.   *Elle a vraiment perdu son travail.*
                                  Mais si, elle a perdu son travail.

L'énoncé affirmatif en "do, does, did" n'apporte aucune information nouvelle ; c'est un énoncé emphatique qui permet de confirmer ou de contredire ce qui vient d'être dit ou sous-entendu.

8) LES PHRASES RÉDUITES
(« TAGS » ET AUTRES REPRISES PAR L'AUXILIAIRE)

Observons ces phrases :

• Réponses courtes ("short answers") :
"Does she teach Latin and Greek?" "Yes, she does."
« Est-ce qu'elle enseigne le latin et le grec ? » « Oui. »

2. La phrase : les phrases réduites

- « Tags » interrogatifs ("question tags") :
  "She's an excellent teacher, isn't she?"
  « Elle est un excellent professeur, n'est-ce pas ? »

- « Tags » de surprise :
  "She likes swimming." "Does she?"
  « Elle aime la natation. » « Vraiment ? »

- « Tags » de conformité pouvant exprimer un accord ou une identité de goût, d'action, d'état...
  "She loves babies." "So do I."
  « Elle adore les bébés. » « Moi aussi. »
  "She cannot count very well." "Neither can I."
  « Elle ne sait pas très bien compter. » « Moi non plus. »

- « Tags » de non-conformité pouvant exprimer un désaccord ou une différence de goût, d'action, d'état...
  "She's a lenient woman." "I'm not."
  « C'est une femme indulgente. » « Moi pas. »
  "I'm thirty." "She isn't yet."
  « J'ai trente ans. » « Elle, pas encore. »

On constate, dans chacune de ces phrases, une reprise de l'auxiliaire ("does", "isn't", "do"...).
Ces reprises par l'auxiliaire sont très courantes en anglais ; il faut bien comprendre leur fonctionnement et les utiliser le plus souvent possible.

1. Les réponses courtes

Il faut éviter de répondre en anglais par un simple "Yes" ou "No".
Il est préférable d'utiliser ce que l'on appelle en anglais les "short answers", les réponses courtes.
Une réponse courte se construit sur le **modèle** suivant :

Équivalent de « oui » en français :

Yes, + pronom personnel sujet + auxiliaire

Équivalent de « non » en français :

No, + pronom personnel sujet + auxiliaire + not / n't

L'auxiliaire utilisé est celui qui apparaît dans la question qui précède la réponse courte ; il varie donc selon les questions.

205

Ex. : "Can you swim?" "Yes, I can. / No, I can't."
« Sais-tu (savez-vous) nager ? » « Oui. / Non. »
"Does he love her?" "Yes, he does. / No, he doesn't."
« Est-ce qu'il l'aime ? » « Oui. / Non. »
"Are they going to get married?" "Yes, they are. / No, they aren't."
« Vont-ils se marier ? » « Oui. / Non. »

⚠ Attention ! On ne peut pas contracter l'auxiliaire dans les réponses courtes affirmatives (on ne peut pas dire : "Yes, they're", par exemple).

2. Les « tags » interrogatifs
("question tags" en anglais)

Lorsque l'on veut obtenir **la confirmation d'une information** auprès de quelqu'un, on peut ajouter un **"question tag"** à la fin de sa phrase.
Ex. : She is working, isn't she?
Elle travaille, n'est-ce pas ? / hein ? / pas vrai ?

Le "question tag", de par sa forme, transforme la phrase en question mais, à la différence d'une « vraie » question, l'énonciateur est quasiment sûr de ce qu'il dit et attend **une confirmation** et non une « vraie » réponse.

La phrase produite à l'aide d'un "question tag" est entre l'affirmation et la question.

Un "question tag" se construit sur le **modèle** suivant (deux cas de figure) :

a) La phrase de départ est affirmative, le tag sera alors négatif

Phrase affirmative, + auxiliaire + n't + pronom personnel sujet ?

Ex. : She has got a new bike, hasn't she?
Elle a un nouveau vélo, non ? / hein ? / n'est-ce pas ?...
He plays football, doesn't* he?
Il joue au football, hein ? / non ?...
They went to Japan last year, didn't* they?
Ils (Elles) sont allé(e)s au Japon l'année dernière, n'est-ce pas ?

*⚠ Attention ! Dans les phrases affirmatives au présent simple et au prétérit simple, l'auxiliaire n'est pas visible ; il faut donc faire appel aux auxiliaires "do, does et did".

b) La phrase de départ est négative, le tag sera alors positif

Phrase négative, + auxiliaire + pronom personnel sujet ?

Ex. : He **wasn't** watching TV yesterday at 9, **was he?**
Il ne regardait pas la télévision hier à 9 heures, si ? / hein ?...
She **didn't** hear the news, **did she?**
Elle n'a pas entendu les actualités, hein ? / n'est-ce pas ?...
He's never* smoked, **has he?**
Il n'a jamais fumé, n'est-ce pas ?

* L'adverbe "never" (ne... jamais) est une négation dans une phrase.

Un "question tag" correspond en français à « n'est-ce pas ? », « (c'est) pas vrai ? », « hein ? », « non ? / si ? », selon le contexte et le niveau de langue.
L'usage des "question tags" est bien plus important en anglais qu'en français.

3. Les « tags » de surprise

Un « tag » peut aussi servir à marquer son étonnement, sa surprise. Dans ce cas, le « tag » correspond en français à des expressions telles que « Ah bon ? », « Tiens ? », « Vraiment ? ».

a) La phrase de départ est affirmative, le tag sera affirmatif aussi

Phrase affirmative	Tag positif
He's crazy about aikido.	Is he?
Il est passionné d'aïkido.	*Vraiment ?*
He trains five times a week.	Does he?
Il s'entraîne cinq fois par semaine.	*Ah bon ?*

b) La phrase de départ est négative, le tag sera négatif aussi

Phrase négative	Tag négatif
He wasn't born in France.	Wasn't he?
Il n'est pas né en France.	*Vraiment ?*
He hasn't found the ideal woman yet.	Hasn't he?
Il n'a pas encore trouvé la femme idéale.	*Tiens ?*

4) Les « tags » de conformité (dans les constructions avec "so / too" et "neither / either")

Pour exprimer un accord ou une identité de goût, d'état, d'action, l'anglais a encore recours à des phrases réduites, à des « tags », que l'on appelle souvent « tags de conformité » (ex. : *moi aussi, moi non plus...*).

a) La phrase de départ est affirmative

Phrase de départ affirmative	Construction avec "so" ou avec "too"	
She has got a car.	So has John.	John has too.
Elle a une voiture.	*John aussi*	
Sue is on holiday in Brighton	So are Alice and Sally.	A. and Sally are too.
Sue est en vacances à Brighton.	*Alice et Sally aussi.*	
I can drive.	So can Paul.	Paul can too.
Je sais conduire.	*Paul aussi.*	
He likes tea*.	So do I.	I do too.
Il aime le thé.	*Moi aussi.*	
They loved the film*.	So did we.	We did too.
Ils (Elles) ont aimé le film.	*Nous aussi.*	

* Dans les phrases affirmatives au présent simple et au prétérit simple, l'auxiliaire n'apparaît pas, il faut donc faire appel aux auxiliaires "do, does, did".

b) La phrase de départ est négative

Phrase de départ négative	Construction avec "neither" ou avec "either"	
She hasn't got a car.	Neither has John.	John hasn't either.
Elle n'a pas de voiture.	*John non plus.*	
Sue isn't on holiday in Brighton.	Neither are Alice and Sally.	A. and S. aren't either.
Sue n'est pas en vacances à Brighton.	*Alice et Sally non plus.*	
I can't drive.	Neither can Paul.	Paul can't either.
Je ne sais pas conduire.	*Paul non plus.*	
He doesn't like tea.	Neither do I.	I don't either.
Il n'aime pas le thé.	*Moi non plus.*	
They didn't like the film.	Neither did we.	We didn't either.
Ils (Elles) n'ont pas aimé le film.	*Nous non plus.*	

5. Les « tags » de non-conformité

Certaines reprises par auxiliaire servent à exprimer un **désaccord** ou une différence de goût, d'action, d'état. On appelle souvent ces reprises par auxiliaire des « **tags de non-conformité** » (ex. : *moi si, moi non, elle si, elle non...*).

a) La phrase de départ est affirmative

Phrase affirmative	Tag négatif
John is working.	Bill isn't.
John est en train de travailler.	*Bill non. / Mais Bill non.*
His parents **have** got a big car.	Mine haven't.
Ses parents ont une grosse voiture.	*Les miens non.*
He speaks Portuguese.	I don't.
Il parle portugais.	*Moi non.*
They stayed at home.	We didn't.
Ils (Elles) sont resté(e)s à la maison.	*Nous non.*

b) La phrase de départ est négative

Phrase négative	Tag positif
John isn't working.	Bill is.
John n'est pas en train de travailler.	*Bill si. / Mais Bill si.*
His parents **haven't** got a big car.	Mine have.
Ses parents n'ont pas de grosse voiture.	*Les miens si.*
I **don't** speak Portuguese.	He does.
Je ne parle pas portugais.	*Lui si.*
They **didn't** stay at home.	We did.
Ils (Elles) ne sont pas resté(e)s à la maison.	*Nous si.*

Dans toutes ces constructions avec reprise de l'auxiliaire, n'oubliez pas d'accorder, dans la reprise, l'auxiliaire avec le sujet.

9) TRANSFORMATIONS DE LA PHRASE AU STYLE INDIRECT

Le style direct permet de rapporter directement les paroles de quelqu'un entre guillemets. Les paroles de celui qui parle sont exactement reproduites.

Ex. : "I won't come," he said.   « *Je ne viendrai pas* », dit-il.

• Le style indirect permet de rapporter indirectement les paroles de quelqu'un.

Les guillemets disparaissent au style indirect et la phrase commence donc par un verbe du type : "say" (« dire »), "tell" (« dire »), "answer" (« répondre »), "ask" (« demander »)...

Style direct :   "I'm hungry," said Sally.   "I won't come," he said.

               « J'ai faim », dit Sally.   *« Je ne viendrai pas », dit-il.*

Style indirect : Sally said she was hungry. He said he wouldn't come.

               Sally dit qu'elle avait faim. *Il dit qu'il ne viendrait pas.*

1. Transformations au style indirect

Le fait de rapporter des paroles au style indirect entraîne une série de transformations qui concernent les formes verbales, les pronoms, les repères de lieu et de temps.

a) *Modification des formes verbales*

Tout d'abord, au discours indirect, il faut faire concorder le temps du verbe de la proposition principale (say, tell, answer...) avec le temps du verbe de la proposition subordonnée (propos rapportés).

Discours direct :

   "I'm happy," he says.   *« Je suis heureux », dit-il.* (présent)

Discours indirect :

   He says he is happy. (Les deux verbes sont au présent, ils concordent.)

   Il dit qu'il est heureux.

Discours direct :

   "I'm happy," he said.   *« Je suis heureux », dit-il.* (passé simple)

Discours indirect :

   He said he was happy. (Les deux verbes sont au prétérit, ils concordent)

   Il a dit qu'il était heureux.

Si le verbe de la principale (say, tell...) est au passé, le verbe de la subordonnée doit l'être aussi pour que les deux verbes concordent.

Pour connaître le temps du verbe de la subordonnée au discours indirect, il faut savoir qu'il faut, à chaque fois, ajouter une marque du passé à ce verbe selon le tableau suivant :

2. La phrase : transformations de la phrase au style indirect

Style direct	Style indirect
présent simple	prétérit
am	was
is	was
are	were
was / were	had been
has / have	had
will	would
can	could
must	must*
shall	should

* must, n'ayant pas de passé, ne change pas.

Ex. :

Style direct	Style indirect
"I love you," she said.	She said she **loved** him.
présent simple	prétérit
« Je t'aime », dit-elle.	*Elle a dit qu'elle l'aimait.*
"I am tired," she said.	She said she **was** tired.
« Je suis fatiguée », dit-elle.	*Elle a dit qu'elle était fatiguée.*
"I was busy," she said.	She said she **had been** busy.
« J'étais occupée », dit-elle.	*Elle a dit qu'elle avait été occupée.*
"I will come," she said.	She said she **would** come.
« Je viendrai », dit-elle.	*Elle a dit qu'elle viendrait.*

Remarque :

Il arrive que l'on maintienne le prétérit dans le passage du discours direct au discours indirect (au lieu de le remplacer par du past perfect) :
— lorsque l'énoncé décrit une habitude :
   Ex. : "He never **saw** her **in those days**," he said.
      « Il ne la voyait jamais à cette époque », dit-il.
      He said that he never **saw** her **in those days**.
      Il a dit qu'il ne la voyait jamais à cette époque.

— avec les verbes d'état (*être, sembler, devenir...*) et dans les subordonnées en "when" :
   Ex. : "It **was** too late **when** she **got** there," said John.
      « Il était trop tard quand elle arriva », dit John.
      John said that it **was** too late **when** she **got** there.
      John a dit qu'il était trop tard quand elle arriva.

b) *Modification des pronoms personnels sujets et réfléchis et des adjectifs et pronoms possessifs*

	Style direct	Style indirect
Pronoms personnels sujets	I you we	he ou she I ou we they
Pronoms réfléchis	myself yourself yourselves ourselves	himself ou herself myself ourselves themselves
Adjectifs possessifs	my your our	his ou her my ou our their
Pronoms possessifs	mine yours ours	his ou hers mine ou ours theirs

Ex. : "We are repairing our car ourselves," they said.
« Nous réparons notre voiture nous-mêmes », dirent-ils (elles).
They said that they were repairing their car themselves.
Ils (Elles) dirent qu'ils (elles) réparaient leur voiture eux-mêmes (elles-mêmes).

He said, "If I were you, I would go and ask the policeman."
Il a dit : « À ta (votre) place, j'irais demander à l'agent de police. »
He said that if he were me, he would go and ask the policeman.
Il a dit qu'à ma place, il irait demander à l'agent de police.

2. La phrase : transformations de la phrase au style indirect

c) *Modification des repères de lieu et de temps (les plus courants)*

Style direct	Style indirect
This	that
Ce, cet(te), ceci	*ce, cet(te), cela*
These	those
Ces, ceux-ci, celles-ci	*ces, ceux-là, celles-là*
Here	there
Ici	*là*
Today	that day
Aujourd'hui	*ce jour-là*
Tomorrow	the next day, the following day, the day after
Demain	*le lendemain, le jour suivant, le jour d'après*
The day after tomorrow	two days later
Après-demain	*deux jours plus tard, le surlendemain*
Next Tuesday, next week...	the following Tuesday / week...
Mardi prochain, la semaine prochaine...	*le mardi suivant, la semaine suivante...*
Yesterday	the day before, the previous day
Hier	*la veille, le jour précédent*
Yesterday night	the night before, the previous night...
Hier soir, la nuit dernière, cette nuit...	*la nuit d'avant, la nuit précédente...*
The day before yesterday	two days before
Avant-hier	*l'avant-veille, deux jours avant*
Last week, month...	the week before, the month before.../ the previous week, the previous month...
La semaine dernière, le mois dernier...	*la semaine précédente, le mois précédent...*
A year ago	a year before
Il y a un an	*un an auparavant*

Ex. : "I finished **yesterday**," he said.
« *J'ai fini hier* », *dit-il.*

He said that he had finished **the day before**.
Il dit qu'il avait fini la veille.

2. Verbes introducteurs du style indirect

Les verbes (les plus courants) qui servent à introduire du discours indirect :

- **To say / To tell :** *dire que*
  Ces deux verbes sont souvent suivis, au discours indirect, d'une proposition en "that", mais cette conjonction est souvent omise aussi.
  Ex. : "She's too young." « *Elle est trop jeune.* »

They **say** (that) she's too young.
Ils (Elles) disent qu'elle est trop jeune.
"It's really too late."   *« Il est vraiment trop tard. »*
They **told** me (that) it was too late.
Ils (Elles) m'ont dit qu'il était trop tard.

Remarque : "tell", contrairement à "say", est obligatoirement suivi d'un complément ("me", dans l'exemple ci-dessus) indiquant la personne à qui on s'adresse.

- To order / To tell : *ordonner (à qn de...), donner l'ordre (à qn de...)*
  Ex. : He said, "Stand up!"   *Il a dit : « Lève toi ! »*
      He **ordered** me to stand up. *Il m'a donné l'ordre de me lever.*
      He **told** me to stand up.

- To ask : *demander*
- To wonder : *se demander*
  Ex. : "Where is your mother?"
      « Où est ta / votre mère ? »
      She **asked** me where my mother was.
      Elle m'a demandé où était ma mère.
      "Is my mother in?"
      « Est-ce que ma mère est là ? »
      I **wondered** whether (or if) my mother was in.
      Je me suis demandé si ma mère était là.

- To advise : *conseiller*
  Ex. : "Why don't you try the red one?"
      « Pourquoi n'essaies-tu pas le rouge ? »
      He **advised** her (or him) to try the red one.
      Il lui a conseillé d'essayer le rouge.

- To blame for : *condamner, blâmer, réprimander*
- To reproach for : *reprocher*
  Ex. : "Why did you deceive me?" he said.
      « Pourquoi m'as-tu trompé ? » dit-il.
      He **blamed** her for deceiving him.
      Il la condamna pour l'avoir trompé.
      He **reproached** her for deceiving him.
      Il lui reprocha de l'avoir trompé.

- To apologize for : *s'excuser*
  Ex. : "I'm afraid I won't come," he said.
      « Je pense que je ne viendrai pas », dit-il en s'excusant.

2. La phrase : transformations de la phrase au style indirect

He **apologized** for not coming.
Il s'excusa de ne pas venir.

- **To offer :** *offrir de, proposer de*
    Ex. : "Shall I close the window?" he said.
    « Voulez-vous (Veux-tu) que je ferme la fenêtre ? » dit-il.
    He **offered** to close the window.
    Il proposa de fermer la fenêtre.

- **To suggest :** *suggérer, proposer*
    Ex. : He said, "How about to go to the cinema?"
    Il a dit : « Et si on allait au cinéma ? »
    He **suggested** to go to the cinema.
    Il suggéra d'aller au cinéma.

3. L'interrogation au style indirect

L'énonciateur utilise le verbe "to ask" (« *demander* ») :

a) Suivi de "if / whether" s'il s'agit d'une "Yes / No question" (dite « question fermée » : cf. p. 190)
    Ex. : "Are you working, Tom?" Lucy asks.
    « Est-ce que tu travailles (vous travaillez), Tom ? » demande Lucy.
    Lucy **asks** Tom **if** (or **whether**) he is working.
    Lucy demande à Tom s'il travaille.

b) Suivi d'un mot interrogatif en "wh" s'il s'agit d'une "wh-question" (dite « question ouverte » : cf. p. 191)
    Ex. : "Where do you work ?" she asks.
    « Où travailles-tu ? » demande-t-elle.
    She **asks** him **where** he works.
    Elle lui demande où il travaille.

    "Where do you think they are?" he asked.
    « Où penses-tu (pensez-vous) qu'ils (elles) soient ? » demanda-t-il.
    He **asked** me **where** I thought they were.
    Il me demanda où je pensais qu'ils (elles) étaient.

⚠ Attention, l'ordre des mots dans une question indirecte est celui de l'affirmation, et non celui de l'interrogation.
    Ex. : "When is my father arriving?" Jack wondered.
    « Quand mon père arrive-t-il ? » se demanda Jack.

Jack wondered when his father was arriving. (... wh- + sujet + verbe...)
Jack se demanda quand arrivait son père.

10) LES PROPOSITIONS SUBORDONNÉES

1. La proposition subordonnée relative

Une proposition relative est introduite par un pronom relatif (ex. : who, which, that, etc.). Se reporter p. 162 à 167, entièrement consacrées aux pronoms relatifs.

Ex. : The girl who is crossing the street is my best friend.
La fille qui traverse la rue est ma meilleure amie.

2. La proposition subordonnée infinitive*

Ce que l'on appelle en grammaire anglaise la proposition infinitive n'a pas d'équivalent en grammaire française. Seul un nombre restreint de verbes anglais admettent la proposition infinitive mais ces verbes sont très courants (ex. : to want / *vouloir* ; to ask / *demander* ; to expect / *s'attendre à* ; to tell / *dire* ; to advise / *conseiller*, etc.).

Ex. : Sandra wants me to help her. *Sandra veut que je l'aide.*

⚠ Attention ! Ne pas confondre la proposition infinitive avec la construction utilisée avec les verbes to make et to let, dans laquelle "to" n'apparaît pas.

Ex. : He made me wash his car. *Il m'a fait laver sa voiture.*

3. La proposition subordonnée complétive

La proposition subordonnée complétive complète le verbe de la principale. Elle peut être introduite par la conjonction that mais cette conjonction est souvent omise.

Ex. : They said (that) he was in danger.
Ils / Elles ont dit qu'il était en danger.

---

* Ce chapitre est largement développé dans la première partie, p. 127.

4. Les propositions subordonnées circonstancielles

Ces propositions sont introduites par **des conjonctions de** :
– temps : **when** / *quand*, **while** / *pendant que*, **as** / *tandis que*, **until** / *jusqu'à ce que*, **after** / *après que*
– lieu : **where** / *où*
– cause : **because** / *parce que*, **since** / *puisque*, **as** / *comme*
– manière : **as** / *comme*
– contraste : **whereas** / *tandis que*, **though** / **although** / *alors que*
– condition : **if** / *si*, **unless** / *sauf si*, **provided (that)** / *à condition que*
– conséquence : **so that** / *si bien que*, **so** / *donc*
– opposition : **but** / *mais*, **yet** / *pourtant*
– but : **to** / **in order to** / *pour*, **so that** / *de façon que*

Ex. : She seemed really surprised when I told her the truth. (proposition circonstancielle de temps)
Elle a eu l'air vraiment surprise quand je lui ai dit la vérité.
He got early **to** / **in order to** be on time. (proposition circonstancielle de but)
Il s'est levé tôt pour être à l'heure.

TROISIÈME PARTIE

Vocabulaire anglais courant

par Jean-Bernard Piat

Chapitre 1

The human body and the five senses
Le corps humain et les cinq sens

The figure (f.a.) : la silhouette

a giant : un géant
a dwarf : un nain
the skeleton : le squelette
a bone : un os
a joint : une articulation
a nerve : un nerf

a muscle : un muscle
the flesh : la chair
the skin : la peau
wrinkles : des rides
the complexion : le teint

Looks : le physique

a big man : un homme grand et fort
sturdy : costaud
stout : corpulent
well-built : bien bâti
thickset : trapu, râblé
muscular : musclé
small = short : petit
wide = broad >< narrow :
   large >< étroit
fat : gros
obese : obèse
thin : maigre, mince

gaunt : émacié
lanky : dégingandé
slim = slender : svelte
tall : grand
plump : dodu
beautiful = good-looking
   = handsome : beau
pretty : joli
attractive : séduisant
ugly = plain : laid
hunchbacked : bossu
left-handed : gaucher

to put★ on weight : grossir
to lose★ weight : perdre du poids
Looks aren't everything. – Le physique, ce n'est pas tout.
She's kept her figure. – Elle a gardé la ligne.
She's all skin and bone. – Elle n'a que la peau sur les os.
That film made my flesh creep. – Ce film m'a donné la chair de poule.
☺ *Wow, is she ever stacked!* – Bigre, elle est bien roulée !

The face : le visage

the head : la tête
the skull : le crâne
the features : les traits
the forehead ['fɒrɪd] : le front
the chin : le menton
the jaws : les mâchoires
the nose : le nez
the nostrils : les narines
the cheeks : les joues
the cheekbones : les pommettes
the ears : les oreilles
the eyes : les yeux
the eyelids : les paupières
the eyebrows : les sourcils
the eyelashes : les cils

the iris : l'iris
the pupil : la pupille
the retina : la rétine
the mouth : la bouche
the lips : les lèvres
the palate : le palais
the tongue : la langue
a tooth (plur. *teeth)* : une dent
the hair (indén.) : les cheveux
a lock : une mèche
a curl : une boucle
a beard : une barbe
a moustache : une moustache
bald : chauve

My head is spinning. – J'ai la tête qui tourne.
Close your eyes. – Ferme les yeux.
Blow your nose. – Mouche-toi.
Your hair is too long. – Tu as les cheveux trop longs.
She's fair-haired. – Elle a les cheveux blonds.

The trunk : le tronc

the back : le dos
the small of the back : le creux des reins
the chest : la poitrine
the backbone : la colonne vertébrale
a vertebra : une vertèbre

the breasts : les seins
a rib : une côte
the waist : la taille
the belly : le ventre
the navel [ei] : le nombril
the pelvis : le bassin

The neck : le cou

the nape of the neck : la nuque
the throat : la gorge

The limbs [lɪmz] : les membres

the shoulder : l'épaule
a shoulder blade : une omoplate
the arm : le bras
the armpits : les aisselles
the forearm : l'avant-bras
the elbow : le coude
the wrist : le poignet

the hand : la main
the fist : le poing
the fingers : les doigts
the thumb [θʌm] : le pouce
the nails : les ongles
the knuckles : les jointures
the hip : la hanche

the thigh [θaɪ] : la cuisse
the bottom = *the backside* : le derrière, le postérieur
the buttocks : les fesses
the leg : la jambe
the knee [nɪː] : le genou

the ankle : la cheville
the calf [kaːf] : le mollet
the foot (plur. *feet*) : le pied
the sole : la plante (du pied)
the heel : le talon
a toe : un orteil

> *She's broken her hip.* – Elle s'est cassé le col du fémur.
> *I've twisted my ankle.* – Je me suis tordu la cheville.

The genitals : les organes génitaux

the penis [ɪː] : le pénis
the testicles : les testicules
the vagina [dʒaɪ] : le vagin

An organ : un organe

the brain : le cerveau
the heart [haːt] : le cœur
the lungs : les poumons
the oesophagus : l'œsophage
the windpipe : la trachée-artère
the liver [ɪ] : le foie
the stomach : l'estomac
the gall bladder : la vésicule biliaire
the spleen : la rate

the bowels [aʊ] : les intestins
a kidney : un rein
the bladder : la vessie
the womb [wʊːm] : l'utérus
the blood [blʌd] : le sang
*to bleed** : saigner
an artery : une artère
a vein : une veine
a blood vessel : un vaisseau sanguin

> *My heart is pounding.* – Mon cœur bat très fort.
> ☺ *He almost burst a blood vessel.* – Il a failli avoir une attaque.

The five senses : les cinq sens

eyesight = *sight* : la vue
a beautiful sight : une belle vue
to see★ : voir
blind : aveugle
hearing : l'audition
to hear★ : entendre
to listen to somebody/something :
    écouter quelqu'un/quelque chose
a loud (dull, muffled) noise : un bruit
    fort (sourd, étouffé)
touch : le toucher
to touch : toucher
to stroke : caresser

to handle : manier
to tickle : chatouiller
to beat★ : battre
to hit★ : frapper
to kick (somebody) : donner des
    coups de pied (à quelqu'un)
smell : l'odorat
to smell★ : sentir
to stink★ : puer
to sniff : renifler
taste : le goût
to taste : goûter

to hear★ a sound : entendre un son
to smell★ a scent : sentir un parfum
to taste a flavour : goûter une saveur
to feel★ one's way (towards...) : avancer à tâtons (vers...)
I can't stand the sight of her. – Je ne peux pas la voir en peinture.
It smells of gas. – Ça sent le gaz.
It tastes like whisky. – Cela a un goût de whisky.
☺ *They were petting on the couch.* [*to pet* : (se) peloter] – Ils se pelotaient sur le canapé.

To look at somebody/something : regarder quelqu'un/quelque chose

to watch : observer, regarder attentivement ; surveiller
to keep★ an eye on... : surveiller
to notice : remarquer
to stare (at...) : regarder fixement
to gaze (at...) : regarder avec admiration
to glare (at...) : regarder furieusement
to gape (at...) : regarder bouche bée

to peer (at...) : scruter
to peep (at...) : regarder à la dérobée
to frown (at...) : regarder en fronçant les sourcils
to glance (at...) : jeter un coup d'œil (à...)
to wink (at...) : faire un clin d'œil (à...)
to blink : cligner des yeux

to scan the horizon : scruter l'horizon
Don't stare at people like that! – Ne dévisage pas les gens comme ça !
Can you keep an eye on the children? – Peux-tu surveiller les enfants ?

A colour : une couleur

white : blanc
black : noir
grey : gris
red : rouge
pink : rose
blue : bleu
green : vert

yellow : jaune
orange : orange
brown : brun, marron
purple : violet, mauve
dark green : vert foncé
light blue : bleu clair
yellowish : jaunâtre

To speak* : parler

a loud (shrill, hoarse) voice : une voix forte (stridente, rauque)
to say★ something to somebody : dire quelque chose à quelqu'un
to call : appeler

to tell★ somebody about something : parler à quelqu'un de quelque chose
to shout : crier
to scream = to shriek : hurler

to cry : pleurer
to cry out : s'écrier
to sob : sangloter
to cheer : acclamer
to whisper : chuchoter
to murmur : murmurer
to mutter : marmonner, marmotter
to stammer : bredouiller
to moan : gémir
to groan : grogner

to sigh = *to give★ a sigh* : soupirer, pousser un soupir
to whistle : siffler
to spit★ : cracher
to laugh [lɑːf] : rire
laughter : le rire
to giggle : rire bêtement
to chuckle : glousser
to smile : sourire
to grin : faire un grand sourire

---

to make★ a noise : faire du bruit
to burst★ out laughing : éclater de rire
to shed★ tears : verser des larmes
Speak up! I can't hear you. – Parlez plus fort ! Je ne vous entends pas.
Be silent! = *Be quiet !* : Silence ! Taisez-vous !
Hush! – Chut !
⚠ *Shut up!* – Ferme-la !

To move : bouger, remuer, faire un mouvement

a movement = *a motion* : un mouvement
motionless : immobile
to walk (on tiptoe) : marcher (sur la pointe des pieds)
on all fours : à quatre pattes
to crouch = *to squat down* : s'accroupir
to creep★ = *to crawl* : ramper
to shuffle : traîner les pieds
to stride★ : marcher à grands pas
the gait : la démarche
at a quick pace : à vive allure
to stumble : trébucher
to stagger : tituber, chanceler

to fall★ : tomber
to slip : glisser (par inadvertance)
to run★ : courir
to rush = *to dash* : se précipiter
to jump : sauter
to leap★ : bondir
to lean★ (against, on...) : s'appuyer (contre, sur...)
to stand★ = *to be★ standing* : être debout
to sit★ = *to be★ sitting* : être assis
to lie★ = *to be★ lying* : être étendu
to kneel★ : s'agenouiller
to bend★ down : se baisser
to bow [au] : saluer, s'incliner

To hold* : tenir

to carry : porter
to push >< *to pull* : pousser >< tirer
to drag : tirer avec effort, traîner

to catch★ : attraper
to throw★ : jeter

Chapitre 2

Health, diseases, medicine
Santé, maladies, médecine

Healthy >< ill = sick (USA) : en bonne santé >< malade

to recover : se rétablir
a recovery : un rétablissement
to cure (something or somebody) :
   guérir (quelque chose ou
   quelqu'un)

a cure for... : un remède contre...
to treat : traiter
a treatment : un traitement

strong >< weak : fort >< faible

to be in good (poor) health* : être en bonne (mauvaise) santé
to be in good shape* : être en bonne forme
to feel fit* : se sentir en forme
to be tired* : être fatigué
to be exhausted = to be* worn out* : être épuisé
to be taken ill = to fall* ill = to fall* sick* : tomber malade
to have a relapse* : faire une rechute
He has an iron constitution. – Il a une santé de fer.
He will pull through. – Il s'en sortira.

a disabled person : un handicapé
crippled : estropié
paralysed : paralysé

an invalid : un infirme
to limp : boiter
lame : boiteux

He has to walk on crutches. – Il doit marcher avec des béquilles.

The physical condition : l'état physique

fever : la fièvre
to shiver [I] : frissonner
to sneeze : éternuer
to vomit : vomir

to come round* : revenir à soi
to faint = to lose consciousness :
   s'évanouir

to *have*★ *a sore throat* : avoir mal à la gorge
to *have*★ *a headache* ['hedeɪk] : avoir mal à la tête
to *have*★ *toothache* : avoir mal aux dents
to *have*★ *stomachache* : avoir mal à l'estomac
to *be*★ *suffering from backache* : souffrir du dos
to *have*★ *a stiff neck* : avoir un torticolis
to *catch*★ *a cold* : attraper un rhume
to *feel*★ *giddy* = to *feel*★ *dizzy* : avoir des vertiges
to *feel*★ *sick* : avoir mal au cœur
What's the matter with you? – Qu'avez-vous ?
I'm feeling out of sorts. = *I'm not feeling too good.* – Je me sens mal fichu.
I'm coughing a lot. – Je tousse beaucoup.
I'm running a temperature. – J'ai de la fièvre.

to *be*★ *suffering* = to *be*★ *in pain* :
  souffrir
to *be*★ *injured* : être blessé
a wound : une plaie
to *heal* : se cicatriser
a burn : une brûlure
a bite : une morsure

a boil : un furoncle
a blister : une ampoule
a scratch : une égratignure
a bruise [bruːz] : un bleu
a cut : une coupure
a scar : une cicatrice

Where does it hurt? – Où avez-vous mal ?
I've got sunburn. – J'ai un coup de soleil.
It'll pass. – Ça passera.

A *disease* = an *illness* : une maladie

an infectious disease = *a catching
  disease* : une maladie contagieuse
a hereditary disease : une maladie
  héréditaire
an allergy : une allergie
allergic to... : allergique à...
flu : la grippe
a throat infection : une angine
hay fever : le rhume des foins
asthma : de l'asthme
indigestion : une indigestion
scarlet fever : la scarlatine
measles : la rougeole
German measles : la rubéole
mumps : les oreillons
chicken pox : la varicelle
whooping cough : la coqueluche

tuberculosis = *TB* : la tuberculose
jaundice : la jaunisse
hepatitis : une hépatite
appendicitis : une crise d'appendicite
a heart attack : une crise cardiaque
a stroke : une attaque
a coronary : un infarctus
lung cancer : un cancer du poumon
AIDS : le sida
HIV positive : séropositif
pneumonia [njʊːˈməʊnjə] : une
  pneumonie
multiple sclerosis : la sclérose en
  plaques
an epileptic fit : une crise d'épilepsie
the plague : la peste

to catch★ (= to develop) a disease : attraper, contracter, une maladie
to be★ in a coma : être dans le coma
to have★ measles : avoir la rougeole
to have★ hepatitis : avoir une hépatite
(N.B. Pas d'article défini pour la maladie dans l'expression anglaise.)

blind : aveugle
blindness : la cécité
blind in one eye : borgne
colour-blind : daltonien

short-sighted : myope
long-sighted : presbyte
astigmatic : astigmate

to have★ poor eyesight : avoir une mauvaise vue
to squint = to have★ a squint : loucher
to wear★ glasses (contact lenses) : porter des lunettes (des lentilles de contact)

deaf : sourd
deafness : la surdité

to be★ deaf-and-dumb : être sourd-muet
to have★ an ear infection : avoir une otite
to wear★ a hearing aid : porter un appareil (auditif)

mental disorders : les troubles mentaux
mad = insane = crazy : fou

madness : la folie
a lunatic (f.a.) = *a madman = a maniac* : un fou

to be★ mentally deficient : être atteint de troubles mentaux
to have★ Down('s) syndrome : être trisomique
☺ *He's nuts. = He's not all there.* – Il est dingue. = Il a une case en moins.

Medicine : la médecine

alternative (= complementary) medicine : les médecines douces
homeopathy : l'homéopathie

acupuncture : l'acupuncture
herbal medicine : la phytothérapie

a doctor = a physician : un médecin
a GP (General Practitioner) : un généraliste
a heart specialist : un cardiologue
an eye specialist : un ophtalmologiste
a psychiatrist [saɪ] : un psychiatre

an analyst = a shrink (fam.) : un psychanalyste, un psy
a physiotherapist (GB) = *a physical therapist* (USA) : un kinésithérapeute
a nurse : une infirmière

to make★ *an appointment to see a doctor* : prendre rendez-vous chez un médecin
to go★ *to the doctor's* : aller chez le médecin
to make★ *a diagnosis* : faire un diagnostic
to feel★ *somebody's pulse* : prendre le pouls de quelqu'un
to take★ *somebody's blood pressure* : prendre la tension de quelqu'un
to auscultate a patient's chest : ausculter un patient
You should have a checkup. – Vous devriez faire un bilan de santé.
You must have a blood test. – Vous devez vous faire faire une prise de sang.
You must have an X-ray (a scanner). – Vous devez passer une radio (un scanner).

A medicine = a drug = a medication : un médicament

a pill : une pilule
a tablet : un comprimé
a capsule : une gélule
a phial : une ampoule
an ointment : une pommade
a suppository : un suppositoire
an antiseptic : un antiseptique
an antibiotic : un antibiotique
a painkiller : un antalgique

a tranquillizer : un tranquillisant
an antidepressant : un antidépresseur
a sleeping pill : un somnifère
cotton wool : du coton
surgical spirit : de l'alcool à 90°
a syringe : une seringue
a polio vaccine [1] : un vaccin contre la polio

to go★ *to the chemist's* : aller chez le pharmacien
to take★ *cough syrup* : prendre un sirop contre la toux
to instill eye drops : mettre un collyre
to be★ *on antibiotics* : être sous antibiotiques
to be★ *on the pill* : prendre la pilule
to give★ *somebody an injection* : faire une piqûre à quelqu'un
to dress a wound : panser une plaie
to apply a sticking plaster : mettre un pansement
Has the child been immunized against polio? – L'enfant a-t-il été vacciné contre la polio ?

A dentist : un dentiste

the drill : la roulette
a filling : un plombage
a brace : un appareil

dentures : un dentier
toothpaste : du dentifrice
a toothbrush : une brosse à dents

to go★ *to the dentist's* : aller chez le dentiste
to have★ *a cavity* : avoir une carie
to have★ *a tooth filled* : se faire plomber une dent
to have★ *a tooth out* : se faire enlever une dent
to brush one's teeth : se brosser les dents

A *hospital* : un hôpital

a private hospital : une clinique
a nursing home : une maison de retraite
a convalescent home : une maison de repos

an ambulance : une ambulance
the casualty department : le service des urgences

Surgery : la chirurgie

plastic surgery : la chirurgie esthétique
a surgeon : un chirurgien

a blood group : un groupe sanguin
a blood transfusion : une transfusion

to be★ *taken to hospital* : être hospitalisé
to undergo★ *surgery* = *to have*★ *an operation* : se faire opérer
to have★ *one's appendix out* : se faire opérer de l'appendicite
to have★ *a heart operation* : avoir une opération du cœur
to operate on a patient : opérer un patient
to be★ *under an anaesthetic* : être sous anesthésie
He's having a course of chemotherapy [kɪː]. – Il a des séances de chimio-thérapie.

A *delivery* : un accouchement

to give★ *birth* = *to have*★ *a baby* : accoucher
to have★ *a C-section* : avoir une césarienne

to have★ *an epidural* : avoir une péridurale
to have★ *a miscarriage* : faire une fausse couche

Chapitre 3

Clothing
L'habillement

Clothes : des vêtements

a garment = an item of clothing : un vêtement
to get* dressed >< to get* undressed : s'habiller >< se déshabiller
to change : se changer

A fabric = a material : un tissu

wool : la laine
silk : la soie
cotton : le coton
velvet : le velours
fur : la fourrure
nylon [aɪ] : le nylon

leather [e] : le cuir
lace : la dentelle
suede [sweɪd] : le daim
striped : rayé
checked : à carreaux
tartan : écossais

to put* on clothes >< to take* off clothes : mettre des vêtements >< enlever des vêtements
to wear* clothes : porter des vêtements
to be* all dressed up : être sur son trente et un
to be* naked ['neɪkɪd] : être nu
to be* in rags : être en haillons
She was dressed in black. – Elle était habillée en noir.
He was wearing casual clothes. – Il portait une tenue décontractée.
☺ *She was in the altogether.* – Elle était dans le plus simple appareil.

A (three-piece) suit [sju:t] : un costume (trois pièces)

a jacket : une veste
a waistcoat (GB) = *a vest* (USA) :
    un gilet
(a pair of) trousers = pants (USA) :
    un pantalon
(a pair of) jeans : un jean
slacks : un pantalon de sport

a dinner jacket (GB) = *a tuxedo*
    (USA) : un smoking
a tailcoat : un habit, une
    queue-de-pie
an overcoat : un pardessus
a sheepskin jacket : une canadienne
a raincoat = a mac : un
    imperméable

an anorak : un anorak
a parka : une parka
a sweater [e] : un chandail
a pullover : un pull-over
a polo-neck sweater (GB) = *a*

turtleneck sweater (USA) : un
  pull-over à col roulé
a shirt : une chemise
a tie : une cravate
a bow-tie [əʊ] : un nœud papillon

Shoes : des chaussures

platform shoes : des chaussures à
  semelles compensées
loafers : des mocassins
boots : des bottes
slippers : des pantoufles
the sole : la semelle

the heel : le talon
high-heeled shoes : des escarpins
stiletto heels : des talons aiguilles
sandals : des sandales
mules : des mules

A hat : un chapeau

a bowler hat : un chapeau melon
a top hat : un chapeau
  haut-de-forme
a cap : une casquette

a hood : un capuchon
a scarf : une écharpe
a muffler : un cache-nez
gloves [ʌ] : des gants

A belt : une ceinture

braces (GB) = *suspenders* (USA) : des bretelles

A dress : une robe

a (mini)skirt : une (mini)jupe
culottes : une jupe-culotte
a (fur) coat : un manteau (de
  fourrure)
a suit : un tailleur
a jersey = *a jumper* : un tricot, un
  pull-over

a cardigan : un cardigan, un gilet
a blouse : un chemisier, un corsage
a tank top : un pull-over sans
  manches, un débardeur
a shawl : un châle
a cloak : une cape

Underwear : les sous-vêtements

socks : des chaussettes
a vest (GB) = *an undershirt*
  (USA) : un maillot de corps
briefs = *pants* (GB) : un slip
shorts : un caleçon
panties = *knickers* (GB) : un slip (de
  femme)
a bra : un soutien-gorge
a slip (f.a.) : une combinaison

(a pair of) tights = *(a pair of) panty
  hose* (USA) : un collant
stockings : des bas
a suspender-belt (GB) = *a
  garter-belt* (USA) : un
  porte-jarretelles
a body stocking : un body
a girdle : une gaine
a nightdress : une chemise de nuit
pyjamas : un pyjama

An accessory : un accessoire

an umbrella : un parapluie
a walking stick : une canne
a waist bag : une banane
a purse : un porte-monnaie
a wallet : un portefeuille
a handkerchief : un mouchoir

a tissue : un Kleenex
a ring : une bague
a necklace : un collier
a bracelet : un bracelet
earrings : des boucles d'oreille
a brooch [əʊ] : une broche

Sportswear : vêtements de sport

a tracksuit : un survêtement
shorts : un short
trainers (GB) = *sneakers* (USA) :
    des baskets
a (two-piece) swimsuit : un maillot
    (deux-pièces) (de femme)

swimming trunks (GB)
    = *swimming shorts* (USA) : un
    maillot (d'homme)
a wetsuit : une combinaison de
    plongée

To mend : raccommoder

to darn : repriser
pins and needles : des épingles et des
    aiguilles
to sew ★ : coudre
to knit ★ : tricoter
a lapel [lə'pel] : un revers
a lapel badge : une épinglette
a button : un bouton
a buttonhole : une boutonnière
a pocket : une poche
the sleeves : les manches
the collar : le col

the cuffs : les manchettes
cufflinks : des boutons de manchette
the lining : la doublure
the hem : l'ourlet
a seam : une couture
the crease [s] : le pli
loose [s] : ample
close-fitting [s] : ajusté
to match : être assorti à
hard-wearing : résistant
to shrink ★ : rétrécir
to fit : aller à

to try on clothes : essayer des vêtements
to sew ★ *on a button* : coudre un bouton
What size do you take? – Quelle taille faites-vous ?
This is too tight (>< *large*). – C'est trop serré (>< grand)
Could you take the hem up? – Pourriez-vous faire l'ourlet ?

Chapitre 4

Food and meals
L'alimentation et les repas

Foodstuffs : les denrées alimentaires

organic food : les produits biologiques
health food : les produits diététiques

frozen food : les produits surgelés
vacuum-packed : emballé sous vide

Meat : la viande

beef : le bœuf
a rib of beef : une côte de bœuf
roast beef : du rôti de bœuf
sirloin : l'aloyau
pork : le porc
a joint of pork : un rôti de porc
mutton : le mouton
a mutton chop : une côtelette de mouton
a mutton stew : un ragoût de mouton
lamb [læm] : l'agneau
a leg of lamb : un gigot
poultry : la volaille
a fowl [aʊ] : une volaille

a guinea fowl ['gɪnɪ] : une pintade
a duck : un canard
a goose [s] : une oie
a chicken : un poulet
a turkey : une dinde
a pigeon : un pigeon
game : le gibier
a pheasant [e] : un faisan
a rabbit : un lapin
a sausage : une saucisse
(Parma) ham : du jambon (de Parme)
offal (indén.) : les abats

A soft-boiled egg : un œuf à la coque

a hard-boiled egg : un œuf dur
a fried egg : un œuf sur le plat
a poached egg : un œuf poché

scrambled eggs : des œufs brouillés
an omelette : une omelette

A fish : un poisson

a sole : une sole
a salmon ['sæmən] : un saumon
tuna : du thon
a cod : une morue
smoked haddock : du haddock
a trout : une truite

a carp : une carpe
an eel : une anguille
a sardine : une sardine
an anchovy : un anchois
caviar : du caviar

seafood : les fruits de mer
shellfish : les crustacés
a shrimp : une crevette
a prawn : un bouquet
a crab : un crabe

a lobster : un homard
an oyster : une huître
mussels : des moules
a scallop : une coquille Saint-Jacques

Vegetables : les légumes

a potato (plur. *-oes*) : une pomme de
    terre
mashed potatoes : de la purée
chips (GB) : les frites
crisps (GB) : les chips
a tomato (plur. *-oes*) : une tomate
peas : les petits pois
a carrot : une carotte
French beans : les haricots verts
haricot beans : les haricots blancs
a cauliflower : un chou-fleur
a cabbage : un chou

sprouts : les choux de Bruxelles
a turnip : un navet
a leek : un poireau
a radish : un radis
celery : du céleri
a green pepper : un poivron vert
a cucumber : un concombre
an onion [ʌ] : un oignon
a pumpkin : une citrouille
a salad : une salade
lettuce ['letɪs] : la laitue
soup : la soupe

Pasta : les pâtes

rice : le riz

Condiments : les condiments

salt : le sel
pepper : le poivre
oil : l'huile
vinegar : le vinaigre

mustard : la moutarde
sauce : de la sauce
parsley : le persil
garlic : l'ail

Milk products : les produits laitiers

milk : le lait
cheese : le fromage
goat cheese : le fromage de chèvre

butter : le beurre
cream : la crème
a yoghurt : un yaourt

Fruit (indén.) : les fruits

an apple : une pomme
a pear [ɛə] : une poire
a peach : une pêche
an orange : une orange
a tangerine : une mandarine
an apricot : un abricot
a plum : une prune

a prune (f.a.) : un pruneau
grapes : le raisin
strawberries (sing.-*berry*) : les fraises
raspberries : les framboises
bilberries : les myrtilles
a lemon : un citron
a melon : un melon

a pineapple : un ananas
a banana : une banane
a date : une datte
a walnut : une noix
a hazelnut : une noisette
an almond : une amande

a peanut : une cacahuète
a chestnut : un marron, une châtaigne
a coconut : une noix de coco
ripe : mûr

Sweets : les sucreries

sugar : le sucre
caster sugar : le sucre en poudre
a lump of sugar : un morceau de sucre
a sweetener : un édulcorant

jam : la confiture
marmalade : la marmelade d'oranges
honey : le miel
custard : la crème anglaise

Bread : le pain

a loaf : une miche
a roll : un petit pain
a crumb : une miette
a bun : une brioche

toast (indén.) : les toasts
a piece of toast : un toast
dough : la pâte (à pain)
flour : la farine

A dessert = a pudding : un dessert

a pastry : une pâtisserie
a cake : un gâteau
a plum-cake : un cake

a tart : une tarte
an ice-cream : une glace
a biscuit ['bɪskɪt] : un biscuit

A drink : une boisson

*to drink** : boire
a beverage : un breuvage
alcohol : l'alcool
spirits = liquor (f.a.) : les spiritueux, les alcools
a liqueur [lɪ'kjʊə] : une liqueur, un digestif
a cocktail : un cocktail
wine : le vin
claret : le bordeaux rouge
burgundy : le bourgogne
champagne [eɪn] : le champagne
a pint of beer : une pinte de bière
draught beer : la bière à la pression

ale : la bière
stout : la bière brune
lager : la bière blonde
cider : le cidre
whisk(e)y : le whisky
brandy : le cognac
sherry : le xérès
port : le porto
rum : le rhum
a bottle : une bouteille
a cork : un bouchon
a corkscrew : un tire-bouchon
a bottle opener : un décapsuleur

Soft drinks : les boissons non alcoolisées

(mineral, soda) water : l'eau
  (minérale, gazeuse)
fizzy : gazeux
coffee : le café
decaff (fam.) : le décaféiné, le déca

chocolate : le chocolat
tea : le thé
herbal tea : la tisane
a Coke (fam.) : un Coca
fruit juice : le jus de fruits

A plate : une assiette

a knife (plur. *knives*) : un couteau
a fork : une fourchette
a spoon : une cuillère
a glass : un verre

a cup : une tasse
a saucer : une soucoupe
a saucepan : une casserole
a frying pan : une poêle

to have★ breakfast /... lunch /... dinner /... supper : prendre le petit déjeuner
/ déjeuner / dîner / souper
to be★ hungry (thirsty) : avoir faim (soif)
to have★ a good (= healthy) appetite : avoir un gros (= solide) appétit
to be★ on a diet : être au régime
to smoke a cigarette : fumer une cigarette
Dinner is ready! / Lunch is ready! – À table !
Help yourself! – Servez-vous !
Have a nice meal! – Bon appétit !
I'm starving. – Je meurs de faim.
He can't hold his liquor. – Il ne tient pas l'alcool.
Your health ! = Cheers ! – À votre santé ! À la vôtre !
☺ *He's totally out. = He's smashed.* – Il est complètement bourré.

Chapitre 5

The house
La maison

The front : la façade

a door : une porte
the front door : la porte d'entrée
the back door : la porte de derrière
a lock : une serrure
a bolt : un verrou
a letter box : une boîte aux lettres
the doormat : le paillasson
a window : une fenêtre
a shutter : un volet
a French window : une
    porte-fenêtre

a sash window : une fenêtre à
    guillotine
a wall : un mur
a balcony : un balcon
a terrace : une terrasse
the porch : le porche ; (USA) la
    véranda
a garage : un garage
a workshop : un atelier
the foundations : les fondations
outdoors >< *indoors* : à l'extérieur
    >< à l'intérieur

The roof : le toit

a gutter : une gouttière (horizontale)
a drain pipe : une gouttière
    (verticale)
the chimney : la cheminée
    (extérieure)
a TV aerial : une antenne de
    télévision

a satellite dish : une antenne
    parabolique
a lightning conductor : un
    paratonnerre
a storey : un étage (considéré de
    l'extérieur)
a three-storeyed house : une maison
    de trois étages

to have★ *a house built* : faire construire une maison
to do★ *up an old house.* : retaper une vieille maison
The house faces south. – La maison est exposée au sud.

The basement : le sous-sol

the cellar : la cave
a boiler : une chaudière

Inside the house : à l'intérieur de la maison

downstairs >< upstairs : en bas >< en haut

a (spiral) staircase : un escalier (en colimaçon)

the stairs : l'escalier

a step : une marche

a floor : un étage (considéré de l'intérieur)

the ground floor : le rez-de-chaussée

the first floor : le premier étage

a lift : un ascenseur

They live on the third floor. - Ils habitent au troisième étage.

a passage = a corridor : un couloir

the hall : le vestibule

a burglar alarm : une alarme

the doorstep = the threshold : le seuil

a partition (f.a.) : une cloison

the ceiling [ɪ:] : le plafond

the living room : la salle de séjour

the lounge : le salon

the dining room : la salle à manger

a study = a den (fam.) : un bureau (pièce)

the fireplace : la cheminée

the mantelpiece : le manteau de la cheminée

a log : une bûche

a poker : un tisonnier

a bedroom : une chambre à coucher

a spare room = a guest room : une chambre d'amis

a nursery : une chambre d'enfants

the lavatory = the toilet : les toilettes, les W.C.

a junk room : un débarras

the loft : le grenier

an attic room : une mansarde

a beam : une poutre

Furniture (indén.) : le mobilier

a piece of furniture : un meuble

a table : une table

a coffee table : une table basse

a chair : une chaise

an armchair : un fauteuil

a seat : un siège

a sideboard : un buffet

a bookcase : une bibliothèque

a shelf : une étagère

a cupboard ['kʌbəd] = *a closet* (USA) : une armoire, un placard

a wardrobe : une penderie

a hanger : un cintre

a chest of drawers : une commode

a clock : une horloge

a lamp : une lampe

a chandelier (f.a.) : un lustre

a shade : un abat-jour

a bed : un lit
a sofa = a settee = a couch : un canapé
a sofa bed : un canapé-lit
twin beds : des lits jumeaux
a cot : un lit d'enfant
a mattress : un matelas
a bolster : un traversin

a pillow : un oreiller
a cushion : un coussin
a sheet : un drap
a duvet ['duːveɪ] : une couette
a blanket : une couverture
a bedcover : un couvre-lit
a quilt : un édredon

a carpet : un tapis ; une moquette
a rug : une carpette

a vacuum cleaner : un aspirateur
wallpaper : du papier peint

to have★ carpet laid : faire poser de la moquette

The kitchen : la cuisine

a cooker : une cuisinière
ceramic hotplates : des plaques chauffantes vitrocéramiques
an electric kettle : une bouilloire électrique
a pressure-cooker : une cocotte-minute
a hood : une hotte
an oven [ʌ] : un four
a micro-wave : un micro-ondes

a dishwasher : un lave-vaisselle
a food processor : un robot ménager
a refrigerator = a fridge : un réfrigérateur
a freezer : un congélateur
a counter top : un plan de travail
a sink : un évier
a toaster : un grille-pain
a trolley : une table roulante
a stool : un tabouret

The bathroom : la salle de bains

a bath : une baignoire
a shower [aʊ] : une douche
a washbasin [eɪ] : un lavabo
a towel [aʊ] : une serviette

a water heater : un chauffe-eau
a washing machine : un lave-linge
an iron : un fer à repasser

Central heating : le chauffage central

a radiator : un radiateur
an electric heater : un radiateur électrique

a stove [əʊ] : un poêle

An electrical appliance : un appareil électrique

a switch : un commutateur
to switch on = to turn on >< *to switch off = to turn off* : allumer >< éteindre

a bulb : une ampoule
a plug : une prise
to plug in : brancher

Chapitre 6

Cities
Les villes

A city : une grande ville

a town : une ville
town planning : l'urbanisme
a built-up area : une agglomération
the suburbs : la banlieue
to commute : faire la navette
    (banlieue/centre-ville)
a commuter : un banlieusard
a town dweller, a city dweller : un
    citadin
a vacant lot : un terrain vague
a refuse dump : une décharge
    publique
a slum : un taudis
a shanty town : un bidonville
an industrial estate (GB) = *an
    industrial park* (USA) : une zone
    industrielle

a housing estate (GB) = *a housing
    development* (USA) : une cité, un
    lotissement
a district (GB) = *a neighbourhood*
    (USA) : un quartier
the city centre : le centre-ville
the outskirts : les faubourgs, la
    périphérie
the town hall : la mairie
downtown >< *uptown* (USA) :
    dans le centre >< en banlieue,
    dans les quartiers résidentiels
the inner city areas : les quartiers
    déshérités
green spaces : des espaces verts

They live in the suburbs. – Ils habitent la banlieue.
They live in very pleasant surroundings. – Ils vivent dans un cadre très
agréable.
I commute between Pontoise and Paris every day. – Je fais la navette entre
Pontoise et Paris tous les jours.

Housing : le logement

a building : un bâtiment
a block of flats (GB) = *an
    apartment building* (USA) : un
    immeuble d'habitation

a (detached) house : une maison, un
    pavillon
a semidetached (house) : une maison
    jumelle

241

a mansion : un hôtel particulier
a tower block (GB) : une tour d'habitation
a council house (GB) : un immeuble H.L.M.
a flat (GB) = *an apartment* (USA) : un appartement
a studio flat = *a studio apartment* : un studio

a studio (f.a.) : un atelier d'artiste
the caretaker (GB) = *the manager* (USA) : le concierge, le gardien
a neighbour : un voisin
an inhabitant : un habitant
a boarding house : une pension de famille
a boarder : un pensionnaire

The owner : le propriétaire

a tenant : un locataire
the property market : le marché de l'immobilier
a property developer : un promoteur immobilier

an estate agent : un agent immobilier
to move (out) >< *to move in* : déménager >< emménager
a removal : un déménagement
a lease [s] : un bail

to find* accommodation : trouver à se loger
to rent a house from somebody : louer une maison à quelqu'un
to pay* the rent : payer le loyer
to let* a house to somebody : louer (donner en location) une maison à quelqu'un
to be* on the premises ['premɪsɪz] : être sur les lieux
He lives in London. – Il habite Londres
They have settled in Bordeaux. = *They have moved to Bordeaux.* – Ils se sont installés à Bordeaux.
We have decided to move. – Nous avons décidé de déménager.

A street : une rue

a one-way street : une rue à sens unique
the high street : la grand-rue
a boulevard : un boulevard
an avenue : une avenue
a cycle lane : une piste cyclable
a traffic island : un refuge
a pedestrian crossing : un passage pour piétons
an underpass : un passage souterrain
a parking meter : un parcmètre
an alley (f.a.) = *a lane* : une ruelle

a blind alley = *a cul-de-sac* : une impasse
a pedestrian precinct : une zone piétonne
a square : une place
a public garden : un square
the sewerage system : les égoûts
the dustmen (GB) = *the garbage collectors* (USA) : les éboueurs
a (dust)bin (GB) = *a garbage can* (USA) : une poubelle

to find* a parking space : trouver une place pour se garer

Chapitre 7

Work
Le travail

To work : travailler

a job : un travail, un emploi

a task : une tâche

an assignment [aɪ] : une tâche, une mission

an occupation (f.a.) : un métier

an occupational disease : une maladie professionnelle

a profession (f.a.) : une profession libérale

a trade : un métier (manuel)

a career : une carrière

the rat race : la foire d'empoigne

a chore : une corvée

the chores : les tâches ménagères

a workaholic : un bourreau de travail

a loafer = *a shirker* : un tire-au-flanc

skills = *abilities* : les capacités, les compétences

expertise : la compétence

overworked : surmené

to retire : prendre sa retraite

busy : occupé

---

to work hard = *to work long hours* : travailler beaucoup = faire beaucoup d'heures

to work part-time : travailler à mi-temps

to work full time : travailler à temps plein

to work flexitime : travailler à la carte

to work overtime : faire des heures supplémentaires

to work eight-hour shifts : faire les trois-huit

to work on a production line = *to work on an assembly line* : travailler à la chaîne

to work as a team : travailler en équipe

to perform a task : accomplir une tâche

to do★ odd jobs : faire des petits boulots

What does he do for a living? – Que fait-il dans la vie ?

I have a heavy workload. – J'ai du pain sur la planche.

He had an accident at work. – Il a eu un accident de travail.

The pay : la paie

wages : la paie (en espèces)
a salary : un salaire
a payslip : un bulletin de salaire
a pay increase = a pay rise : une augmentation de salaire

a fee = fees : des honoraires
income : le(s) revenu(s)
to moonlight : travailler au noir
a company car : une voiture de fonction

to earn one's living : gagner sa vie
to be★ entitled to fringe benefits (= perks) : avoir droit à des avantages en nature
He's on a good salary. – Il touche un bon salaire.
He's on a high income. – Il a de gros revenus.
He makes a little money on the side. – Il gagne un peu d'argent en travaillant au noir.

Employment : l'emploi

unemployment : le chômage
unemployed = out of work : au chômage
jobless : sans emploi
an employment agency : une agence de placement
a job application : une demande d'emploi
a job ad : une offre d'emploi
a job seeker : un demandeur d'emploi
a vacant position : un poste vacant
a headhunter : un chasseur de têtes
a CV = a résumé (USA) : un CV
to recruit : recruter

to take★ somebody on = to hire somebody : embaucher quelqu'un
to lay★ somebody off = to make★ somebody redundant : licencier quelqu'un
staff reductions : compressions de personnel
to dismiss = to sack (fam.) = *to fire* (fam.) : renvoyer quelqu'un, mettre quelqu'un à la porte
to resign : démissionner
to promote (to...) : promouvoir (au poste de...)
vocational training : formation professionnelle

to look for work = to look for a job : chercher du travail, chercher un emploi
to apply for a job : faire une demande d'emploi
to have★ a job interview : passer un entretien d'embauche
to fill a post : pourvoir un poste
to go★ on a training course : faire un stage de formation
to do★ a placement (GB) = *to do★ an internship* (USA) : faire un stage en entreprise (étudiant)
to get★ up the promotion ladder : avoir de la promotion
to receive unemployment benefit : toucher des allocations de chômage
to be★ on sick leave : être en congé maladie
to get★ severance pay : toucher des indemnités de licenciement

labour = the labour force
    = manpower : la main-d'œuvre
(at) the workplace : (sur) le lieu de
    travail
the corporate world : le monde de
    l'entreprise
a company = a firm : une entreprise
the headquarters : le siège
an office : un bureau
a factory : une usine
a workshop : un atelier
a sweatshop : un atelier clandestin
    (où la main-d'œuvre est exploitée)
teleworking = telecommuting : le
    télétravail
to be self-employed : être à son
    compte
an employer : un employeur
the boss : le patron
the person in charge : le responsable
a (manual) worker : un travailleur
    (manuel)
a factory worker : un ouvrier
    (d'usine)
a skilled worker : un ouvrier qualifié
to clock in : pointer (en arrivant)

to clock out : pointer (en partant)
the staff = the personnel : le
    personnel
an executive : un cadre
an employee : un employé
a salaried worker : un salarié
an accountant : un comptable
a clerk [aː] : un employé de bureau
a secretary : une secrétaire
a temp : un(e) intérimaire
to temp : faire de l'intérim
a trainee = an intern (USA) : un(e)
    stagiaire
a civil servant : un fonctionnaire
a labourer : un manœuvre
a handyman : un homme à tout faire
a craftsman : un artisan
an apprentice : un apprenti
a carpenter : un charpentier
a joiner : un menuisier
a cabinet maker : un ébéniste
a bricklayer : un maçon
an electrician : un électricien
a plumber [ˈplʌmə] : un plombier
a painter : un peintre

a trade union (GB) = *a labor union*
    (USA) : un syndicat
a union member : un syndiqué
a union official : un syndicaliste

a (lightning) strike : une grève
    (surprise)
a striker : un gréviste
a scab : un jaune

to join a union : se syndiquer
to be★ (to go★) on strike : être (se mettre) en grève
to work to rule : faire une grève du zèle
to resume work : reprendre le travail

Chapitre 8

Education
L'enseignement

The education system : le système éducatif

a (coeducational) school : une école (mixte)

a private school ['praɪvɪt] : une école privée

a state school : une école publique

a public school (GB) : une école privée

a boarding school : un internat

a boarder : un pensionnaire

a kindergarten : un jardin d'enfants

a nursery school : une école maternelle

a primary school : une école primaire

a comprehensive school (GB) = *a junior high school* (USA) : un collège

a grammar school (GB) = *a senior high school* (USA) : un lycée

a university : une université

a college (f.a.) : une faculté

a scholarship : une bourse

---

to go★ to school (to college) : aller à l'école (en fac)

to drop out of school : abandonner ses études

to be★ in the first form (GB) : être en sixième

to repeat a year : redoubler

---

a teacher : un professeur

a primary school teacher : un instituteur

a professor : un professeur d'université

the headmaster = *the principal* : le proviseur, le principal

teaching : l'enseignement

to teach★ somebody something : enseigner quelque chose à quelqu'un

to study : étudier

schooling : la scolarité

tuition (indén.) : des cours

tuition fees : des frais de scolarité

a course (f.a.) : des cours, une série de cours

a class : un cours

a period : une heure de cours

a lecture : une conférence

homework : les devoirs

a term : un trimestre

the summer holidays : les grandes vacances

to register for a course in... : s'inscrire à un cours, une formation, en...
I've got a French class at 11. – J'ai un cours de français à 11 heures.
He was educated in England. – Il a fait ses études en Angleterre.
What's his educational background? – Qu'a-t-il fait comme études ?
She teaches English. – Elle enseigne l'anglais.

a pupil : un élève
a class : une classe (groupe d'élèves)
attendance : la présence, l'assiduité

a schoolboy, a schoolgirl : un écolier, une écolière
a student : un étudiant

to be★ academically gifted : être doué pour les études
to be★ good (>< hopeless) at maths : être bon (>< nul) en maths
to learn★ something by heart : apprendre quelque chose par cœur
to play up a teacher : chahuter un professeur
to skip a class : sécher un cours
We break up on Friday. – Nous sommes en vacances vendredi.

A classroom : une classe

the blackboard : le tableau noir
a piece of chalk : un morceau de craie
a duster : un chiffon
a desk : un bureau
the playground : la cour de récréation

a language lab : un labo de langues
the canteen : la cantine
the dormitory : le dortoir
the library : la bibliothèque
the staff room = the common room : la salle des professeurs
the sickroom : l'infirmerie

A schoolbag : un cartable

a textbook : un manuel
an exercise book : un cahier d'exercices
a fountain pen : un stylo à plume
a ballpoint = a biro : un stylo à bille
a marker pen : un marqueur
a felt-tip pen : un feutre

a pencil : un crayon
a rubber (GB) = *an eraser* (USA) : une gomme
a ruler : une règle
a pencil case : une trousse
a calculator : une calculatrice
a folder : une chemise

The curriculum : le programme (d'une classe)

the syllabus : le programme (d'une matière)
the timetable : l'emploi du temps
a subject : une matière
compulsory : obligatoire
optional : facultatif

the basics ['beɪsɪks] : les bases
general knowledge : la culture générale
philosophy : la philosophie
literature : la littérature
grammar : la grammaire

spelling : l'orthographe
history : l'histoire
geography : la géographie
modern languages : les langues
   vivantes
classical languages : les langues
   mortes
maths : les maths
science : les sciences
biology : la biologie

physics : la physique
chemistry [k] : la chimie
economics : l'économie
civics : l'instruction civique
physical training : l'éducation
   physique
handicrafts : les travaux
   manuels

Is it on the syllabus? – Est-ce au programme ?

An exam : un examen

a competitive exam : un concours
a written paper : un écrit
an oral : un oral
a candidate : un candidat
an examiner : un examinateur
a mark : une note
continuous assessment : le contrôle
   continu

a school report : un bulletin scolaire
a diploma : un diplôme
a BA (Bachelor of Arts) : une licence
a MA (Master of Arts) : une maîtrise
a graduate : un étudiant diplômé

to take★ *an exam* : passer un examen
to pass an exam (f.a.) : réussir un examen
to fail an exam : échouer à un examen
to mark papers : noter des copies
to get★ *12 ouf of 20* : avoir 12 sur 20
to revise for an exam : réviser un examen
to take★ *(to have*★*) A-levels* (GB) : passer (avoir) le bac
to take★ *a degree in...* : faire une licence en...
He graduated as an architect. – Il a obtenu son diplôme d'architecte.

Chapitre 9

Economy
L'économie

An economic system : un système économique

capitalism : le capitalisme
free-market economy : l'économie de
    marché, le libéralisme
free trade : le libre échange
supply and demand : l'offre et la
    demande
the public sector : le secteur public
the private ['praɪvɪt] *sector* : le
    secteur privé
state-owned firms : les entreprises
    étatisées
public expenditure : les dépenses
    publiques

a subsidy : une subvention
to subsidize : subventionner
a depression : une crise
a downturn = a slump : une baisse
    d'activité
an economic recovery : une reprise
    économique
prosperous = thriving : prospère
growth : la croissance
the black economy : l'économie
    parallèle

The country is undergoing economic hardships. – Le pays connaît des difficultés économiques.

Trade : le commerce

barter : le troc
to export : exporter
exports : les exportations
to import : importer
imports : les importations

an outlet : un débouché
customs duties : des droits de douane
a boom in sales : une forte croissance
    des ventes
marketing : la mercatique

to boost (= to foster) imports : stimuler les importations
to capture a market : conquérir un marché
to get* a foothold in a market : s'implanter sur un marché
to market (to launch) a product : commercialiser (lancer) un produit
Business is booming. – Les affaires prospèrent.
Business is slack. – Les affaires marchent mal.

The standard of living : le niveau de vie

the cost of living : le coût de la vie

the purchasing power : le pouvoir d'achat

the income tax : l'impôt sur le revenu

a taxpayer : un contribuable

a tax haven : un paradis fiscal

a budget : un budget

a wage freeze : un gel des salaires

inflation : l'inflation

wealthy = rich : riche

wealth = riches : la richesse

well-off = well-to-do : aisé

the affluent society : la société d'abondance

poor : pauvre

poverty : la pauvreté

homeless : sans abri

a down-and-out : un SDF

to evade paying taxes : frauder le fisc

A company = a firm : une entreprise

a large corporation : une grosse entreprise

the head office : le siège social

a subsidiary : une filiale

the board of directors : le conseil d'administration

the CEO (Chief Executive Officer) = the managing director (GB) : le P-DG

an entrepreneur : un chef d'entreprise

a tycoon : un gros homme d'affaires

an industrialist : un industriel

accountancy = book-keeping : la comptabilité

a chartered accountant : un expert-comptable

to merge : fusionner (entreprises)

a merger : une fusion

to compete with... : être en concurrence avec...

fierce competition : concurrence acharnée

a competitor : un concurrent

a profit >< a loss : un bénéfice >< une perte

a turnover : un chiffre d'affaires

poor management : une mauvaise gestion

to set★ up a company : créer une entreprise

to run★ a business : diriger une affaire

to make★ profits = to turn a profit : faire des bénéfices

to take★ over a business : reprendre une affaire

to buy★ out a company : racheter une entreprise

to run★ into debt [det] : s'endetter

to sign (>< to break★) a contract : signer (>< rompre) un contrat

to go★ bankrupt : faire faillite

to go★ into liquidation : déposer son bilan

Money : l'argent

a moneybox = a piggy bank : une tirelire

a banknote (GB) = *a bill* (USA) : un billet

a coin : une pièce

change : de la monnaie

a currency : une devise

a bank : une banque

a bank account : un compte en banque

a savings account : un compte d'épargne

a chequebook : un chéquier

to lend* × to borrow : prêter × emprunter

to invest (in...) : investir (dans...)

a safe : un coffre-fort

a cash machine = a cash dispenser = an ATM : un distributeur de billets

---

to save (to spend*, to squander) money : économiser (dépenser, gaspiller) de l'argent

to open an account with a bank : ouvrir un compte dans une banque

to write* a cheque for 100 euros : faire un chèque de 100 euros

to issue a bad cheque : faire un chèque sans provision

to withdraw* money : retirer de l'argent

to pay* by cheque (by credit card) : payer par chèque (par carte de crédit)

to be* granted a loan : obtenir un prêt

My account is in the red. – Mon compte est à découvert.

The Stock Exchange = the Stock Market : la Bourse

shares = stocks : des actions

bonds : des obligations

mutual funds : des SICAV

securities : des valeurs, des titres

a shareholder : un actionnaire

a broker : un courtier

---

to gamble on the Stock Exchange : jouer à la Bourse

The market is going up (× is going down). – La Bourse monte (× descend).

It yields 10%. – Cela rapporte 10 %.

Chapitre 10

Consumption
La consommation

A consumer : un consommateur

a customer = a shopper : un client
consumer goods : des biens de
  consommation
to consume : consommer
to buy★ *= to purchase* ['pɜ:tʃəs] :
  acheter
to sell★ : vendre
a product : un produit

an item ['aɪtəm] *= an article* : un
  article
a range of goods : une gamme de
  produits
a brand : une marque (produits
  d'usage courant)
a make : une marque (produits
  coûteux)

---

to do★ *the (= to go*★*) shopping* : (aller) faire les courses
to go★ *window-shopping* : faire du lèche-vitrine
to order an item : commander un article
to place an order : passer une commande

The price : le prix

to cost* : coûter
expensive : cher
cheap : bon marché
free : gratuit
an increase in prices : une
  augmentation des prix

economical : économique (= qui
  permet d'économiser)
a bill = an invoice : une facture
a receipt [rɪ'si:t] : un reçu
to bargain = to haggle : marchander
a guarantee slip : un bon de garantie

---

to spend★ *money* : dépenser de l'argent
to go★ *round the sales* : faire les soldes
to pay★ *a bill* : payer une facture
to pay★ *cash* : payer comptant
to buy★ *something on credit* : acheter quelque chose à crédit
to take★ *out a loan (a mortgage)* : contracter un emprunt (un emprunt
immobilier)

---

to get* into debt [det] : s'endetter
to get* a refund : se faire rembourser
How much is it? = How much does it cost ? – Combien cela coûte-t-il ?
It's good value. – C'est d'un bon rapport qualité-prix.
It's a real bargain. – C'est une bonne affaire.
I got this in a sale (= on sale [USA]). – J'ai acheté ceci en solde.
Prices are going up. = Prices are increasing. – Les prix augmentent.
Prices are going down. = Prices are decreasing. – Les prix baissent.
They owe me 50 euros. – Ils me doivent 50 euros.
I bought this for next to nothing. – J'ai acheté ceci pour une bouchée de pain.
I'll give you a 10% discount. – Je vous accorde une remise de 10 %.

A distribution channel : un circuit de distribution

mail-order selling : la vente par correspondance
a shop : une boutique
a corner shop : un commerce de proximité
a store : un magasin
a department store : un grand magasin
a boutique : une boutique de mode
a supermarket : un supermarché
a hypermarket : un hypermarché

a branch : une succursale
a trade fair : une foire commerciale
a shopping mall = a shopping centre : un centre commercial
a shopping arcade : une galerie marchande
a (flea) market : un marché (aux puces)
a stall : un étal
shoplifting : le vol à l'étalage

to buy* something second-hand : acheter quelque chose d'occasion
to have* something delivered : faire livrer quelque chose
to have* something dispatched : faire expédier quelque chose
I bought this by mail order. – J'ai acheté ceci par correspondance.
You must apply to the after-sales service. – Il faut vous adresser au service après-vente.

a shopkeeper : un commerçant
a retailer : un détaillant
a wholesaler : un grossiste

a car dealer : un concessionnaire automobile
a shop assistant : un vendeur

to sell* something retail : vendre au détail
to buy* something wholesale : acheter quelque chose en gros

A butcher's : une boucherie

a baker's : une boulangerie
a grocer's : une épicerie
a confectioner's : une confiserie

a fishmonger's : une poissonnerie
a dairy : une crémerie
a delicatessen : une épicerie fine

a sandwich bar : une sandwicherie

a wine merchant : un marchand de vins

a florist's : un fleuriste

a newsagent's : un marchand de journaux

a bookshop : une librairie

a stationer's : une papeterie

a shoe shop : un magasin de chaussures

a DIY (= do-it-yourself) shop : un magasin de bricolage

a chemist's : une pharmacie

a jeweller's : une bijouterie

a hairdresser's : un salon de coiffure

a gift shop : une boutique de cadeaux

to go★ to the baker's : aller chez le boulanger

A shelf : un rayonnage

a counter : un comptoir

a label : une étiquette

the sell-by date : la date limite de vente

a trolley : un chariot

a cash desk = a check-out (dans une grande surface) : une caisse

a cashier = a check-out assistant (dans une grande surface) : une caissière

a cash register : une caisse enregistreuse

in the window : dans la vitrine

to display goods : exposer des marchandises
Can you gift-wrap it? – Pouvez-vous faire un paquet-cadeau ?

A warehouse : un entrepôt

a warehouseman : un manutentionnaire

to handle : manipuler, manier

packaging : le conditionnement

a pack = a parcel : un paquet

a cardboard box : un carton

a crate : une caisse

Advertising (indén.) : la publicité

an advertisement = an ad : une publicité

a TV commercial : un spot publicitaire

hype : le matraquage publicitaire, le battage

to launch an advertising campaign : lancer une campagne publicitaire
to advertise a brand : faire de la publicité pour une marque
They do a lot of advertising. – Ils font beaucoup de publicité.

Chapitre 11

Information technology, telecommunications, the media
L'informatique, les télécommunications, les médias

Information technology = IT = computer science : l'informatique

data processing : le traitement des
 données
a computer scientist : un
 informaticien
a PC (= a Personal Computer) : un
 PC
a desktop computer : un ordinateur
 de bureau
a laptop : un ordinateur portable
to computerize : informatiser
hardware : le matériel
software (indén.) : les logiciels
a programme = an application : un
 logiciel
a word-processing application : un
 (logiciel de) traitement de texte
an update : une mise à jour
the monitor : le moniteur

the screen : l'écran
the keyboard : le clavier
a key : une touche
a mouse : une souris
a mouse pad : un tapis pour souris
a printer : une imprimante
*the CPU (Central Processing
 Unit)* : l'unité centrale
a byte : un octet
a hard disk : un disque dur
a floppy : une disquette
a floppy drive : un lecteur de
 disquettes
a CD-ROM : un CD-ROM
a peripheral : un périphérique
a video game : un jeu vidéo
a joystick : une manette de jeu
a modem : un modem

to key in data = to feed★ data into a computer : saisir, entrer, des données
to delete data = to erase data : effacer des données

The Internet : l'Internet

a service provider : un fournisseur
 d'accès
to log on >< to log off : se connecter
 (à l'Internet) >< se déconnecter

a home page : une page d'accueil
a search engine : un moteur de
 recherche
to email : envoyer par e-mail

to have★ the Internet : avoir l'Internet
to surf the Internet : surfer sur l'Internet
to go★ on-line : accéder à l'Internet
to access a Website : consulter un site
to download a programme : télécharger un programme
to print out a document : tirer un document
to send★ an email : envoyer un courriel
to check one's email : consulter son courrier électronique
My computer keeps crashing all the time. – Mon ordinateur ne cesse de planter.
He's always tapping away at his keyboard. – Il est continuellement en train de pianoter sur son clavier.

a virus : un virus ·   *a hacker* : un pirate
a bug : un bogue

He managed to hack into the system. – Il a réussi à pirater le système.

The (tele)phone : le téléphone

to phone somebody = to call somebody : téléphoner à quelqu'un
to hang★ up : raccrocher
a cordless phone : un téléphone sans fil
a phone box = a phone booth : une cabine téléphonique
a phonecard : une carte téléphonique
extension 25 : le poste 25
the switchboard : le standard

a switchboard operator : une standardiste
an answering machine : un répondeur téléphonique
a fax : une télécopie, un fax
a fax machine : un télécopieur, un fax
to fax : faxer
an intercom = a buzzer : un interphone
a mobile (phone) = a cellphone : un téléphone portable
a pager : un bip

to make★ a (phone) call : passer un coup de téléphone
to answer the phone : répondre au téléphone
to dial a number : composer un numéro
to check one's voice mail : consulter sa messagerie vocale
to look up somebody's number in the directory : chercher le numéro de quelqu'un dans l'annuaire
Who's speaking? – Qui est à l'appareil ?
(This is) John speaking. – C'est John à l'appareil.
Could I speak to Mr Wilson? – Pourrais-je parler à M. Wilson ?

> *Could you put me through to Mr Wilson?* – Pourriez-vous me passer M. Wilson ?
> *Could you give me Betty?* – Pourrais-tu me passer Betty ?
> *I'll call you back later.* – Je vous rappellerai plus tard.
> *The line is engaged* (GB). = *The line is busy* (USA). – C'est occupé.
> *There's no reply.* – Ça ne répond pas.
> *You dialled the wrong number.* – Vous vous êtes trompé de numéro.
> *We were cut off.* – Nous avons été coupés.
> *Hold on!* – Ne quittez pas !

The mail : le courrier

a letter : une lettre
a postcard : une carte postale
an envelope : une enveloppe
an address : une adresse
a stamp : un timbre
a parcel : un colis
a letter box : une boîte aux lettres (personnelle)

a post box (GB) = *a mailbox* (USA) : une boîte aux lettres (pour poster)
the postmark : le cachet de la poste
a collection : une levée
a delivery : une distribution
a telegram : un télégramme

> *to mail a letter* : poster une lettre.
> *to have* one's mail forwarded* : faire suivre son courrier
> *to stick on a stamp* : coller un timbre
> *How much is a letter to India?* – À combien faut-il affranchir une lettre pour l'Inde ?

The press : la presse

a newspaper = *a paper* (fam.) : un journal
a daily : un quotidien

a magazine : un magazine
a journalist : un journaliste
an editor : un rédacteur en chef

> *to hit* the headlines* : faire la une des journaux
> *This newspaper has a large circulation.* – Ce journal réalise de gros tirages.

The radio : la radio

on the radio : à la radio
a wavelength : une longueur d'onde

Television = *TV* : la télévision = la télé

the screen : l'écran
satellite television : la télévision par satellite

cable television : la télévision par câble
on TV : à la télé

257

III. VOCABULAIRE ANGLAIS COURANT

*to broadcast** : diffuser
a broadcast = a programme : une
  émission
a newscast : un bulletin
  d'informations

a newscaster : un présentateur
a host : un animateur
the viewers : les téléspectateurs

to listen to the radio : écouter la radio
to watch television : regarder la télévision
What time is the news? – À quelle heure sont les informations ?
This variety show has good ratings. – Cette émission de variétés a un bon
Audimat.

Chapitre 12

Science, industry, farming
La science, l'industrie, l'agriculture

A scientist : un scientifique, un savant

scientific : scientifique
a researcher : un chercheur
an engineer : un ingénieur
a laboratory, a lab : un laboratoire, un labo
a discovery : une découverte

a breakthrough : un progrès, une percée
findings : des constatations
an achievement : une réalisation, une réussite

to do⋆ research (on... = into...) : faire de la recherche, des recherches (sur...)
to carry out an experiment : faire une expérience
to undergo⋆ tests : être soumis à des essais
to make⋆ progress = to make⋆ headway : faire des progrès

Physics : la physique

a physicist : un physicien
chemistry [ke] : la chime
a chemist : un chimiste
chemical : chimique

a chemical : un produit chimique
the splitting of the atom : la fission de l'atome

Raw materials : les matières premières

an ore : un minerai
gold : l'or
silver : l'argent
iron : le fer
cast iron : la fonte
steel : l'acier

brass : le laiton
copper : le cuivre
lead [e] : le plomb
aluminium : l'aluminium
coal : le charbon
oil = petroleum : le pétrole

Industry : l'industrie

metallurgical industry : la métallurgie

the steel industry : la sidérurgie

the oil industry : l'industrie pétrolière

a factory = a plant : une usine

to manufacture : fabriquer

to process : traiter

to recycle : recycler

an output of 20 tons a day : une production de 20 tonnes par jour

a coal mine = a colliery (GB) : une houillère, une mine de charbon

an oil field : un gisement pétrolifère

an oil well : un puits de pétrole

a refinery : une raffinerie

mining : l'industrie minière

shipbuilding : la construction navale

the textile industry : l'industrie textile

a miner : un mineur

to extract : extraire

a steelworks : une aciérie

a power station : une centrale électrique

a dam : un barrage

an oil rig : un derrick ; une plate-forme pétrolière

to drill : forer, effectuer des forages

to strike★ *oil* : trouver du pétrole

a nuclear power station = a nuclear plant (USA) : une centrale nucléaire

nuclear waste : les déchets nucléaires

a nuclear reprocessing plant : une usine de retraitement des déchets nucléaires

Farming = agriculture : l'agriculture

organic farming : l'agriculture biologique

a farm : une exploitation agricole

a farmhouse : une ferme (le bâtiment)

a barn : une grange

an orchard : un verger

a farmer : un agriculteur

a peasant [e] : un paysan

a wine grower ; un viticulteur

a vineyard ['vɪnjəd] : un vignoble

the cultivation of cotton : la culture du coton

a crop : une récolte

a harvest : une moisson

agricultural produce (indén.) : les produits agricoles

genetically modified organisms = GMOs : les organismes génétiquement modifiés = les OGM

to work on a farm : travailler dans une ferme

to grow★ *vegetables* : cultiver des légumes

to harvest the grapes : faire les vendanges

a land : une terre, un terrain
the ground = the soil : le sol
earth : de la terre
a haystack : une meule de foin
straw : la paille
a tractor : un tracteur
a plough [aʊ] : une charrue

a fertilizer : un engrais
manure : le fumier
weeds : les mauvaises herbes
to sow★ [əʊ] : semer
fertile >< *barren* : fertile >< stérile, improductif

to plough a field : labourer un champ

Wheat = corn (GB) : le blé

maize (GB) = *corn* (USA) : le maïs
barley : l'orge
oats : l'avoine

to reap the corn : moissonner le blé

Cattle : le bétail

200 head of cattle : 200 têtes de bétail
cattle breeding : l'élevage

Chapitre 13

Politics, peace, war
La politique, la paix, la guerre

Politics (+ sing. ou pl.) : la politique

political : politique
a politician : un politicien, un
    homme politique
a policy : une politique
a party : un parti
the Tory Party (GB) : le parti
    conservateur
the Labour Party (GB) : le parti
    travailliste
*the Republican Party = the Grand
    Old Party* (USA) : le parti
    républicain
the Democratic Party (USA) : le
    parti démocrate
a conservative : un conservateur

conservatism : le conservatisme
a socialist : un socialiste
socialism : le socialisme
a radical : un radical
a communist : un communiste
a Marxist : un marxiste
a nationalist : un nationaliste
a fascist : un fasciste
a royalist : un royaliste
a monarchist : un monarchiste
an anarchist : un anarchiste
an extremist : un extrémiste
a hard-liner : un pur et dur
a reactionary : un réactionnaire

to be★ politically-minded : s'intéresser à la politique
to be★ in (to go★ into) politics : faire de (se lancer dans) la politique
to join (to belong to) a party : adhérer à (être membre d') un parti
to adopt a policy : adopter une politique
What are his politics? – Quelles sont ses idées politiques ?

A country : un pays

a state : un État
a nation : une nation
an empire : un empire
a kingdom : un royaume
royalty : la royauté
a republic : une république

republican : républicain
a democracy : une démocratie
democratic : démocratique
a dictatorship : une dictature
tyranny : la tyrannie

a totalitarian state : un État totalitaire
a statesman : un homme d'État
a president : un président
a leader : un dirigeant
a ruler = a sovereign [∧] : un souverain
a king : un roi
a queen : une reine

a coronation : un couronnement
the throne : le trône
an emperor : un empereur
an empress : une impératrice
a dictator : un dictateur
a tyrant : un tyran
to rule : gouverner
to reign : régner

to be★ in power : être au pouvoir
to come★ to power : parvenir au pouvoir
to seize power : s'emparer du pouvoir

A citizen : un citoyen

civil rights : les droits civiques
to oppress : opprimer
oppression : l'oppression
to demonstrate : manifester
a demonstration : une manifestation
a rebellion : une rébellion
a rebel : un rebelle
class struggle : la lutte des classes
a revolution : une révolution

a revolt : une révolte
to revolt : se révolter
a riot [aɪ] : une émeute
an uprising : un soulèvement
a coup : un coup d'État
social unrest : l'agitation sociale
autonomy = self-government : l'autonomie

to overthrow★ the government : renverser le gouvernement
to gain independence : obtenir l'indépendance

A parliament : un parlement

an assembly : une assemblée
the House of Commons (GB) : la Chambre des communes
the House of Lords (GB) : la Chambre des lords
Congress (USA) : le Congrès
the House of Representatives (USA) : la Chambre des représentants
the Senate (USA) : le Sénat
a Member of Parliament = an MP (GB) = *a congressman, a congresswoman* (USA) : un(e) député(e)

a bill : un projet de loi
an opponent : un opposant
the government [∧] : le gouvernement
a spokesperson : un porte-parole
the legislature = the legislative body : le corps législatif
the excutive : l'exécutif
the judiciary : le judiciaire
a minister : un ministre
a ministry : un ministère
the Prime Minister = the Premier : le Premier ministre

a cabinet reshuffle : un remaniement ministériel
a lobby : un groupe de pression

to reform : réformer
a reformer : un réformateur
to legislate : légiférer

to pass a law : voter une loi
to enforce (to repeal) a law : appliquer (abroger) une loi

To vote : voter

to elect : élire
an election campaign : une campagne électorale
an opinion poll : un sondage d'opinion
a ballot : un scrutin

an abstainer = a non-voter : un abstentionniste
a candidate : un candidat
a constituency : une circonscription électorale

to hold★ an election : procéder à une élection
to stand★ for Parliament (GB) : se présenter au Parlement
to run★ for President (USA) : se présenter aux élections présidentielles
to go★ to the polls : aller aux urnes
to vote by a show of hands : voter à main levée
to be★ left-wing (>< *right-wing*) : être de gauche (>< de droite)
The Conservatives are in office. – Les Conservateurs sont au pouvoir.
There was a high (>< *low) turnout* (at the polls). – Il y a eu un fort (>< faible) taux de participation (électorale).
He was elected in the first round. – Il a été élu au premier tour.

Peace : la paix

a civilian : un civil
a truce : une trêve
a ceasefire : un cessez-le-feu
to negotiate : négocier

nuclear deterrence : la dissuasion nucléaire
an ally ['æ lai] : un allié

to enter into an alliance with... [ə'laiəns] : s'allier avec...
to sign a peace treaty : signer un traité de paix

War : la guerre

civil war : la guerre civile
the enemy : l'ennemi
a spy : un espion
a conflict : un conflit
to fight★ (with) somebody : se battre avec quelqu'un
to struggle : lutter
to retaliate against... : user de représailles contre...

a bloodshed : un bain de sang
a crime against humanity : un crime contre l'humanité
a battle : une bataille
a battlefield : un champ de bataille
the front line : le front
a surprise attack : une attaque surprise
an ambush : une embuscade

264

an assault : un assaut
the vanguard >< *the rearguard* :
   l'avant-garde >< l'arrière-garde
a patrol : une patrouille
to reconnoitre : faire une
   reconnaissance
a sniper : un tireur embusqué
trenches : des tranchées
a campaign : une campagne
to invade : envahir
to destroy : détruire
to besiege : assiéger
a conquest : une conquête
a blockade : un blocus

a curfew : un couvre-feu
the victors : les vainqueurs
a victory >< *a defeat* : une victoire
   >< une défaite
to vanquish = *to defeat* : vaincre
to put★ to flight : mettre en fuite
to flee★ : fuir
to retreat : battre en retraite
to surrender to... : se rendre à...
casualties : des pertes
a P.O.W. (Prisoner Of War) : un
   prisonnier de guerre
a refugee : un réfugié
a veteran : un ancien combattant

to declare war on... : déclarer la guerre à...
to wage war on... : faire la guerre à...
to be★ at war : être en guerre
to hit★ the target : atteindre la cible
to fight★ a battle : livrer bataille
to fight★ hand-to-hand : combattre au corps-à-corps
to be★ taken prisoner : être fait prisonnier
to be★ reported missing : être porté disparu
to win★ (>< to lose★) a battle : gagner (>< perdre) une bataille
to be★ on leave : être en permission

The army : l'armée

the armed forces : les forces armées
the military (+ plur.) : les militaires,
   l'armée
the land forces : l'armée de terre
the navy : la marine de guerre
the air force : l'armée de l'air
a professional army : une armée de
   métier
an officer : un officier
*a non-commissioned officer (an
   N.C.O.)* : un sous-officier
a sergeant [a:] : un sergent
a lieutenant [lef'tenənt] : un
   lieutenant

a general : un général
a colonel ['kɜ:nəl] : un colonel
an admiral : un amiral
the troops : les troupes
the barracks : la caserne
the headquarters : le quartier général
a fleet : une flotte
a soldier : un soldat
a private : un simple soldat
a volunteer : un engagé volontaire
a mercenary : un mercenaire
a conscript : un conscrit

to join the army : s'engager dans l'armée
The military were called. – On a fait appel à l'armée.

Chapitre 14

Countries, nationalities, peoples
Pays, nationalités, peuples

A nation : une nation

an inhabitant : un habitant
a native : un autochtone
a flag : un drapeau
the national anthem : l'hymne
national

the mother tongue : la langue
maternelle
the motherland : la patrie
chauvinistic : chauvin

Foreign : étranger

a foreigner : un étranger
a border : une frontière

an ethnic group : une ethnie
a colony : une colonie

Africa : l'Afrique / African : africain / an African : un Africain / the Africans : les Africains

America : l'Amérique
American : américain
Asia : l'Asie
Asian : asiatique
Australia : l'Australie
Australian : australien
Brazil : le Brésil
Brazilian : brésilien
Cambodia : le Cambodge
Cambodian : cambodgien
Canada : le Canada
Canadian : canadien
Europe : l'Europe
European : européen

Germany : l'Allemagne
German : allemand
India : l'Inde
Indian : indien
Italy : l'Italie
Italian : italien
Mexico : le Mexique
Mexican : mexicain
Morocco : le Maroc
Moroccan : marocain
Norway : la Norvège
Norwegian : norvégien
Russia : la Russie
Russian : russe

Denmark : le Danemark / Danish : danois / a Dane : un Danois / the Danes : les Danois

Arab : arabe
an Arab : un Arabe
(Great) Britain : la Grande-Bretagne
British : britannique
a Briton : un Britannique
the Britons = *the British* : les
    Britanniques
Greece : la Grèce
Greek : grec
a Greek : un Grec
Iraq : l'Irak
Iraqi : iraquien
an Iraqi : un Iraquien
Israel : Israel
Israeli : israélien
an Israeli : un Israélien
Jewish : juif
a Jew : un Juif
New Zealand : la Nouvelle-Zélande
New Zealand (adj. épith.) :
    néo-zélandais
a New Zealander : un Néo-Zélandais
Pakistan : Pakistan

Pakistani : pakistanais
a Pakistani : un Pakistanais
Poland : la Pologne
Polish : polonais
a Pole : un Polonais
Scotland : l'Écosse
Scottish : écossais
a Scot : un Écossais
Serbia : la Serbie
Serbian : serbe
a Serb : un Serbe
Spain : l'Espagne
Spanish : espagnol
a Spaniard : un Espagnol
Sweden : la Suède
Swedish : suédois
a Swede : un Suédois
Thailand : la Thaïlande
Thai : thaïlandais, thaï
a Thai : un Thaïlandais, un Thaï
Turkey : la Turquie
Turkish : turc
a Turk : un Turc

to speak* Arabic : parler arabe

China : la Chine / **Chinese** : chinois / **a Chinese** : un Chinois / **the Chinese** : les Chinois

Japan : le Japon
Japanese : japonais
Lebanon : le Liban
Lebanese : libanais

Portugal : le Portugal
Portuguese : portugais
Switzerland : la Suisse
Swiss : suisse

England : l'Angleterre / **English** : anglais / **an Englishman** : un Anglais / **the English** : les Anglais

France : la France
French : français
the Netherlands : les Pays-Bas
Dutch : néerlandais

Ireland : l'Irlande
Irish : irlandais
Wales : le Pays de Galles
Welsh : gallois

Chapitre 15

Transport
Les transports

To walk : marcher

a pedestrian : un piéton

> *to go*★ *on foot* : aller à pied
> *Can I walk it ?* – Est-ce que je peux y aller à pied ?

A vehicle : un véhicule

a (second-hand) car : une voiture (d'occasion)

an estate car (GB) = *a station wagon* (USA) : un break

a four-by-four = *an SUV (Sports Utility Vehicle)* : un quatre-quatre

a convertible : une décapotable, un cabriolet

a lorry (GB) = *a truck* (USA) : un camion

a van : une camionnette

a driver : un conducteur

a motorist : un automobiliste

a lorry driver (GB) = *a trucker* (USA) : un camionneur, un routier

a driving licence = *a driver's licence* (USA) : un permis de conduire

the car papers : les papiers de la voiture

> *to drive*★ *a car* : conduire une voiture
> *to travel by car* : voyager en voiture

A garage : un garage

a tow truck : une dépanneuse

a mechanic : un mécanicien

spare parts : des pièces de rechange

the engine : le moteur

the tank : le réservoir

petrol (GB) = *gas* (USA) : l'essence

unleaded petrol : l'essence sans plomb

a petrol station : un poste d'essence

the (steering) wheel : le volant

the gear lever (GB) = *the gearshift* (USA) : le levier de vitesses

the brakes : les freins

to brake : freiner

the accelerator : l'accélérateur

the battery : la batterie
the exhaust pipe : le pot
    d'échappement
the wheels : les roues

a spare wheel : une roue de secours
a tyre : un pneu
a jack : un cric
the ignition key : la clef de contact

---

to repair a car : réparer une voiture
to have* a car serviced : faire réviser une voiture
to change the oil : faire la vidange
to switch on (>< to switch off) the engine : mettre (>< couper) le contact
to start a car : faire démarrer une voiture
to change gear : changer de vitesse
to engage first gear : passer en première
to inflate the tyres : gonfler les pneus
to have* a breakdown = to break down : avoir une panne
We had a puncture on the motorway. – Nous avons crevé sur l'autoroute.
We ran out of petrol on the motorway. – Nous sommes tombés en panne
d'essence sur l'autoroute.
☺ *Fill her up, please.* – Faites le plein, s'il vous plaît.

The body : la carrosserie

a door : une portière
a window : une vitre
the rear window : la lunette arrière
the windscreen (GB) = *the
    windshield* (USA) : le pare-brise
the windscreen wipers : les
    essuie-glace
an indicator : un clignotant
the headlights : les phares

a numberplate (GB) = *a licence
    plate* (USA) : une plaque
    d'immatriculation
the boot (GB) = *the trunk* (USA) :
    le coffre
the bonnet (GB) = *the hood* (USA) :
    le capot
a wing : une aile
a bumper : un pare-chocs

---

to turn on the headlights : allumer les phares
to flash one's headlights : faire des appels de phares

A seat : un siège

the dashboard : le tableau de bord
the speedometer : le compteur (de
    vitesse)
the mileometer (GB) = *the odometer*
    (USA) : le compteur
    kilométrique

the (rear-view) mirror : le rétroviseur

    (central)

the horn : le klaxon

to hoot : klaxonner

---

to fasten (>< to unfasten) one's seat belt : attacher (>< détacher) sa ceinture de sécurité

Traffic : la circulation

to stop : s'arrêter

to back up : reculer, faire marche arrière

to slow down : ralentir

to accelerate = to speed★ up : accélérer

the traffic lights : les feux de circulation

to skid : déraper

to overturn : se renverser, se retourner

to smash into... : s'écraser contre...

a road sign = a signpost : un panneau

drunk driving : la conduite en état d'ivresse

a breathalyser : un alcootest

to breathalyse somebody : faire subir à quelqu'un un alcootest

a traffic jam : un embouteillage

at rush hours : aux heures de pointe

to go★ for a drive : faire un tour en voiture

to do★ a U-turn : faire un demi-tour

to overtake★ a car = to pass a car : dépasser une voiture

to cut★ in on a car : faire une queue de poisson à une voiture

to bump into a car : tamponner une voiture, rentrer dans une voiture

to jump the lights = to go★ through a red light : brûler un feu rouge

to exceed the speed limit : dépasser la limitation de vitesse

to be★ caught on speed camera : être pris par un contrôle radar

Traffic is heavy. – Il y a beaucoup de circulation.

She was fined for speeding. – Elle a eu une amende pour excès de vitesse.

The lights were red. – Le feu était au rouge.

☺ *Step on the gas!* – Appuie sur le champignon !

A route : un itinéraire

a map : une carte

a street map : un plan de ville

a GPS system : un système GPS

to stop over in... : faire une étape à...

a road : une route

a trunk road (GB) = *a highway* (USA) : une route nationale

a motorway (GB) = *a freeway* (USA) : une autoroute

a bend : un virage

the pavement (GB) = *the sidewalk* (USA) : le trottoir

the roadway (GB) = *the pavement* (USA) : la chaussée

a ring road : un périphérique

a blind alley = a cul-de-sac : une impasse

a crossroads : un carrefour

a roundabout : un rond-point

a one-way street : une rue à sens unique

a bridge : un pont

a car park (GB) = *a parking lot* (USA) : un parking

to change lanes : changer de file

to take★ a short cut : prendre un raccourci

270

A two-wheeler : un deux-roues

a bicycle : une bicyclette
a motorcycle : une moto
a moped : une mobylette
the handlebars : le guidon

the pedals : les pédales
to pedal : pédaler
a bicycle pump : une pompe à vélo
a lock : un antivol

to go ★ *cycling* : faire de la bicyclette, faire du vélo
to go ★ *by bicycle* : aller à vélo
to ride ★ *a bicycle (a motorcycle)* : monter sur une bicyclette (une moto)
to wear ★ *a helmet* : porter un casque

To hitchhike : faire de l'auto-stop

a hitchhiker : un auto-stoppeur

Could you give me a lift to Exeter? – Pourriez-vous m'emmener à Exeter ?

Public transport : les transports en commun

the fare : le prix du billet
a fare dodger : un resquilleur
a bus : un bus
a coach : un car
a tram (GB) = *a streetcar* (USA) :
    un tramway
an underground station : une station
    de métro

to get ★ *off at...* : descendre à...
a taxi = a cab : un taxi
a cabdriver : un chauffeur de taxi
a taxi stand = a taxi rank : une
    station de taxis

to use public transport : prendre les transports en commun
to go ★ *by bus* : aller en bus, prendre le bus
to take ★ *the underground = to take* ★ *the tube* (GB) = *to take* ★ *the subway*
(USA) : prendre le métro
to take ★ *the Victoria line* : prendre direction Victoria

A railway line : une ligne de chemin de fer

the rails : les rails
the track : la voie
a level crossing : un passage à niveau
a tunnel : un tunnel
a station : une gare
a locker : une consigne
a platform : un quai
a passenger : un passager

a carriage (GB) = *a car* (USA) :
    une voiture
a compartment : un compartiment
a (railway) engine : une locomotive
a buffet car : une voiture-bar
a sleeping car : un wagon-lit
the luggage van : le fourgon à
    bagages

271

a berth = *a couchette* : une couchette
a timetable = *a schedule* : un horaire
the departure : le départ
the arrival : l'arrivée
a connection : une correspondance
the ticket office : le guichet
a valid ticket : un billet valable
the ticket inspector : le contrôleur
the station master : le chef de gare

a trolley (GB) = *a cart* (USA) : un chariot à bagages
a single ticket to... (GB) = *a one-way ticket to...* (USA) : un aller simple pour...
a return ticket (GB) = *a round-trip ticket* (USA) : un billet aller-retour

to go★ by train : aller en train
to book a seat : réserver une place
to travel first (second) class : voyager en première (seconde) classe
to punch a ticket : 1) poinçonner un ticket ; 2) composter un billet
The train leaves at 8.30. – Le train part à 8 h 30.
The train is due at 8.30. – Le train doit arriver à 8 h 30.
When is the next train to London? – Quand est le prochain train pour Londres ?
The train is on schedule (>< behind schedule). – Le train est à l'heure (>< en retard).

An airplane = *a plane* : un avion

an aircraft : un appareil
a jet (plane) : un avion à réaction
a helicopter : un hélicoptère
a glider : un planeur
to fly★ : prendre l'avion
a (domestic, scheduled, charter) flight : un vol (intérieur, régulier, charter)
an airport : un aéroport
a terminal : un aérogare
an airline : une compagnie aérienne
a boarding pass : une carte d'enregistrement
a shuttle : une navette
a gate : une porte
the baggage claim : la livraison des bagages
a carousel : un tapis roulant

the left-luggage office : la consigne
a runway : une piste
the cabin : la cabine
the cockpit : le poste de pilotage
a wing : une aile
the undercarriage (GB) = *the landing gear* (USA) : le train d'atterrissage
a propeller : une hélice
the pilot : le pilote
the captain : le capitaine
the crew : l'équipage
a stewardess : une hôtesse de l'air
a steward : un steward
the control tower : la tour de contrôle
an air traffic controller : un aiguilleur du ciel
to take★ off : décoller
to land : atterrir

to travel economy class : voyager en classe économique
to cancel a flight : annuler un vol
to be★ delayed : être retardé
to check in (one's luggage) : enregistrer ses bagages
to go★ through the customs : passer la douane
to board a plane : monter à bord d'un avion
to be★ jet-lagged : souffrir du décalage horaire

A ship : un navire

a boat : un bateau
a voyage : un voyage (en bateau)
a liner : un paquebot
a ferryboat : un ferry
a steamer : un bateau à vapeur
a cabin : une cabine
a crossing : une traversée
to call at... : faire escale à...
to drift : dériver
a tug : un remorqueur
to tug : remorquer

a cargo boat : un cargo
a barge : une péniche
a fishing boat : un bateau de pêche
a speedboat : un hors-bord
a sailing boat : un bateau à voiles
a sail : une voile
to row : ramer
a rowing boat : un bateau à rames
an oar : une rame
a paddle : une pagaie

The deck : le pont

the hull : la coque
the keel : la quille
the anchor : l'ancre
a mast : un mât
a propeller : une hélice
the wake : le sillage
the rudder : le gouvernail

the tiller : la barre (de petit bateau)
the helm : la barre (de gros bateau)
on the starboard side : à tribord
on the port side : à bâbord
the hold : la cale
the gangway : la passerelle
   d'embarquement

The captain = the skipper (fam.) : le capitaine

a sailor : un marin
the crew : l'équipage

A harbour : un port

a port : une ville portuaire
a quay [kɪ:] : un quai

the landing stage : l'embarcadère
a lighthouse : un phare

to get★ under way = to cast★ off : appareiller
to be★ heading for... = to be★ headed for... : mettre le cap sur...
to feel★ seasick : avoir le mal de mer

Chapitre 16

Tourism and holidays
Tourisme et vacances

Travel (indén.) : les voyages

to travel : voyager
a traveller : un voyageur
a tourist : un touriste
a holiday-maker = *a vacationer*
 (USA) : un vacancier

a trip = *a journey* (surtout GB) :
 un voyage
a voyage (f.a.) : un voyage en bateau

to be⋆ fond of travel : aimer les voyages
to take⋆ a holiday : prendre des vacances, prendre un congé
to go⋆ on holiday = *to go⋆ on vacation* (USA) : partir en vacances
to go⋆ on a trip (to...) : faire un voyage (en..., à...)
to take⋆ three days off : prendre trois jours de congé
to make⋆ a long weekend of it : faire le pont
to go⋆ on a package tour : faire un voyage organisé
to go⋆ on safari : faire un safari
to go⋆ on a cruise : faire une croisière
to go⋆ on an excursion : faire une excursion
to go⋆ back-packing : voyager sac à dos
to go⋆ round the world : faire le tour du monde
to go⋆ trekking : faire de la randonnée
to go⋆ sightseeing : faire du tourisme
to go⋆ on a guided tour : faire une visite guidée
to go⋆ abroad : aller à l'étranger
Next Tuesday is a public holiday. – C'est férié mardi prochain.
I'm going on a skiing holiday at Christmas. – Je vais aux sports d'hiver à Noël.
I'm going away for the weekend. – Je pars pour le week-end.
Have a good holiday! – Bonnes vacances !
Have a good trip! – Bon voyage !

Luggage (indén.) : bagages

to pack (one's luggage) : faire ses
    valises
a trunk : une malle

a bag : un sac
a suitcase : une valise

I haven't got much luggage. – Je n'ai pas beaucoup de bagages.

The tourist office : l'office du tourisme

a travel agency [ei] : une agence de
    voyages
a tour operator : un voyagiste
a brochure : une brochure
a leaflet : un dépliant
a guide : 1) un guide (personne) ;
    2) (= *a guidebook*) un guide
    (livre)

a car rental office : une agence de
    location de voitures
a seaside resort : une station
    balnéaire
a skiing resort : une station de ski
a spa : un centre de remise en forme
in the peak season : en pleine saison
in the off season : en saison creuse

to plan a holiday : organiser des vacances
to hire a car (GB) = *to rent a car* (USA) : louer une voiture
to rent a house : louer une maison
The place is very popular with tourists. = *It's a touristy place.* – C'est un
endroit très touristique.

A camping site : un camping

a camper : un campeur
a sleeping bag : un sac de couchage
a backpack : un sac à dos

a caravan : une caravane
a motor home : un « camping-car »

to go★ camping : faire du camping
to put★ up (to take★ down) a tent : monter (démonter) une tente
to sleep★ under canvas : dormir sous la tente

A hotel : un hôtel

an inn : une auberge
a youth hostel : une auberge de
    jeunesse
a bed & breakfast : une chambre
    d'hôte
a guest : un client
to check in >< *to check out* : arriver à
    l'hôtel >< quitter l'hôtel
the reception desk : la réception
the lobby : le hall

the lounge : le salon
the dining-room : la salle à manger
the manager : le gérant
a bellboy (USA) : un groom
a doorman : un portier
a night porter : un gardien de nuit
a single (double) room : une chambre
    pour une personne (deux
    personnes)

a single (double) bed : un lit pour une personne (deux personnes)
a room with a bath : une chambre avec salle de bains

a shower : une douche
a chambermaid : une femme de chambre
air-conditioned : climatisé

to book a room : réserver une chambre
to make* a reservation : faire une réservation
to pay* the bill : payer l'addition
to turn on (>< to turn off) the air conditioner : allumer (>< couper) la climatisation
Have you got any vacancies for next week? – Avez-vous des chambres libres pour la semaine prochaine ?
The hotel is full. – L'hôtel est complet.
Is breakfast included? – Le petit déjeuner est-il compris ?
What time do I have to check out? – À quelle heure dois-je quitter l'hôtel ?
The room overlooks the park. – La chambre donne sur le parc.
I'm staying in a hotel. – Je descends à l'hôtel.
I'm staying in a bed & breakfast. – Je réside dans une chambre d'hôte.
I'm staying with friends. – Je séjourne chez des amis.

Chapitre 17

Nature, the environment, the weather conditions
La nature, l'environnement, les conditions météorologiques

The countryside : la campagne

in the country : à la campagne
a valley : une vallée
a plain : une plaine
a meadow [e] : une prairie
a field : un champ
a hedge : une haie
a path : un chemin
a lane : un sentier
a ditch : un fossé
a river : un fleuve
a tributary : un affluent
a stream : un cours d'eau
in spate : en crue
a brook : un ruisseau

a bank : une berge
a lake : un lac
to ripple : onduler
a canal [kə'næl] : un canal
a waterfall : une chute d'eau
a whirlpool : un tourbillon
a spring : une source
a source : une source (de cours d'eau)
a pool : un étang
a pond : une mare
mud : la boue
a lock : une écluse
a dam : un barrage

This river has its source in this area. – Ce fleuve prend sa source dans cette région.
The river overflowed (its banks). – Le fleuve a débordé.

A forest : une forêt

a tree : un arbre
wood : le bois
a root : une racine
a trunk : un tronc
sap : la sève
bark : l'écorce
a branch : une branche

a twig : une brindille
a leaf : une feuille
grass : l'herbe
a blade of grass : un brin d'herbe
moss : la mousse
a reed : un roseau
a mushroom : un champignon

to climb a tree : grimper à un arbre
to plant a tree >< *to cut down a tree* : planter un arbre >< abattre un arbre

an oak : un chêne
a poplar : un peuplier
a chestnut tree : un marronnier
an elm : un orme
a beech : un hêtre
a birch : un bouleau
a pine : un pin
a fir : un sapin
a (weeping) willow : un saule (pleureur)

a maple : un érable
a palm [pɑːm] : un palmier
a bush : un buisson
a shrub : un arbuste
a grove : un bosquet
a clearing : une clairière
ivy : le lierre
Virginia creeper : la vigne vierge
heather [e] : la bruyère
nettles : des orties

The wall is overgrown with Virginia creeper. – Le mur est recouvert de vigne vierge.

A flower : une fleur

a petal : un pétale
a bud : un bouton
a rose : une rose
a tulip : une tulipe

lily of the valley : du muguet
a daffodil : une jonquille
a poppy : un coquelicot
a daisy : une marguerite

A mountain : une montagne

a mountain range : une chaîne de montagnes
a hill : une colline
a ridge : une arête, une crête
a ledge : une corniche
a mountain top : un sommet
a summit : une cime
a peak : un pic

a slope : une pente
a glacier : un glacier
a pass : un col
a ravine [rəˈviːn] : un ravin
a precipice [ˈpresɪpɪs] : un précipice
a volcano [eɪ] : un volcan
a crater [eɪ] : un cratère
lava [ɑː] : la lave

Is the volcano still active (>< extinct)? – Le volcan est-il toujours en activité (>< éteint) ?

The sea : la mer

an ocean : un océan
the tide : la marée
a wave : une vague
the surf (indén.) : les brisants, le
  ressac

a current : un courant
foam : l'écume
spray : les embruns
to surge : s'enfler (vagues)

The tide is in (>< *out*). – C'est marée haute (>< basse).
The tide is rising (>< *is falling*). – La marée monte (>< descend).
There's a heavy swell. – Il y a une forte houle.

The coast : la côte

an island : une île
a peninsula : une presqu'île
a gulf : un golfe
a bay : une baie
a strait : un détroit
a cape : un cap

a headland : un promontoire
the shore : le rivage
a beach : une plage
sand : du sable
a pebble : un galet
the shingle (indén.) : les galets

A landscape : un paysage

a moor = *a heath* : une lande
moorland (indén.) : de la lande
a marsh = *a swamp* = *a bog* : un
  marais
an abyss [ə'bɪs] = *a chasm*
  ['kæzəm] : un gouffre

a cave (f.a.) : une grotte
a desert : un désert
an oasis : une oasis
the jungle : la jungle
the rainforest : la forêt tropicale
the bush : la brousse

The ground is very boggy here. – Le terrain est très marécageux ici.

The environment : l'environnement

environmental protection : la
  protection de l'environnement
environmentalists : les écologistes
the Greens : les Verts
*an environmentally friendly
  product* : un produit écologique
harmful to the environment : nuisible
  pour l'environnement
biodegradable : biodégradable
pollution : la pollution
to pollute : polluer

a natural disaster : une catastrophe
  naturelle
a noxious gas : un gaz nocif
to dump : jeter
to threaten [e] : menacer
to jeopardize [e] : mettre en danger
sustainable development : le
  développement durable
an oil slick = *an oil spill* : une marée
  noire
a spray : un aérosol
asbestos : l'amiante

global warming : le réchauffement de la planète

the greenhouse effect : l'effet de serre

acid rain : les pluies acides

exhaust fumes : les gaz d'échappement

> *to protect the environment* : protéger l'environnement
> *to dispose of toxic waste* : se débarrasser de déchets toxiques
> *to deplete the ozone layer* : diminuer la couche d'ozone

The weather (indén.) : le temps

hot (>< cold) weather : un temps chaud (>< froid)
warm : (agréablement) chaud
mild : doux
cool : frais
heat >< cold : la chaleur >< le froid

the barometer = the glass (GB) : le baromètre
a thermometer : un thermomètre
the weather forecast : les prévisions météorologiques

> *What's the weather like?* – Quel temps fait-il ?
> *The weather's fine.* – Il fait beau.
> ☺ *What lousy weather!* – Quel temps dégueulasse !
> *The weather is clearing up.* – Le temps se lève.
> *It's chilly this morning.* – Il fait frisquet ce matin.
> *It's hot (sultry, stifling).* – Il fait chaud (lourd, une chaleur étouffante).
> *The glass is falling.* – Le baromètre baisse.
> *The barometer is set at fair.* – Le baromètre est au beau fixe.

The sun : le soleil

the sky : le ciel
sunny : ensoleillé
*to shine** : briller
sunshine : (lumière du) soleil

a bright interval : une éclaircie
dry : sec
to dry : sécher
drought [aʊ] : la sécheresse

The rain : la pluie

a raindrop : une goutte de pluie
to rain : pleuvoir
to drizzle : bruiner
a shower [aʊ] : une averse
wet : mouillé
damp : humide (et froid)
humid : humide (et chaud)

dew : la rosée
a cloud : un nuage
cloudy : nuageux
an overcast sky : un ciel couvert
a flood [ʌ] : une inondation
a monsoon : une mousson

> *The sky is clouding over.* – Le ciel se couvre.
> *It looks like rain.* – Le temps est à la pluie.
> *It's pouring with rain.* – Il pleut à verse.

The wind : le vent

to blow ★ : souffler
to whirl : tourbillonner
a breeze : une brise
a gust of wind : un coup de vent
a gale : un vent fort
a storm : une tempête
a hurricane : un ouragan

a typhoon : un typhon
a tidal wave : un raz-de-marée
a thunderstorm : un orage
thunder : le tonnerre
a thunderclap : un coup de tonnerre
lightning : la foudre
a flash of lightning : un éclair

It's windy. – Il y a du vent.
It's blowing a gale. – Il y a un vent à décorner les bœufs.

The snow : la neige

to snow : neiger
a snowflake : un flocon de neige
snowbound : bloqué par la neige
an avalanche : une avalanche
frost : le gel
frosty : gelé
to freeze ★ : geler

the thaw : le dégel
hail : la grêle
to hail : grêler
sleet : le grésil
ice : la glace
black ice : le verglas
an icy patch : une plaque de verglas

The roads are icy. – Il y a du verglas sur les routes.
It must be 3 degrees below freezing. – Il doit faire moins 3.

The fog : le brouillard

mist : la brume
misty : brumeux

a heat haze : une brume de chaleur

It's foggy. – Il y a du brouillard.

The climate ['klaɪmɪt] : le climat

a temperate climate : un climat tempéré
a humid climate : un climat humide et chaud

a tropical climate : un climat tropical
a harsh climate : un climat rude

An earthquake : un tremblement de terre

an earth tremor : une secousse tellurique

a landslide : un glissement de terrain
an eruption : une éruption

The earthquake measured 8 on the Richter scale. – Le séisme a atteint 8 sur l'échelle de Richter.

Chapitre 18

Animals
Les animaux

An animal = a beast : un animal, une bête

a mammal : un mammifère
an endangered species : une espèce
   en voie de disparition

a pet : un animal de compagnie
wild : sauvage
tame : apprivoisé

A dog : un chien

a puppy : un chiot
a bitch : une chienne
a poodle : un caniche

a greyhound : un lévrier
to bark : aboyer
to bite★ : mordre

A cat : un chat

a kitten : un chaton
the tail : la queue
a paw : une patte
a claw : une griffe

to mew : miauler
to purr : ronronner
to scratch : griffer

A mouse (plur. *mice*) : une souris

a rat : un rat
a bat : une chauve-souris

> *to walk the dog* : promener le chien
> *to keep*★ *a pet* : avoir un animal de compagnie
> *to keep*★ *a dog on a lead* : tenir un chien en laisse
> *Beware of the dog!* – Attention au chien !

Cattle : le bétail ; *Farm animals* : les animaux de la ferme

an ox (plur. *oxes*) : un bœuf
a bull : un taureau
a buffalo : un buffle
a ram : un bélier

a cow [aʊ] : une vache
a calf [kaːf] : un veau
a sheep (plur. inv.) : un mouton
a lamb : un agneau

a herd of cows : un troupeau de vaches

a flock of sheep : un troupeau de moutons

to milk a cow : traire une vache

a horse : un cheval
the mane : la crinière
a hoof (plur. *hooves*) : un sabot
to neigh : hennir
a mare : une jument
a colt : un poulain
an ass = a donkey : un âne
a goat : une chèvre
a billy goat : un bouc
a kid : un chevreau

a pig = a hog (USA) : un porc, un cochon
a sow [aʊ] : une truie
a wild boar : un sanglier
a hen : une poule
a chicken : un poulet
a cock = a rooster : un coq
a duck : un canard
a goose : une oie

to lay ★ *an egg* : pondre

a rabbit : un lapin
a squirrel : un écureuil
a hare : un lièvre

a fox : un renard
a mole : une taupe

Wild animals : les animaux sauvages

a wolf : un loup
a bear [ɛə] : un ours
a deer : un daim
a reindeer : un renne
a doe : une biche
a stag : un cerf
an elephant : un éléphant
the trunk : la trompe
a rhinoceros = a rhino (fam.) : un rhinocéros
a giraffe : une giraffe

a zebra : un zèbre
a kangaroo : un kangourou
a lion [aɪ] : un lion
to roar : rugir
a tiger : un tigre
a leopard [e] : un léopard
a panther : une panthère
a camel : un chameau
a monkey : un (petit) singe
an ape : un (grand) singe

a fish : un poisson
a goldfish : un poisson rouge

a shark : un requin
a whale : une baleine

a frog : une grenouille
a toad : un crapaud
an octopus : une pieuvre
a seal : un phoque

a tortoise [təs] : une tortue
a turtle : une tortue de mer
a crocodile [aɪ] : un crocodile

a snake : un serpent
an adder = a viper : une vipère
a lizard : un lézard

a snail : un escargot
a worn : un ver

A bird : un oiseau

to chirp : gazouiller
a feather [e] : une plume
a nest : un nid
a blackbird : un merle
an owl [aʊ] : une chouette
a lark : une alouette
a raven : un corbeau
a parrot : un perroquet
a pigeon : un pigeon

a sparrow : un moineau
a dove [ʌ] : une colombe
a swallow : une hirondelle
an ostrich : une autruche
a peacock : un paon
an eagle : un aigle
a vulture : un vautour
a bird of prey : un oiseau de proie
a (sea)gull : une mouette

An insect : un insecte

a fly : une mouche
a mosquito : un moustique
a bee : une abeille
a wasp : une guêpe
a spider : une araignée
a cobweb : une toile d'araignée
an ant : une fourmi

a flea : une puce
a beetle : un scarabée
a louse (plur. *lice*) : un pou
a grasshopper : une sauterelle
a cricket : un grillon
a cicada : une cigale

Chapitre 19

Leisure and sports
Loisirs et sports

Leisure activities : des loisirs

spare time = *free time* : du temps libre
a pastime = *a hobby* : un passe-temps
idle : oisif
entertainment : les distractions

entertaining : distrayant
to relax = *to unwind* : se détendre
relaxing : détendant, délassant
boring : ennuyeux, assommant
boredom : l'ennui

> *to have★ a good time* : bien s'amuser
> *to let★ off steam* : décompresser
> *to have★ (= to take★) a rest* = *to rest* : se reposer
> *to take★ a nap* : faire la sieste, faire un petit somme
> *to have★ a lie-in* : faire la grasse matinée

Indoor activities : activités d'intérieur

a pack of cards : un jeu de cartes
a die (pl. *dice*) : un dé
a crossword puzzle : une grille de mots croisés

stamp collecting : la philatélie
a video game : un jeu vidéo
a hi-fi system : une chaîne hi-fi

> *to play chess (draughts, cards, bridge, darts)* : jouer aux échecs (aux dames, aux cartes, au bridge, aux fléchettes)
> *to do★ crosswords* : faire des mots croisés
> *to shuffle (to cut★, to deal★) the cards* : battre (couper, distribuer) les cartes
> *to have★ a game of billiards* : faire une partie de billard

Photography : la photographie

a photograph = *a photo* = *a picture* : une photo
a snapshot : un instantané

a camera : un appareil-photo
a movie camera : une caméra
a camcorder : un caméscope

A casino : un casino

a gambler : un joueur
to stake : miser
a one-armed bandit = a fruit

machine : une machine à sous
a discotheque : une discothèque

> *to play for high stakes* : jouer gros jeu
> *to break* the bank* : faire sauter la banque
> *to win* on the lottery* : gagner à la loterie
> *to hit* the jackpot* : toucher le gros lot
> *to toss a coin* : jouer à pile ou face
> *to go* clubbing* : sortir en boîte
> *Heads or tails?* – Pile ou face ?
> *He gambles at poker.* – Il joue au poker (pour de l'argent).

A funfair : une fête foraine

a circus : un cirque
a shooting range : un stand de tir

a pinball machine : un flipper
a bowling alley : un bowling

> *to play pinball* : jouer au flipper

Sport(s) : le sport

a sportsman, a sportswoman : un sportif, une sportive
training : l'entraînement
a coach : un entraîneur
to work out : s'entraîner
a stopwatch : un chronomètre
a sports field : un terrain de sport
a gymnasium = a gym : un gymnase, une salle de gym
a stadium : un stade
the terraces : les gradins
the grandstand : la tribune d'honneur

the changing rooms : les vestiaires
a sporting event : une épreuve sportive
a tournament : un tournoi
a championship : un championnat
a final : une finale
a referee : un arbitre
an umpire : un arbitre (tennis, cricket)
to win* : gagner
a winner : un gagnant
to lose* : perdre
a loser : un perdant

> *to do* sport* : faire du sport
> *to be* athletic* : être sportif
> *to take* exercise* : faire de l'exercice
> *to go* in for competitive sport* : faire de la compétition
> *to hold* (to break*) a record* : détenir (battre) un record
> *to tie with somebody for first place* : être premier ex-aequo avec quelqu'un
> *He was disqualified for a doping offence.* – Il a été disqualifié pour dopage.

athletics : l'athlétisme
running : la course à pied

to jump : sauter
weightlifting : l'haltérophilie

to go★ jogging : faire du jogging
to go★ hiking : faire de la randonnée

boxing : la boxe
fencing : l'escrime

cycling : le cyclisme
a mountain bike : un VTT

to go★ roller-skating : faire du patin à roulettes

motor racing : la course automobile
a racing driver : un pilote de course
mountaineering : l'alpinisme
a climber : un alpiniste
hang-gliding : le deltaplane
bungee jumping : le saut à l'élastique

surfing : le surf
a surfboard : une planche de surf
windsurfing : la planche à voile
football = soccer : le football
a goalkeeper : un gardien de but

to score a goal : marquer un but

rugby : le rugby
a scrum : une mêlée

a tennis court : un court de tennis
a golf course : un terrain de golf

horse racing : les courses de chevaux
a horse race : une course de chevaux

a saddle : une selle

to go★ horse-riding : faire de l'équitation
to ride★ a horse : monter un cheval
to bet★ on the horses : jouer aux courses

downhill skiing : le ski de piste
cross-country skiing : le ski de fond
skis : des skis
sticks : des bâtons
a ski run : une piste de ski

a skilift : un remonte-pente
a cablecar : un téléphérique
a sledge : une luge
ice-skating : le patinage sur glace
an ice rink : une patinoire

to go★ skiing : faire du ski

swimming : la natation
a swimming-pool : une piscine

to dive : plonger
a diving board : un plongeoir

to go★ for a swim : aller se baigner
to go★ water-skiing : faire du ski nautique
to go★ scuba diving : faire de la plongée sous-marine

III. VOCABULAIRE ANGLAIS COURANT

rowing : l'aviron

to go★ sailing : faire de la voile

fishing : la pêche
angling : la pêche à la ligne

hunting : la chasse
a hunter : un chasseur

a fishing rod : une canne à pêche
a fishing net : une épuisette

to poach : braconner
a poacher : un braconnier

to go★ shooting : aller à la chasse
to be★ a good (bad) shot : être un bon (mauvais) tireur

Chapitre 20

Art and literature
Arts et littérature

A book : un livre

a writer : un écrivain
an author : un auteur
a pen name : un pseudonyme
to write★ : écrire
a novel : un roman
a novelist : un romancier
a story : une histoire
a short story = a novella : une nouvelle
a (fairy) tale : un conte (de fées)
a detective story = a whodunnit (fam.) : un roman policier, un polar
the plot : l'intrigue
realistic : réaliste

a character : un personnage
the hero : le héros
a poem : un poème
verse (indén.) : des vers
to rhyme with... : rimer avec...
a poet : un poète
a stylistic device : un procédé de style
a biography : une biographie
an autobiography : une autobiographie
a dictionary : un dictionnaire
the title : le titre
the foreword : l'avant-propos
a chapter : un chapitre
a page : une page

to live by one's pen : vivre de sa plume
to receive (= to get★*) royalties* : toucher des droits d'auteur

To publish : publier

a publisher : un éditeur
a publishing house : une maison d'édition
to print : imprimer
a printer : un imprimeur

out of print : épuisé
a paperback : un livre de poche
a hardback : un livre relié
bound in leather : relié en cuir
a library : une bibliothèque

to self-publish a book : publier un livre à compte d'auteur
to print 5,000 copies of a book : tirer un livre à 5 000 exemplaires

The fine arts : les beaux arts

plastic arts : les arts plastiques

a work of art : une œuvre d'art

a masterpiece : un chef-d'œuvre

an exhibition (f.a.) : une exposition

an art gallery : une galerie d'art

a museum : un musée

a studio (f.a.) : un atelier d'artiste

an artist : un artiste

artistic : artistique

a painter : un peintre

painting : la peinture

an oil painting : une peinture à l'huile

a watercolour : une aquarelle

a print = an engraving : une gravure

a drawing : un dessin

a sketch : un croquis

a fresco : une fresque

a canvas : une toile

a frame : un cadre

a (paint)brush : un pinceau

a portrait : un portrait

a nude : un nu

a still life : une nature morte

a fake : un faux

sculpture : la sculpture

a sculptor : un sculpteur

to sculpt : sculpter

a statue : une statue

carved out of wood : sculpté dans le bois

to be★ invited to a preview : être invité à un vernissage

Music : la musique

classical music : la musique classique

jazz : le jazz

pop music : la musique pop

a concert hall : une salle de concert

a music lover : un mélomane

a musician : un musicien

a composer : un compositeur

to compose : composer

a score : une partition

a conductor : un chef d'orchestre

an orchestra : un orchestre (symphonique)

to perform : interpréter

his performance of the sonata : son interprétation de la sonate

to rehearse : répéter

a rehearsal : une répétition

a virtuoso : un virtuose

a soloist : un soliste

a song : une chanson

a melody : une mélodie

a tune : un air

an opera : un opéra

a symphony : une symphnie

a concerto : un concerto

chamber music [ei] : la musique de chambre

a quartet : un quatuor

a sonata : une sonate

a duet : un duo

a band : un orchestre (rock, jazz)

a jam session (fam.) : un bœuf

in the key of A major : dans la tonalité de *la* majeur

D sharp : *ré* dièse

G flat : *sol* bémol

a violin [aɪ] : un violon

a cello : un violoncelle

a double bass : une contrebasse

a flute : une flûte

a horn : un cor

a trumpet : une trompette

a clarinet : une clarinette

an oboe : un hautbois

to have ★ *a good ear for music* : avoir l'oreille musicale
to sing ★ *in tune* (>< *out of tune*) : chanter juste (>< faux)
to beat ★ *time* : battre la mesure
to be ★ *in time* : être en mesure
to practise scales : faire des gammes
to conduct an orchestra : diriger un orchestre
to play the piano (*the drums, etc.*) : jouer du piano (de la batterie, etc.)
☺ *We jammed with them last night.* [*to jam*] – Nous avons fait un bœuf avec eux hier soir.

A theatre play : une pièce de théâtre

a playwright : un dramaturge
the cast of a play : la distribution d'une pièce

an actor / an actress : un acteur / une actrice
the director (f.a.) : le metteur en scène

to stage a play : monter une pièce
to play a part : jouer un rôle
to go ★ *on the stage* : monter sur les planches
to go ★ *backstage* : aller dans les coulisses

A film = a movie (USA) : un film

a film buff (fam.) : un cinéphile
a cinema = a movie theater (USA) : un cinéma
the screen : l'écran
in the original language with subtitles : en version originale sous-titrée
dubbed : doublé

a film-maker : un cinéaste
a producer : un producteur
a scriptwriter : un scénariste
the set : le plateau
a blockbuster : un gros succès
a spectacular : un film à grand spectacle

to shoot ★ *a film* (*on location*) : tourner un film (en extérieurs)
to play the lead : jouer le rôle principal
to go ★ *to the cinema = to go* ★ *to the movies* (USA) : aller au cinéma
He works in films. – Il travaille dans le cinéma.
The scenery is fantastic. – Les décors sont fantastiques.
The film will be released next week. – Le film sortira la semaine prochaine.
The film features Hugh Grant. – Hugh Grant joue dans le film.
△ *The film is crap.* – Le film est merdique.

Chapitre 21

Time
Le temps

A period : une période

the past : le passé
the present : le présent
the future : l'avenir
in antiquity : dans l'Antiquité
in the Middle Ages : au Moyen Âge
in the Renaissance : à la Renaissance
a date : une date
an era : une ère
B.C. (Before Christ) : avant
   Jésus-Christ
A.D. (Anno Domini) : après
   Jésus-Christ

now : maintenant
immediately = at once = right now
   = straight away : tout de suite,
   immédiatement
overnight : du jour au lendemain
up to now = until now = so far :
   jusqu'à maintenant
soon : bientôt
as soon as possible : dès que possible
sooner or later : tôt ou tard
later (on) : plus tard
currently : actuellement
again : de nouveau, encore
never : jamais
often : souvent
always : toujours

a landmark : un repère
a calendar : un calendrier
short-lived : éphémère
temporary : temporaire
old : vieux
recent : récent
modern : moderne
contemporary : contemporain
current : actuel
old-fashioned : démodé
outdated = obsolete : dépassé
updated : actualisé

forever : pour toujours
hardly ever : presque jamais
seldom = rarely : rarement
sometimes = from time to time
   = now and then : parfois,
   quelquefois, de temps en temps
afterwards : après
then : ensuite, puis, après, alors
regularly : régulièrement
usually : habituellement
as usual : comme d'habitude
at the beginning = at first : au début
meanwhile = in the meantime : en
   attendant, pendant ce temps-là
in the past = formerly : autrefois
at (the) present : à présent

at the moment : en ce moment
in the future : à l'avenir
from now on : à partir de
    maintenant, dorénavant
finally = eventually (f.a.) :
    finalement, en fin de compte
at last! : enfin !
once : une fois

twice : deux fois
every time : à chaque fois
all the time : tout le temps
once a day : une fois par jour
nowadays : de nos jours
yesterday : hier
today : aujourd'hui
tomorrow : demain

---

to spend time doing something : passer du temps à faire quelque chose
to save (>< *to waste*) *time* : gagner (>< perdre) du temps
I've seen him lately. – Je l'ai vu récemment.
It's still a long way off! = ☺ *It's not just round the corner!* – Ce n'est pas pour demain !
It's taking forever! – Cela n'en finit pas.
How time flies! – Comme le temps passe !
☺ *Long time no see!* – Ça fait un bail (qu'on ne s'est pas vus) !

A watch : une montre

a stopwatch : un chronomètre
timing : la synchronisation
a second : une seconde
a minute : une minute
an hour : une heure
a quarter of an hour : un quart
    d'heure
half an hour [ha:f] : une demi-heure

three quarters of an hour : trois
    quarts d'heure
an hour and a half : une heure et
    demie
about six = around six : vers six
    heures
at two o'clock sharp : à deux heures
    précises

---

to be★ early >< *to be★ late* : être en avance >< être en retard
to be★ on time : être à l'heure
to be★ just in time : être juste à temps
What time is it? - Quelle heure est-il ?
It's half past six. – Il est six heures et demie.
It's a quarter to seven. – Il est sept heures moins le quart.
My watch is (five minutes) fast. – Ma montre avance (de cinq minutes).
My watch is (five minutes) slow. – Ma montre retarde (de cinq minutes).
Better late than never. – Mieux vaut tard que jamais.

A day : un jour, une journée

a morning : une matinée
an afternoon : un après-midi
an evening : une soirée
a night : une nuit

a fortnight (GB) : une quinzaine
a term : un trimestre
a year : une année
a leap year : une année bissextile

a decade (f.a.) : une décennie
a millennium : un millénaire
in the twentieth century : au xxe siècle
every day : tous les jours
every other day : tous les deux jours
all day (long) : toute la journée
in the daytime : le jour
this morning : ce matin
at dawn : à l'aube
in the morning : le matin
at noon = at midday : à midi
at lunchtime : à l'heure du déjeuner
in the afternoon : l'après-midi
in the evening : dans la soirée

at dusk = at twilight : au crépuscule
at sunset : au coucher du soleil
at night : la nuit
all night (long) : toute la nuit
as from Monday : à partir de lundi
last night = yesterday evening : hier soir
at weekends : le week-end
last week : la semaine dernière
next week : la semaine prochaine
these days : à l'heure actuelle, de nos jours
in those days : à cette époque-là

A week : une semaine

Monday : lundi
Tuesday : mardi
Wednesday : mercredi
Thursday : jeudi

Friday : vendredi
Saturday : samedi
Sunday : dimanche

In my day : de mon temps, à mon époque
Those were the days. – C'était le bon temps.
It dates back to the nineteenth century. – Cela remonte au xixe siècle.

A month : un mois

January : janvier
February : février
March : mars
April : avril
May : mai
June : juin
July : juillet

August : août
September : septembre
October : octobre
November : novembre
December : décembre
on May 6th, 2003 : le 6 mai 2003
in January : en janvier

A season : une saison

in (the) spring : au printemps
in (the) summer : en été

in (the) autumn = in the fall (USA) : en automne
in (the) winter : en hiver

Chapitre 22

Life, the family
La vie, la famille

Birth : la naissance

birth control : la limitation des
  naissances
genetic engineering : les
  manipulations génétiques
pregnancy : la grossesse
pregnant : enceinte
a newborn : un nouveau-né
an infant : un nourrisson
a toddler : un bambin

a cradle : un berceau
a pram : un landau
a pushchair : une poussette
a nappy (GB) = a diaper (USA) :
  une couche
a kid (fam.) : un môme, un gosse
well-mannered >< bad-mannered :
  bien élevé >< mal élevé

to breastfeed* a baby : allaiter un bébé
to give* a baby its bottle : donner son biberon à un bébé
to bring* up children : élever des enfants
to have* an abortion : se faire avorter
She's expecting a baby. – Elle attend un enfant.
Her baby is due next month. – Elle doit accoucher le mois prochain.
He was born in 1965. – Il est né en 1965.

Age : l'âge

youth : la jeunesse
old age : la vieillesse
young >< old : jeune >< vieux
the young >< the old : les jeunes ><
  les vieux
a youth = a youngster : un jeune
the younger generation : la jeune
  génération
a teenager : un adolescent
to grow* up : grandir

an adult = a grown-up : un adulte
mature : mûr
to get* old : vieillir
the elderly : les personnes âgées
senior citizens : les personnes du
  troisième âge
a centenarian : un centenaire
a pensioner : un retraité
a doddering old man : un vieux
  gâteux

to come★ of age : atteindre la majorité
to go★ gaga (fam.) : devenir gâteux
How old is she? – Quel âge a-t-elle ?
He is 25 (years old). – Il a 25 ans.
He's in his late twenties. – Il approche de la trentaine.
He has just turned 40. – Il vient d'avoir 40 ans.
☺ *He is on the shady side of fifty.* – Il a dépassé la cinquantaine.
When you are my age... – Quand tu auras mon âge...
We are the same age. – Nous sommes du même âge.
She doesn't look her age. – Elle ne fait pas son âge.
☺ *He's losing his marbles.* – Il perd la boule.

Death : la mort

to die : mourir
dead : mort
the dead = the departed : les morts,
   les disparus

a widow : une veuve
a widower : un veuf

to die a natural death : mourir de mort naturelle
to be★ at death's door : être à l'article de la mort
to commit suicide = to kill oneself : se suicider

A (large) family : une famille (nombreuse)

a household : une maisonnée
our ancestors = our forefathers : nos
   ancêtres, nos aïeux
the descendants : les descendants
the parents : les parents (père et
   mère)
the father : le père
the mother [ʌ] : la mère
Dad(dy) : Papa
Mum(my) : Maman
the husband : le mari
the wife : la femme, l'épouse
an unmarried mother : une mère
   célibataire
a stepfather : un beau-père (après
   remariage)
a stepmother : une belle-mère (après
   remariage)
relatives = relations (f.a.) : les
   parents, les membres de la famille
the offspring : la progéniture

a child [aɪ] (plur. *children* [ɪ]) : un
   enfant
childhood : l'enfance
a son [ʌ] : un fils
a daughter : une fille
a brother [ʌ] : un frère
a sister : une sœur
a half-brother : un demi-frère
a half-sister : une demi-sœur
the elder : l'aîné (de deux)
the eldest : l'aîné (de plus de deux)
the younger : le cadet (de deux)
the youngest : le cadet (de plus de
   deux)
the grandparents : les grands-parents
the great-grandparents : les
   arrière-grands-parents
a grandmother : une grand-mère
a grandfather : un grand-père
Granddad = Grandpa : Papi
Granny = Grandma : Mamie

a grandson : un petit-fils
a granddaughter : une petite-fille
an uncle : un oncle
an aunt [a:nt] : une tante
a nephew ['nevjʊ:] : un neveu
a niece : une nièce
a cousin [ʌ] : un(e) cousin(e)
a first cousin : un cousin germain
the godfather : le parrain
the godmother : la marraine
a godson : un filleul
a goddaughter : une filleule
a godchild : un(e) filleul(e)
an orphan : un orphelin

a guardian [g] : un tuteur
a ward : un(e) pupille
an adopted child : un enfant adoptif
adoptive parents : des parents adoptifs
a bachelor : un célibataire
a spinster : une vieille fille
my in-laws : ma belle-famille
the father-in-law : le beau-père
the mother-in-law : la belle-mère
a son-in-law : un gendre
a daughter-in-law : une belle-fille
a brother-in-law : un beau-frère
a sister-in-law : une belle-sœur

A family celebration : une fête de famille

a christening = a baptism : un baptême
an engagement : des fiançailles
the fiancé(e) : le (la) fiancé(e)
to get★ engaged : se fiancer
a proposal : une demande en mariage

to propose to somebody : demander quelqu'un en mariage
a wedding : un mariage (cérémonie)
a birthday : un anniversaire
a wedding anniversary : un anniversaire de mariage
a nameday : une fête (selon le calendrier des saints)

> *Happy birthday! = Many happy returns (of the day)!* – Joyeux anniversaire !
> *His birthday is on June 15th.* – Son anniversaire est le 15 juin.

marriage : le mariage
to get★ married : se marier
to marry somebody : épouser quelqu'un
the bride : la mariée
the bridegroom : le marié
a bridesmaid : une demoiselle d'honneur
the best man : le garçon d'honneur
a witness : un témoin

a (wedding) ring : une alliance
the newly weds : les jeunes mariés
a married couple : un couple marié
a live-in partner : un concubin
to cohabit : vivre en concubinage
adultery : l'adultère
a divorce : un divorce
to get★ divorced : divorcer
to divorce somebody : divorcer d'avec quelqu'un

> *to be★ single* : être célibataire
> *to have★ a church wedding* : se marier à l'église
> *to get★ (to pay★) alimony* : toucher (verser) une pension alimentaire
> *to have★ an affair with...* : avoir une aventure, une liaison, avec...
> *to be★ given custody of the children* : avoir la garde des enfants

Chapitre 23

The mind
L'esprit

To think (of / about...)* : penser (à...)

a thought : une pensée
an idea : une idée
a theory : une théorie
to reason : raisonner
reasoning : le raisonnement
to understand* : comprendre
to realize something : se rendre
    compte de quelque chose
to grasp : saisir
to remember : se souvenir de
to forget* : oublier
to make* oneself understood : se faire
    comprendre
understanding : la compréhension
a misunderstanding : un malentendu
understandable : compréhensible
intelligent : intelligent
intelligence : l'intelligence
a genius [dʒɪ:] : un génie
concentration : la concentration
clever : intelligent, malin, astucieux
cunning : malin, rusé
bright : brillant

shrewd : perspicace, habile
a sharp mind : un esprit pénétrant
accurate information : des
    informations exactes
the accuracy of... : l'exactitude de...
logic : la logique
logical : logique
a man of great insight : un homme
    d'une grande perspicacité
a thorough knowledge of... : une
    connaissance approfondie de...
expertise (f.a.) : la compétence
quick-witted >< *slow-witted* : à
    l'esprit vif >< à l'esprit lent
(an) intellectual = *(a) highbrow*
    (fam.) : (un) intellectuel, (un)
    intello
versatile (f.a.) : polyvalent
wisdom : la sagesse
wise : sage, avisé
absent-minded : distrait, étourdi
common sense : le bon sens

to be* gifted for... = *to have* a gift for...* : être doué pour..., avoir un don
pour...
to have* a talent for... : avoir un talent pour...
to pay* attention to... : faire attention à...
to focus one's attention on... = *to focus on...* : concentrer son attention
sur..., se concentrer sur...

298

to be★ aware of... = to be★ conscious of... : être conscient de..., avoir conscience de...
to be★ interested in... : s'intéresser à...
to have★ an inquiring mind : avoir un esprit curieux
to be★ intent on one's work = to be★ engrossed in one's work : être absorbé par son travail
to know★ something inside out : connaître quelque chose à fond
to be★ knowledgeable about something : s'y connaître en quelque chose
to take★ something into account : prendre quelque chose en considération
Think it over. – Réfléchissez-y.
He's good (>< hopeless) at maths. – Il est bon (>< nul) en maths.
Use your wits! – Fais marcher tes méninges !
It doesn't make sense. – C'est absurde.
I haven't the faintest idea. – Je n'en ai pas la moindre idée.
You have a point there! – Là, tu as raison !
☺ He's got brains. – Il en a dans le cerveau.
☺ He's slow on the uptake. – Il a la comprenette difficile.

An opinion : une opinion

to judge : juger
to assess = to evaluate : évaluer
an assessment = an evaluation : une évaluation
to advise : conseiller
to analyze : analyser
an analysis [ə'næləsɪs] : une analyse
to notice [I] : remarquer
to distinguish : distinguer
to examine [I] : examiner
to investigate something : examiner quelque chose
to check : vérifier
to mean★ : vouloir dire, signifier
to guess : deviner
a hypothesis : une hypothèse
a surmise [aɪz] : une hypothèse, une conjecture
to seem : sembler, paraître
a clue : un indice

consistent : cohérent
puzzling : déconcertant, déroutant
paradoxical : paradoxal
obvious = evident : évident
obviously : manifestement, de toute évidence
relevant >< irrelevant : pertinent >< sans rapport
to consider... as... = to regard... as... : considérer... comme...
to decide to do★ something : décider de faire quelque chose
to prove : prouver ; se révéler, s'avérer
to persuade = to convince : persuader, convaincre
to doubt something [daʊt] : douter de quelque chose
a fool : un imbécile

to pass judgment on... : porter un jugement sur...
to be★ prejudiced against... = to be★ biased ['baɪəst] against... : avoir des préjugés contre...
to be★ right >< to be★ wrong : avoir raison >< avoir tort
to make★ a mistake : commettre une erreur
to change one's mind : changer d'avis

Chapitre 24

Feelings and behaviour
Sentiments et comportement

A feeling : un sentiment

to feel★ : sentir, ressentir
to experience : éprouver
sensitive : sensible
sensible (f.a.) : raisonnable, sensé
sensitivity = sensibility : la
    sensibilité
susceptible to... (f.a.) : sensible à...
a mood : une humeur
moody = temperamental : lunatique,
    d'humeur changeante

touchy : susceptible
sentimental : sentimental
sentimentality : la sentimentalité
an emotion : une émotion
emotional : émotif
to move : émouvoir
to touch : toucher
moving : émouvant
a disposition = a temper : un
    caractère

to be★ *in a good (bad) mood* : être de bonne (mauvaise) humeur
to have★ *a rotten (good) disposition* : avoir un sale (bon) caractère
to have★ *an even temper* : être d'humeur égale
to be★ *hot-tempered* : être soupe au lait
She was moved to tears. – Elle fut émue aux larmes.

Happiness : le bonheur

happy : heureux
joyful : joyeux
joy : la joie
merry = cheerful : gai, enjoué
lively : plein d'entrain
mirth : la gaieté
pleased = glad : content
pleasure [e] : le plaisir
satisfied : satisfait
satisfaction : la satisfaction

enthusiastic : enthousiaste
enthusiasm : l'enthousiasme
eager [ɪ:] : empressé, enthousiaste
thrilled : transporté, aux anges
excited : excité
exhilarated : grisé
carefree : insouciant
delighted : ravi
delight : le ravissement
hopeful : plein d'espoir

hope : l'espoir
optimistic >< *pessimistic* :
    optimiste >< pessimiste
optimism >< *pessimism* :
    l'optimisme >< le pessimisme

relief : le soulagement
to relieve : soulager
calm [ka:m] = *cool* : calme
to control oneself : se maîtriser

> *to feel★ happy* : se sentir heureux
> *to be★ eager to do something* : avoir hâte de faire quelque chose
> *to be★ quite willing to do something* : être tout à fait disposé à faire quelque chose
> *He was walking on air.* – Il nageait dans le bonheur.
> ☺ *He's got it together.* – Il est bien dans sa peau.
> *I don't care.* – Je m'en moque.
> ⚠ *I don't give a damn.* – Je m'en fous.

Sad : triste

sadness : la tristesse
unhappy = miserable = wretched
    [-ɪd] : malheureux
sorrowful : affligé
sorrow = grief : le chagrin, la peine
dissatisfied : insatisfait
disheartened = discouraged :
    découragé, abattu
melancholy : 1) (adj.) mélancolique,
    2) (n.) la mélancolie
dejected : abattu
depressed : déprimé

gloomy : sombre, morose
weary : las
weariness : la lassitude
reluctant : réticent, hésitant
vexed (f.a.) : contrarié
to disturb : déranger
to perturb : perturber
to bother : importuner, gêner,
    déranger
to bore : ennuyer, lasser
desperate : désespéré
despair : le désespoir

> *to have★ the blues = to be★ blue = to feel★ low* : avoir le cafard
> *to have★ a nervous breakdown* : avoir une dépression nerveuse
> *to be★ reluctant to do something* : rechigner à faire quelque chose
> *Cheer up!* – Haut les cœurs !
> *Don't be so upset!* – Ne vous désolez pas ainsi !
> *I was bored stiff.* – Je me suis ennuyé à mourir.

worried [ʌ] : soucieux, inquiet
worry : le souci, l'inquiétude
worrying : inquiétant
anxious : anxieux
anxiety [æŋ'zaɪətɪ] : l'anxiété
anguished : angoissé
anguish : l'angoisse

finicky = fussy : maniaque, tatillon
a stressful situation : une situation
    stressante
nervous : nerveux
upset : 1) troublé, inquiet ;
    2) bouleversé
nervousness : la nervosité

fear : la peur
to fear : craindre
to dread [e] : redouter
to frighten = to scare : effrayer, faire
   peur à

frightening : effrayant
scary : angoissant
awful = fearful = terrible : terrible
horrible = horrific : horrible
horror : horreur

to be★ afraid of something = to be★ frightened of something : avoir peur
de quelque chose
to be★ tense = to be★ on edge : être tendu = être à cran
to be★ under stress : être stressé
to feel★ uneasy : se sentir mal à l'aise, gêné
to be★ apprehensive (= concerned [f.a.]) *about something* : être inquiet au
sujet de quelque chose
☺ *to have★ butterflies in one's stomach* : avoir le trac
to get★ into a panic : paniquer
Keep cool. – Gardez votre calme.

Angry (with somebody) : en colère (contre quelqu'un)

anger : la colère
fury : la fureur
furious : furieux
irritated : irrité, agacé
exasperated : exaspéré
bitter : amer
bitterness : l'amertume

revenge : la vengeance
aggressive : agressif
spiteful : malveillant
malice (f.a.) : la méchanceté, la
   malveillance
resentment : le ressentiment

to be★ in (to fly★ into) a rage : être (se mettre) en rage
to have★ a grudge against somebody : en vouloir à quelqu'un
to get★ one's own back : prendre sa revanche
to get★ back at somebody : se venger de quelqu'un
I've had enough. – J'en ai assez.
☺ *I'm fed up.* – J'en ai marre.
I can't stand that! – Je ne peux pas supporter ça !
It's a nuisance. – C'est embêtant.
That man gets on my nerves. – Ce bonhomme me tape sur les nerfs.
He has it in for me. – Il m'en veut.
His feelings were hurt. – Il a été vexé.

Ashamed : confus

shameful : honteux
shameless : éhonté
proud : fier

pride : fierté
indifferent : indifférent

to feel★ ashamed : avoir honte

Friendship : l'amitié

a (close) friend : un ami (intime)
a pal (fam.) = *a mate* (fam.)
   = *a buddy* (USA) : un copain
friendly : amical, sympathique

a nice chap = *a likable guy* (fam.) :
   un type sympa
sympathetic (f.a.) : compatissant,
   compréhensif
affection = *fondness* : l'affection

to make* friends with somebody : se lier d'amitié avec quelqu'un
I get on well with her. – Je m'entends bien avec elle.

Love : l'amour

passion : la passion
passionate : passionné
a crime of passion : un crime
   passionnel
tender : tendre
tenderness : la tendresse
to like somebody : bien aimer
   quelqu'un
to love somebody : aimer quelqu'un
to cherish : chérir
to adore : adorer

to seduce : séduire
seduction : la séduction
seductive : séduisant
to appeal to... : plaire à...
to desire : désirer
a sex maniac : un obsédé (sexuel)
jealous [e] : jaloux
jealousy : la jalousie
envious : envieux
envy : l'envie

to feel* attracted to somebody : se sentir attiré par quelqu'un
to be* in love with somebody : être amoureux de quelqu'un
to fall* in love with somebody : tomber amoureux de quelqu'un
to cheat on one's wife : tromper sa femme
It was love at first sight. – Ce fut le coup de foudre.
He's keen on her. – Il est toqué d'elle.
He's crazy about her. – Il est fou d'elle.
☺ *He made a pass at the girl.* – Il a dragué la fille.

Chapitre 25

Introducing a newspaper article
Présentation d'un article de journal

A summary : un résumé

to sum up : résumer
an account : un compte rendu
a journalist : un journaliste
a columnist : un chroniqueur
an author : un auteur
a narrator : un narrateur
an editorial : un éditorial
a report : un reportage
a title : un titre
a headline : une manchette
a graph : un graphique
a chart : un tableau
a paragraph : un paragraphe
an excerpt from... = an extract from... : un extrait de...
the subject matter = the topic : le sujet
an analysis : une analyse
an assessment : une évaluation
an anecdote : une anecdote
anecdotal : anecdotique
a quotation (from...) : une citation (tirée de...)
to quote : citer
throughout the text : d'un bout à l'autre du texte

a topical issue : un sujet d'actualité
a social issue : un problème de société
to focus on... : porter son attention sur...
to describe : décrire
to explain something to somebody : expliquer quelque chose à quelqu'un
a feature = a characteristic : une caractéristique
a link : un lien
to illustrate : illustrer
to refer to... = to allude to... = to hint at... : faire allusion à...
first = first of all : d'abord, tout d'abord
in the first place : en premier lieu
secondly : deuxièmement
thirdly : troisièmement
finally = lastly : finalement, enfin
to conclude = in conclusion : pour conclure, en conclusion
in short : en bref

to state a fact : énoncer un fait, faire une constatation
to expound a theory : exposer une théorie
to give* an account of... : faire un compte rendu de...
to pass on to another subject : passer à un autre sujet

to provide an example : fournir un exemple
It has been found that... – On a constaté que...
This article is taken from... – Cet article est tiré de...
This article is about... = *This article deals with...* = *This article is concerned with...* – Cet article traite de... = Cet article parle de...
The journalist notes (= points out) that... – Le journaliste constate (= signale) que...
How can this fact be accounted for? – Comment ce fait peut-il être expliqué ?
This is linked to... = *This is connected with...* – C'est lié à...

A viewpoint : un point de vue

a criticism : une critique
to criticize = *to be critical of...* : critiquer
to overlook : négliger, omettre
a relevant remark : une remarque pertinente
irrelevant = *beside the point* : hors sujet
a discrepancy between... and... : une divergence entre... et...
paradoxical : paradoxal
questionable : discutable
controversial : controversé
a far-fetched idea : une idée tirée par les cheveux
in my opinion = *to my mind* : à mon avis
to me : pour moi
according to the journalist : d'après le journaliste
at first sight = *on the face of it* : à première vue
to claim that... : prétendre que...

to justify : justifier
to advocate : préconiser
to praise : faire l'éloge de
to a certain extent = *in a way* : dans une certaine mesure
by contrast : en revanche
by comparison : en comparaison
similarly = *likewise* : de même
on the contrary : au contraire
unlike Britain... : contrairement à la Grande-Bretagne...
on the one hand..., on the other hand... : d'une part..., d'autre part...
compared with... : par rapport à...
as for... = *as to...* : quant à...
an advantage : un avantage
a disadvantage = *a drawback* = *a downside* : un inconvénient
an asset : un atout
an approach to a problem : une approche d'un problème

to comment on a text : commenter un texte
to emphasize a fact = *to stress a fact* = *to lay★ emphasis on a fact* = *to underline a fact* = *to highlight a fact* : souligner, insister sur, mettre l'accent sur, un fait
to place importance on... : accorder de l'importance à...
to take★ something into account : prendre quelque chose en compte
to put★ forward an argument : avancer un argument

to discuss a problem : discuter d'un problème

to enlarge on a point : développer un point

to weigh up the pros and cons : peser le pour et le contre

to raise an objection : soulever une objection

to be prejudiced against... = to be biased against... ['baɪəst] : être de parti pris contre...

I agree. >< I disagree. : Je suis d'accord. >< Je ne suis pas d'accord.

We may say that... – Nous pouvons dire que...

What does the journalist mean? – Que veut dire le journaliste ?

There's a distinction to be made between... and... – Il faut établir une distinction entre... et...

That's the opposite. – C'est le contraire.

There's more to it than that. – Il y a autre chose. / Ce n'est pas tout.

This statement should be qualified. – Cette assertion devrait être nuancée.

As far as this aspect is concerned... – En ce qui concerne cet aspect...

There is a good side to... >< There is a downside to... – Il y a un avantage à... >< Il y a un inconvénient à...

He has a point there. – Il n'a pas tort.

Opinion is divided. – Les avis sont partagés.

QUATRIÈME PARTIE

L'anglais est un jeu

par Laurence Rico et Catherine Groud

Note des auteurs

L'anglais est un jeu... « *Pas pour moi* », dites-vous ? Votre langue devient lourde au moment de conjuguer ? Vous êtes dans le noir le plus complet quand il vous faut donner une date ? Vous n'osez jamais commander au restaurant, de peur de vous retrouver avec une tête de veau en gelée de groseille ? Eh bien, justement, ce livre est pour vous ! Vous pourrez oser toutes les réponses sans que les pages s'autodétruisent ou vous dénoncent aussitôt comme linguistiquement incorrect !

Si vous maniez l'anglais avec un peu plus d'assurance et que vous voulez juste tester vos connaissances, vous trouverez vous aussi de quoi vous amuser, de quoi vous creuser l'esprit... et des pièges dans lesquels tomber.

Cette partie se présente sous la forme d'une série de jeux organisés en chapitres. Ils permettent de réviser les bases de la langue anglaise (vocabulaire et grammaire) en douceur, avec des corrections commentées et illustrées par de nombreux exemples.

Ces exercices ne peuvent être exhaustifs, mais ils permettent d'avancer d'un pas mieux assuré sur les chemins tortueux de la langue d'Oscar Wilde... et des Spice Girls. Vous y rencontrerez les principales difficultés auxquelles se heurte un francophone lorsqu'il aborde la langue de James Joyce et de David Beckham. Elles s'expliquent souvent par nos habitudes tenaces d'usagers de la langue française. Pensez-y, vous n'êtes pas seul à faire toujours telle ou telle erreur ! *L'anglais est un jeu* se propose également de remettre de l'ordre dans vos mauvais réflexes et vos vrais acquis, en révisant les principales conjugaisons, l'utilisation des mots-outils les plus courants et les expressions incontournables. Les chapitres correspondent à des situations ou des contextes définis, utilisant un vocabulaire thématique. Vous vous baladerez au bord de la mer, dans l'espace, vous irez à l'hôtel, au cinéma, au restaurant, au pub, chez le médecin et dans bien d'autres endroits (et ne vous inquiétez pas, en cas de surmenage, nous avons même prévu le psy !).

Votre anglais en tête ou sur le bout de la langue, votre crayon à la main, faites les exercices dans l'ordre qui vous convient, suivant les jeux qui vous paraîtront les plus amusants ou les révisions qui vous sembleront les plus urgentes (un index grammatical figure en fin d'ouvrage).

Armé des connaissances que vous aurez ainsi acquises, vous n'aurez plus qu'à vous exercer auprès du premier anglophone que vous ne manquerez pas de croiser, car l'anglais se porte bien en toutes saisons et dans de nombreux lieux. En attendant, *have a good time and enjoy your trip to Anglo-land* !

Laurence RICO
et Catherine GROUD

1

Who's who

Introducing yourself/Se présenter

« *How do you do?* » n'a jamais voulu dire « *Mais comment faites-vous cela?* » La formule sert surtout à prendre contact poliment. Il est toujours préférable de faire bonne impression, mais encore faut-il savoir comment. Ce chapitre est justement consacré à la révision du vocabulaire de la présentation. Il a aussi pour but de revoir ce qui se cache sous l'apostrophe *s* qui suit certains mots. Dans les phrases suivantes, vous aurez à préciser si « *'s* » correspond à la forme du verbe *avoir* : « has » ; du verbe *être* : « is » ; du pronom personnel *nous* : « us » ; ou bien s'il est la marque du possessif.

Dans le texte ci-dessous, notre ami Jason a rencontré un personnage à l'identité mystérieuse. À vous de le démasquer !

JASON : Hello! My name is Jason. Nice to meet you.
X : Good evening! Pleased to meet you too.
JASON : How are you?
X : I'm fine. But I am a little bit thirsty.
JASON : You look very strange. How old are you?
X : Well, I know I may look a little strange to you. I am quite old and I wish I were dead by now.
JASON : When and where were you born?
X : In 1897, in Ireland, out of a twisted mind, I'm afraid.
JASON : And where do you live now?
X : I live in gloomy places. But that's according to people**'s** opinions.

1. ❏ has   ❏ is   ❏ us   ❏ possession

JASON : What do you do for a living?

X : I'm doing business in London. And I like travelling and flying away.

JASON : What are your hobbies?

X : I like visiting old castles, seducing healthy young women, going out, shopping, cooking (but without garlic), taking care of myself. I'm so proud of my teeth, you see. They are very impressive, don't you think? No teeth, no future! Do you want to have a look?

JASON : Oh yes, let**'s** have a look!

2. ❏ has ❏ is ❏ us ❏ possession

JASON : Oh dear! They are so big and sharp!
What kind of books do you read?

X : I love novels by Bram Stoker. He**'s** known as a great Gothic writer.

3. ❏ has ❏ is ❏ us ❏ possession

JASON : What sort of films do you watch?

X : I like Francis Ford Coppola's movies. He**'s** such a good film director.

4. ❏ has ❏ is ❏ us ❏ possession

X : He**'s** got so many brilliant ideas.

5. ❏ has ❏ is ❏ us ❏ possession

JASON : What is your favourite song?

X : I often listen to *Sunday Bloody Sunday* by U2. It**'s** a song which brings back good memories to me.

6. ❏ has ❏ is ❏ us ❏ possession

X : But I also dislike Sunday**'s** activities.

7. ❏ has ❏ is ❏ us ❏ possession

JASON : What is your favourite food?

X : I prefer having a drink.

JASON : What do you like to do when you go out with friends?

X :   I like taking a walk around but not in the sun, because it is bad for my complexion and I can't look at myself in the mirror.

JASON :   But what**'s** your name?

8. ❏ has   ❏ is   ❏ us   ❏ possession

X :   My real name is Vlad Tepes, Prince Voïvode de Valachie. Watch out! You are stepping on my cloak! It's nice, isn't it? My tailor is Mitch. He**'s** making me a new one for Christmas.

9. ❏ has   ❏ is   ❏ us   ❏ possession

X :   But I let you go. I was waiting for my bat and it**'s** arrived now. See you soon.

10. ❏ has   ❏ is   ❏ us   ❏ possession

Une panne de vocabulaire ?

According to : *selon*
Bat : *chauve-souris*
Blood : *sang*
Brain : *cerveau*
That brings back to me : *cela me rappelle*
Cloak : *cape*
Complexion : *le teint, la mine*
To dislike : *ne pas aimer*
To do (did, done) for a living (= to have a job) : *exercer un métier*
Film director : *metteur en scène*
Garlic : *ail*
Gloomy : *sinistre, lugubre*
To have (had, had) a look at : *jeter un œil*
Healthy : *en bonne santé*

Impressive : *impressionnant*
To like + ing (on trouve aussi « to like to ») : *aimer faire quelque chose*
To look : *sembler*
Proud of : *fier de*
Sharp : *acéré*
To step on : *marcher sur*
To take (took, taken) a walk : *se balader*
Teeth (the) : *les dents*
Thirsty (to be) : *avoir soif*
Twisted mind (a) : *un esprit tordu*
Watch out ! : *attention !*
I wish I were dead : *je voudrais être mort*

Réponses

Le personnage à découvrir était Dracula.

Le romancier irlandais Bram Stoker l'a inventé au XIXe siècle, s'inspirant d'un prince ayant véritablement existé au XVe siècle, Vlad Tepes, prince voïvode de Valachie, région de la Roumanie actuelle, où il n'est pour le moment pas question de réimplanter des vampires.

Dans le roman, le comte Dracula rencontre un notaire londonien, Jonathan Harker, qui s'est rendu en Transylvanie pour négocier avec lui de futurs investissements dans la capitale anglaise.

Rappelons que le vampire n'aime pas le soleil, qu'il se nourrit du sang de ses victimes et que son reflet n'apparaît pas dans les miroirs. Il a la capacité de se transformer en chauve-souris.

Francis Ford Coppola, entre autres, a adapté le roman de Stoker au cinéma.

1. possession

Pour marquer la possession, on ajoute 's à un nom singulier ou à un nom pluriel sans *s* (un nom pluriel en *s* prendra juste l'apostrophe). Un nom propre se terminant par un *s* sera également suivi de l'apostrophe *s* (*Bridget Jones's Diary*).

⚠ Le génitif 's ne s'emploie généralement que pour un nom de personne ou d'animal.
Ex. : Dracula's dinner. *Le dîner de Dracula.*
The girls' blood. *Le sang des jeunes filles.*

La marque de la possession peut s'ajouter à tout un groupe.
Ex. : The vampire's and the shark's teeth are white.
Les dents du vampire et du requin sont blanches.

2. us

Let's = « Let us » est une expression figée qui sert à exprimer une suggestion, une invitation ou un impératif au pluriel.
Ex. : Let's have a Bloody Mary. *Buvons un Bloody Mary.*
(Et non pas *Plantons nos dents dans Marie*, comme l'indiquent certains manuels d'anglais en Transylvanie.)

3. is

Il s'agit de la troisième personne du singulier de l'auxiliaire *être*, employé ici au passif. Cette voix est beaucoup plus employée en anglais qu'en français.

Ex. : The novel is written by Bram Stoker. *Le roman est écrit par Bram Stoker.*

Souvent, quand le complément d'agent n'est pas exprimé, on traduira le passif anglais par une phrase à la voix active en français en employant le pronom impersonnel sujet *on*.
   Ex. : He is bitten. *On le mord.*

4. is
Cette forme du verbe « to be » correspond uniquement à une troisième personne du singulier au présent simple.

5. has
Cette forme du verbe « to have » correspond uniquement à une troisième personne du singulier au présent simple. On peut employer aussi « have got » pour exprimer la possession.
   Ex. : She's got a nice neck. *Elle a un joli cou.*

L'auxiliaire « to have » permet de former le « present perfect ».
   Ex. : She's suffered a little. *Elle a eu un peu mal.*
   Oh, dear! The sun has faded my cloak! *Ciel ! Ma cape a déteint au soleil.*

6. is
« It's » traduit le *c'est* français.
   Ex. : It's dangerous to meet Dracula. *C'est dangereux de rencontrer Dracula.*

7. possession
On trouve un certain nombre d'expressions qui s'emploient avec le possessif : elles indiquent une date, une durée ou une distance.
   Ex. : A three centuries' vampire. *Un vampire de trois siècles.*
   Two weeks' delay. *Un retard de deux semaines.*
   Ten minutes' walk. *Dix minutes à pied.*

8. is

9. is
« To be », lorsqu'il est auxiliaire, sert à former le présent progressif.
   Ex. : He's sleeping. *Il dort.*

10. has
« Have » s'emploie comme auxiliaire du present perfect.

⚠ « To be » ne peut pas être employé comme un auxiliaire du passé.
Ex. : Dinner is ready. *Le repas est prêt.*
Mais :
Dracula! Please come back! Your fiancée has arrived.
Dracula ! Reviens ! Ta fiancée est arrivée.

2

What a busy day!

The working world/Le monde du travail

Bienvenue dans le monde du travail ! Et surtout dans la recherche d'un emploi, car tout commence par là. Vous êtes prêt à retrousser vos manches, à parcourir à grands pas le monde professionnel et, finalement, vous devez multiplier les démarches pour vous imposer. De quoi s'interroger ! Et c'est ce que nous allons faire dans ce chapitre consacré aux interrogatifs. « Pourquoi pas moi ? » Voilà le premier cri du candidat à un poste. Et c'est sous le feu des questions d'un entretien d'embauche que tout se joue. Dans ce chapitre aussi. Vous découvrirez ensuite le vocabulaire des métiers sous forme de mots croisés. Allez ! Au travail !

Job interview *(les interrogatifs)*

Dans la liste ci-dessous, choisissez le mot interrogatif qui convient pour chacune des phrases suivantes :
Who/which/what/why/whose/where/when/who... like/how/how long/how old/how tall.

Ex. : _____ job is it ? → **Whose** job is it ?
– It's John's job.

Mrs Wondsir is applying for a job and is answering the interviewer as well as she can.

1. INTERVIEWER : _____ are you?
CANDIDATE : Fine, thank you.

2. INTERVIEWER : _____ sent you to me?
CANDIDATE : The captain of Scotland Yard. He told me you needed someone.

3. INTERVIEWER : _____ did you study?
CANDIDATE : I studied at Oxford.

4. INTERVIEWER : _____ are you?
CANDIDATE : I'm eighty.

5. INTERVIEWER : _____ are your best qualities?
CANDIDATE : I think I'm calm, conscientious, polite and reliable. I am a chameleon too.

6. INTERVIEWER : _____ part of this job do you prefer?
CANDIDATE : Official ceremonies, I think.

7. INTERVIEWER : _____ did you start?
CANDIDATE : I started when I was a child, with my parents.

8. INTERVIEWER : _____ did they look _____ ?
CANDIDATE : They looked like Victoria and Albert.

9. INTERVIEWER : _____ are you?
CANDIDATE : I am 5'4 (1,60 m) tall.

10. INTERVIEWER : _____ can you keep smiling?
CANDIDATE : I can smile for hours. I'm used to it.

11. INTERVIEWER : _____ do you want to have this job?
CANDIDATE : Because I want to feel like a celebrity, even if I will never be a real star.

12. INTERVIEWER : _____ hat is it?
CANDIDATE : It's mine. It's nice, isn't it?
INTERVIEWER : We'll get back to you soon. You could be the perfect double of Queen Elizabeth.

Working life *(le vocabulaire des métiers)*

Inscrivez dans la grille les noms des métiers qui correspondent aux définitions données dans la liste. Si vous séchez, aidez-vous de la liste des métiers qui suit les définitions.

Across

1. Professional of basket art.
2. She or he fashions the young brain.
3. He has plans.
4. To run well and go far.
5. Chicken master.
6. Law master.
7. Can open your brain or something else!
8. Back to health near your bed.
9. He makes the wall.
10. The doctor's best friend.
11. Brings good or bad news to a box.
12. First course, main course and dessert!
13. Runs around the tables.
14. Travelling all over the world to catch the news!
15. Richard, Arthur, Henry and the rest of the crowd...

Down

A. He's got his own instrument.
B. He's got his own class.
C. Often makes cakes too!
D. Works on your head.
E. In the name of town cleanness!
F. Sales! Sales! Sales!

Architect – baker – bricklayer – businessman – chemist – cook – dustman – farmer – grocer – hairdresser – judge – king – mechanic – musician – nurse – postman – reporter – shopkeeper – surgeon – teacher – waiter.

319

How and co *(les interrogatifs, suite)*

Reliez les interrogatifs à la bonne question. Vous pouvez vous aider de la rubrique consacrée au vocabulaire p. 321 pour chercher les mots compliqués.

How heavy •

• do the demonstrations take place? Once a year?... Once a month!

How much •

• is the demonstration? I can't find it and my feet hurt.

How many •

• can we stage a strike? It's urgent to voice claims.

How far •

• demonstrators joined our wage demand?

How big •

• chance do we have of coming to a compromise?

How soon •

• should my banner be? I want to be sure that everybody can see it.

How often •

• is your pack of leaflets? I can help you to carry it.

Une panne de vocabulaire ?

All over : *tout autour de*
To apply for a job : *postuler à un emploi*
Banner : *banderole*
Basket : *panier*
Brain : *cerveau*
Career : *carrière, profession*
Cleanness : *propreté*
Conscientious : *consciencieux*
To come (came, come) to a compromise : *aboutir à un compromis*
Demonstration : *manifestation*
Demonstrator : *manifestant*
First course : *entrée*
Main course : *plat principal*
To fashion : *modeler, former*
To get (got, got) back to someone : *rappeler quelqu'un*
Health : *santé*
To hurt (hurt, hurt) : *faire mal*
Job interview : *entretien d'embauche*
To join : *adhérer*
Law : *loi*
Leaflet : *tract*
To make (made, made) : *faire, fabriquer*
Part-time job : *travail à temps partiel*
Position : *poste*
Reliable : *sérieux, sûr*
The rest of the crowd : *le reste de la troupe*
To run (run, run) : *rouler*
Sales : *soldes*
To stage a strike : *organiser une grève*
Travelling : *voyager*
To voice claims : *exprimer des revendications*
Wage demand : *revendication salariale*
Working life : *vie active*

Réponses

Job interview

1. How

« How » *comment* interroge sur la manière.

Ex. : How can I get a good job ? *Comment puis-je avoir un bon travail ?*

2. Who

« Who » *qui* interroge sur une personne.

Ex. : Who's the boss ? *Qui est le patron ?*

3. Where

« Where » *où* interroge sur le lieu.

Ex. : Where is my office ? *Où est mon bureau ?*

4. How old

« How old » interroge sur l'âge.

Ex.: How old is the Queen? *Quel âge a la reine ?*

5. What

« What » interroge sur une chose, une activité, un événement.

Ex.: What do you think of your new machine? It's nice, isn't it?
Que penses-tu de ta nouvelle machine ? Elle est jolie, non ?

6. Which

On emploie « which » lorsqu'il y a un choix proposé.

Ex.: Which career would you prefer? To be a doctor like Mum or a househusband like Dad?

Quel métier préférerais-tu ? Être médecin comme maman ou homme au foyer comme papa ?

7. When

« When », *quand*, interroge sur le moment de l'action.

Ex.: When will you understand that you don't have a part-time job and you don't start at 4.00 p.m.?

Quand comprendras-tu que tu n'as pas un travail à temps partiel et que tu ne commences pas à seize heures ?

8. Who... like

« Who... like » interroge sur l'apparence.

Ex.: Who does the new secretary look like? *À qui ressemble la nouvelle secrétaire ?*

À ne pas confondre avec « what... like » qui interroge sur la personnalité et le caractère.

Ex.: What is the new secretary like? *Comment est la nouvelle secrétaire ?*

9. How tall

« How tall » pose la question de la taille.

Ex.: How tall do I need to be to be a flea trainer?
Quelle taille dois-je faire pour être dresseur de puces ?

À ce sujet, les mesures au Royaume-Uni s'expriment en pieds « foot/feet » et en pouces « inch(es) ».

10. How long

« How long » pose la question de la durée.

Ex.: How long do I have to work? I already feel overworked.
Combien de temps dois-je travailler ? Je me sens déjà surmené.

11. Why
« Why », *pourquoi*, sert à demander la cause.

Ex. : Why don't you want to recruit me as a barman? Is it because I'm a woman?

Pourquoi ne voulez-vous pas me recruter comme garçon de café ? Est-ce parce que je suis une fille ?

12. Whose
On emploie « whose » pour demander à qui appartient quelque chose.

Ex. : Whose pillow is it? *À qui est cet oreiller ?*

Working life

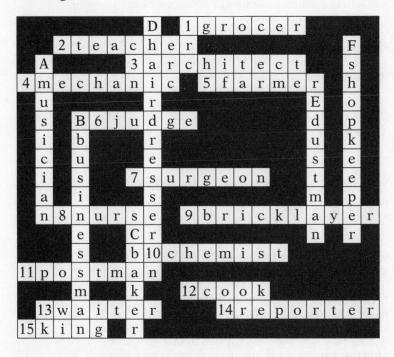

Architect *architecte* – baker *boulanger* – bricklayer *maçon* – businessman *homme d'affaires* – chemist *pharmacien* – cook *cuisinier* – dustman *éboueur* – farmer *fermier* – grocer *épicier* – hairdresser *coiffeur* – judge *juge* – king *roi* – mechanic *garagiste* – musician *musicien* – nurse *infirmière* – postman *facteur* – reporter *reporter* – shopkeeper *commerçant* – surgeon *chirurgien* – teacher *professeur* – waiter *serveur*.

How and co

How heavy is your pack of leaflets? I can help you to carry it.
« How heavy » interroge sur le poids.
Ex. : How heavy is my professional pass? *Quel est le poids de mon badge professionnel ?*

How much chance do we have of coming to a compromise?
« How much » interroge sur la quantité lorsqu'il s'agit d'indénombrables.
Ex. : How much work must I do in one hour?
Quelle somme de travail dois-je faire en une heure ?

How many demonstrators joined our wage demand?
« How many » interroge sur la quantité lorsqu'il s'agit de dénombrables.
Ex. : How many days are you off? *Combien de jours de congé as-tu ?*

How far is the demonstration? I can't find it and my feet hurt.
« How far » interroge sur la distance.
Ex. : How far is the cafeteria? *À quelle distance se trouve la cafétéria ?*

How big should my banner be? I want to be sure that everybody can see it.
« How big » interroge sur la dimension.
Ex. : How big is the cafeteria? *Quelle est la taille de la cafétéria ?*

How soon can we stage a strike? It's urgent to voice claims.
« How soon » interroge sur la proximité dans le temps.
Ex. : How soon are the holidays? *C'est pour quand les vacances ?*

How often do the demonstrations take place? Once a year?... Once a month !
« How often » interroge sur la fréquence.
Ex. : How often are we entitled to take a break?
À quelle fréquence pouvons-nous faire une pause ?

On peut ajouter encore un certain nombre d'interrogatifs sur ce même schéma « how + adjectif ou adverbe » : « how large... » *quelle est la superficie ?*, « how deep... » *quelle est la profondeur ?*, etc.

3
Guilty or not guilty?

It's only fair/Ce n'est que justice

L'affaire va être jugée dans quelques minutes. Le suspect est dans le box des accusés, l'avocat a mis sa perruque, la cour est installée et le procureur est prêt à l'attaque. Aucun aveu encore, juste des présomptions. Si vous êtes attentif au dialogue qui suit, non seulement vous pourrez prouver que l'accusé est coupable ou innocent, mais en plus, vous saurez tout de l'affaire des « question tags ». Pour cela, à vous de compléter les phrases proposées. Puis un cas de divorce permettra de revoir les « tags de conformité ou non-conformité » (aux règles du mariage, bien sûr !). Pour finir, quelques grands personnages du crime seront à découvrir. Que la vérité soit faite ! Jugez vous-même !

A strange case *(les « question tags »)*

Trouvez le « question tag » qui manque.

Ex. : You are guilty, **(1)** _____ ? → You are guilty, **aren't you** ?

THE JUDGE : To let people adjudicate, answer my questions. Just admit the facts. We have witnesses. Mr Terence Bone, you were near 10 Downing Street the night of the kidnapping, **(1)** _____ ?
MR T. BONE : Yes, I was.

THE JUDGE : You like pets, **(2)** _____ ?
MR T. BONE : I can't have any because I'm allergic to their coats.

THE JUDGE : You've got a photograph of the Prime Minister with his dog in your apartment, **(3)** _____ ?

325

MR T. BONE : I'm so patriotic, My Lord !

THE JUDGE : You don't like people who own pets, **(4)** _____ ?
MR T. BONE : I don't mind what people do, My Lord.

THE JUDGE : You knew where the victim was, **(5)** _____ ? The victim was at your place ! Tell the truth to this court, Mr T. Bone.
MR T. BONE : The victim, as you say, followed me voluntarily ! I couldn't get rid of this annoying creature ! I told the police that it was not a kidnapping ! I was the one who was attacked in his own house ! I actually tried to run away !

THE JUDGE : You are lying, **(6)** _____ ? Why did you go the chemist's the day after ?
MR T. BONE : Because of my allergy, I already mentioned it ! Do you really think that I would use my own name if I wanted to commit a crime ? Everything started when I introduced myself to the Prime Minister and his stupid dog !

THE JUDGE : We shall never know the truth, **(7)** _____ ?

Who did what? *(les « tags » de conformité et de non-conformité)*

Lisez chaque phrase et répondez à la question qui la suit.

John and Mary are with their lawyer because they want to get divorced. Listen to some of their complaints.

1. John can't stand Mary's way of life anymore. She's very sociable. He isn't.
   • Who likes to meet people?
   ❏ John   ❏ Mary   ❏ both of them

2. Mary can't stand staying at home in the evening anymore, watching television and sleeping before the end of the film. He can't either.
   • Who wants to have fun in the evening?
   ❏ John   ❏ Mary   ❏ both of them

3. He wants them to take turns to do the dishes. So does she.
   • Who wants to do the dishes?
   ❏ John   ❏ Mary   ❏ both of them

4. She never spends time watching the sky and speaking about stars in the middle of the night. Neither does Paul.
• Who doesn't like dreaming while watching the Milky Way?
❏ John   ❏ Mary   ❏ both of them

5. She can spend hours in the bathroom. He can't.
• Who can spend a lot of time in the bathroom?
❏ John   ❏ Mary   ❏ both of them

6. He never complains about her seeing other people. She does.
• Who's jealous?
❏ John   ❏ Mary   ❏ both of them

7. She can be hysterical. He can too.
• Who must relax?
❏ John   ❏ Mary   ❏ both of them

Who are you? *(de qui s'agit-il ?)*

Retrouvez les criminels qui sont ici interrogés. Une liste de noms vous est proposée à la fin de l'exercice pour vous aider si besoin est.

1.
— You murdered five women, didn't you?
— Yes, I did. At night, in Whitechapel, hidden by the London fog, in 1888.
— You knew Mary Jane Kelly, didn't you?
— I suppose so.
— And why did you torture your victims' bodies?
— Professional habit I suppose.

I am _____

2.
— I'm a film character and a Hitchcock creature.
— Are you?
— Yes, I am. I stabbed a woman in the shower.
— Why did you do that?
— Because I loved my mother too much, I guess.

I am _____

3.

— I'm a Thomas Harris character at the beginning, but I'm also a film character.
— Are you very dangerous?
— Yes, I am. I'm a psychopath and I eat my victims. I am a convict.
— In the movie, you helped Clarice Starling, a FBI agent, didn't you? You were a psychiatrist but you were sentenced to jail.
— Yes, I was. Anthony Hopkins played my character.

I am _____

4.

— I was so jealous. It was beyond my control.
— You were under influence, weren't you?
— Yes, I was. I was manipulated by my assistant, Iago.
— It was a tragedy, wasn't it?
— Oh yes, it was, by Shakespeare.

I am _____

5.

— You had an accomplice, didn't you?
— Yes, I had. It was my girlfriend. My gang was like my family, but we had a sad destiny in a sad time in the USA.
— You robbed small stores and gas stations, didn't you?
— Yes, we did. We shot and killed people. But eventually we got caught by the police.

I am _____

Voici une liste de célèbres criminels anglo-saxons qui pourra vous aider :
Norman Bates – Lee Harvey Oswald – Othello – Ted Bundy – Bonnie and Clyde – Jack the Ripper – Hamlet – Hannibal Lecter.

Une panne de vocabulaire ?

Accomplice : *complice*
Actually : *en fait, en réalité*
Adjudicate : *statuer*
Admit the facts : *admettre les faits*
Annoying : *ennuyeux, pénible*
Character : *personnage*
Chemist : *pharmacien*
Coat : *pelage*
To complain : *se plaindre*
Complaint : *récrimination*
Convict : *condamné*
Court : *tribunal*
To do (did, done) the dishes : *faire la vaisselle*
Eventually : *finalement*
Fog : *brouillard*
To get (got, got) caught : *être arrêté, se faire arrêter*
I guess : *je suppose*
Guilty : *coupable*
To help : *aider*
Hidden : *caché*
To be under influence : *être sous influence*

To introduce : *présenter*
Jail : *prison*
Lawyer (attorney, en américain) : *avocat*
To lie : *mentir*
Milky Way : *Voie lactée*
I don't mind : *cela m'est égal*
To murder : *assassiner*
Murderer : *assassin*
To own : *posséder*
Petrol station (gas station, en américain) : *station-service*
At your place : *chez vous*
To get rid of : *se débarrasser de*
To be sentenced : *être condamné*
To shoot (shot, shot) : *tirer sur quelqu'un*
To stab : *frapper (avec un couteau), poignarder*
To take turns : *alterner*
In turn : *à tour de rôle*
While : *quand, pendant que*
Witness : *témoin*

Réponses

A strange case

Chacun aura compris que notre pauvre accusé semble bien innocent. Il a été poursuivi par le chien du Premier ministre et ne l'a pas kidnappé, ce dont on voudrait le rendre responsable. Il a la malchance de porter un nom qui désigne un morceau de viande de bœuf avec un os, « the T. Bone ».

Rappelons d'abord que les « question tags » s'utilisent dans les questions lorsque l'on attend une confirmation de l'information que l'on avance.

1. weren't you

Lorsque la phrase de départ est affirmative, le « tag » est alors négatif. Le « tag » reprend l'auxiliaire de la phrase de départ.

Ex. : You are the murderer, aren't you? *Vous êtes l'assassin, n'est-ce pas ?*

2. don't you

Lorsqu'il n'y a pas d'auxiliaire visible, on fait appel aux auxiliaires « do, does, did » selon le sujet et le temps de la principale.

Ex. : You happened to be passing by, didn't you? *Vous passiez par là par hasard, non ?*

3. haven't you

4. do you

Si la phrase de départ est négative, le « tag » est positif.

Ex. : You won't lie to the police, will you? *Vous ne mentiriez pas à la police, hein ?*

5. didn't you

6. aren't you

7. shall we

« Never » est une forme négative.

Who did what?

1. Mary

La reprise de l'auxiliaire permet de marquer un désaccord ; on parle de « tags de non-conformité » (elle si, elle non...). Si la phrase de départ est positive, le « tag » sera négatif et inversement.

Ex. : He could murder her. She couldn't. *Il pourrait l'assassiner. Elle non.*

2. Both of them

Pour exprimer un accord ou un goût identique, on utilise des « tags de conformité » (elle aussi, elle non plus...).

Lorsque la phrase de départ est négative, la construction de la deuxième phrase se fait avec « either » (le verbe est alors négatif) ou « neither » (le verbe est alors positif).

Ex. : He can't stand to see her face anymore. She can't either.
Il ne supporte plus de voir son visage. Elle non plus.

He doesn't want to hear her voice anymore. Neither does she.
Il ne veut plus entendre sa voix. Elle non plus.

3. Both of them
Lorsque l'auxiliaire n'apparaît pas dans la phrase de départ, on utilise les auxiliaires « do, does, did ».
« So » marque la conformité avec une phrase de départ positive.
Ex. : He tried to poison her with out-of-dated cheese. So did she.
Il a essayé de l'empoisonner avec du fromage périmé. Elle aussi.

4. Both of them

5. Mary
Pour marquer la non-conformité lorsque la phrase de départ est affirmative, on utilise un « tag » négatif.
Ex. : He tampered with the car brakes. She didn't.
Il a trafiqué les freins de la voiture. Elle, non.

6. Mary
Pour marquer la non-conformité lorsque la phrase de départ est négative, on utilise un « tag » positif.
Ex. : She doesn't pay attention when she uses a blowlamp. He does.
Elle ne fait pas attention lorsqu'elle utilise un chalumeau. Lui si.

7. Both of them
« Too » marque la conformité avec une phrase de départ positive. L'auxiliaire « to be » ne peut pas être contracté dans l'expression « she is too ».
Ex. : He's sorry about his behaviour. She is too. *Il est désolé de son comportement. Elle aussi.*

Who are you?

1. Jack the Ripper (*Jack l'Éventreur*)
Personne n'a jamais découvert l'identité de ce tueur que l'on pensait chirurgien au vu du mode opératoire : l'assassin éventrait et éviscérait ses victimes.

2. Norman Bates
Personnage du film d'Alfred Hitchcock, *Psychose*. Le jeune homme tient un hôtel dans l'Arizona. Déguisé en vieille femme, il assassine Marion Crane, cliente du motel, alors qu'elle prend sa douche. Il

souffre d'une maladie mentale qui lui fait adopter la personnalité de sa mère décédée.

3. Hannibal Lecter
Personnage de romans écrits par Thomas Harris, adaptés au cinéma (*Le Silence des agneaux*, *Hannibal*) par Jonathan Demme, ce psychopathe cannibale va aider le F.B.I. à régler certaines affaires délicates.

4. Othello
Personnage éponyme de la pièce de Shakespeare, Othello, fou de jalousie, tue l'innocente Desdémone, convaincu par Iago, son aide, qu'elle lui est infidèle.

5. Bonnie and Clyde
Ces deux personnages furent d'abord des braqueurs de banques, lors de la Grande dépression des années 1930 aux États-Unis. Clyde Barrow venait d'une famille pauvre. Jeune, il se fit arrêter pour vols de voitures, fit de la prison et entama sa carrière de criminel. Il créa le gang Barrow, avec son frère Buck et la femme de ce dernier, et Bonnie, qui était devenue sa compagne. Ils furent abattus tous les deux par la police en 1934, en Louisiane.

Les autres noms :

Lee Harvey Oswald, assassin de John F. Kennedy en 1963.
Ted Bundy, dit «le tueur de femmes», assassin américain de vingt-trois femmes.
Hamlet, personnage éponyme d'une célèbre pièce de Shakespeare. Ce prince norvégien venge le meurtre de son père.

4

2007 : a grammar odyssey

Let's go to the cinema!/Allons au cinéma!

Il s'appelait comment le tramway déjà? Rocky, c'est bien le nom d'un chien? *The Bridge on the River Kwaï*, c'est l'histoire d'un dentiste ou d'une partie de cartes? Pour éviter de poser des questions saugrenues qui nuisent à votre réputation, une petite révision du cinéma anglo-saxon s'impose. Également à l'affiche, gros plan sur « there is, there are », avec un petit exercice où vous devrez choisir entre les deux formes et retrouver le titre du film qui vous est résumé. Puis, panoramique sur les comparatifs et arrêt sur l'expression de l'opinion personnelle. Enfin, nous vous proposons un zoom sur les titres de films cachés dans le texte. Vous aurez alors des chances de devenir une vraie star... de l'anglais.

In the movies *(there is/there are)*

Voici les synopsis de films que vous devez reconnaître. Choisissez aussi entre « there is/there are » lorsque cela vous est proposé et rayez la mauvaise réponse. Attention aux pièges!

1. (a) There is/There are three parts. **(b) There is/There are** a small creature with hairy feet and a large appetite. **(c) There is/There are** an Uncle who gives a lost gold ring, coveted by Gollum, to the main character. **(d) There is/There are** two towers. **(e) There is/There are** a fight between good and evil.

2. (a) There is/There are people who wake up too late. **(b) There is/There are** a group of friends. **(c) There is/There are** weddings. **(d) There is/There are** an Englishman and an American woman. One of the friends dies.

3. (a) There is / There are the police. **(b) There is / There are** two men: Riggs et Murtaugh. **(c) There is / There are** four parts. **(d) There is / There are** drugs, suicides, a mad guy who isn't afraid to die and becomes very dangerous. **(e) There is / There are** bad news for the L.A. police department.

Supériorité, infériorité, égalité ? *(les comparatifs)*

Trouvez à quel degré de comparaison utiliser l'adjectif qui vous est proposé dans ces phrases et écrivez la forme correcte.

Ex.: Whoopi Goldberg is _____ (funny) _____ Marlon Brando. → Whoopi Goldberg is **funnier than** Marlon Brando.

1. It goes without saying that Nicole Kidman is _____ (tall) Tom Cruise but _____ (muscular) _____ Jackie Chan.

2. I have the impression that Keanu Reeves is a _____ (good) action movie actor _____ Marilyn Monroe.

3. I want to point out that George Clooney is _____ (attractive) _____ E.T.

4. I feel as if Julia Roberts is _____ (pretty) _____ other women.

5. I'd like to emphasize that Alfred Hitchcock is _____ (famous) _____ my neighbour.

6. It is well-known that Shreck is _____ (green) _____ Kermit the Frog.

7. People tend to believe that Sylvester Stallone is a _____ (bad) musical actor _____ Fred Astair.

8. We can't help seeing that Liz Taylor is _____ (old) _____ Angelina Jolie.

Les films cachés

Retrouvez dans ce texte douze titres de films que vous soulignerez.

We just wanted to find the godfather we thought best for our daughter Wanda. It's very common even in our modern times. I asked my brother Bill whom I met on the street one day. He was so happy! But he started to say:

« I knew a fish called Wanda. I loved that fish, but it was so greedy! It ate the others in the aquarium, there were only seven left. But Wanda kept eating its friends... »

He spoke a lot about his fish. He was boring. He spoke such a strange language that I was lost in translation. At the end I wanted to kill Bill and his fish. We were outside and it started raining. I said:

« Don't stay in the rain, man. Go home, we'll talk another time... »

But he wanted me to go with him and see his new chicken pets.

« Do you know how nice chickens are? I gave them names. My favourite is Gloria. She's so pretty! Do you know chickens can't fly so I organised a chicken run... »

And so on. It was the longest day in my life. He had rabbits, dogs, cats. I felt like a ghost when I got back home. I went straight to bed.

Une panne de vocabulaire?

Attractive: *séduisant*
Boring: *ennuyeux*
Chicken run: *poulailler*
To covet: *convoiter*
Daughter: *fille (du père, de la mère)*
Emphasize: *insister sur, souligner*
Even: *même*
To feel (felt, felt): *se sentir*
To feel (felt, felt) as if: *avoir l'impression que*
To fly (flew, flown): *voler (dans l'air)*
Frog: *grenouille*
Funny: *drôle*
To get (got, got) back home: *rentrer chez soi*
Ghost: *fantôme*
To go (went, gone) without saying: *aller sans dire*
Godfather: *parrain*
Good and evil: *le bien et le mal*
Greedy: *glouton*
Fight: *combat*
Hairy: *poilu*

We can't help: *on ne peut s'empêcher de*
It is well-known that: *il est bien connu que*
Later: *plus tard*
Lost: *perdu*
Main character: *personnage principal*
Movie (en américain): *film*
Action movie: *film d'action*
Muscular: *musclé*
To point out that: *faire remarquer que*
Rabbit: *lapin*
Ring: *anneau*
Tall: *grand*
To tend to believe: *tendre à croire*
Translation: *traduction, translation*
To wake (woke, woken) up: *se lever*
Wedding: *marriage*
Well known: *bien connu*

Réponses

In the movies

1. The Lord of the Rings. *Le Seigneur des Anneaux.*

(a) There are
« There are » *il y a* est suivi d'un pluriel.
   Ex. : There are several great actors in this movie. *Il y a plusieurs grands acteurs dans ce film.*

(b) There is
« There is » *il y a* est suivi d'un singulier.
   Ex. : There is a comedy on TV tonight. *Il y a une comédie à la télé ce soir.*

(c) There is

(d) There are

(e) There is

2. Four Weddings and a Funeral.
Quatre mariages et un enterrement.

(a) There are
⚠ « People » est un mot pluriel même s'il ne prend pas de « s ».
   Ex. : People are people. *Les gens sont comme ça.*

(b) There is

(c) There are

(d) There are

3. Lethal Weapon. *L'Arme fatale.*

(a) There are
⚠ « Police » est un mot pluriel.
   Ex. : The police are missing a couple of their cars, they have been stolen during a bank robbery.
   La police a perdu deux voitures, elles ont été volées pendant un hold-up.

(b) There are

(c) There are

(d) There are

(e) There is
⚠ « News » est un mot singulier.
Ex. : Stop watching television! There is so much bad news!
Arrête de regarder la télévision ! Il y a tant de mauvaises nouvelles !

Supériorité, infériorité, égalité ? *(les comparatifs)*

1. taller than
Le comparatif de supériorité (plus... que) diffère selon le nombre de syllabes de l'adjectif. Si l'adjectif a une syllabe, il se termine par le suffixe « -er + than ».
Ex. : Tracking a snail with a film camera takes longer than tracking a rabbit.
Faire un travelling avant sur un escargot est plus long que de faire un travelling avant sur un lapin.

less muscular than
Le comparatif d'infériorité (moins... que) se forme avec « less + adjectif + than » quelle que soit la longueur de l'adjectif.
Ex. : I think a long shot of this bear in his natural surroundings is less dangerous than a close shot.
Je pense qu'un plan général de cet ours dans son milieu naturel est moins dangereux qu'un plan rapproché.

2. better than
Certains adjectifs ont des comparatifs irréguliers : « good » *bon* a pour comparatif « better » *meilleur.*
Ex. : Saying « Action ! » is better than saying « Could we please start shooting if everybody is ready ? »
Dire « Action ! » est mieux que de dire « Pourrions-nous commencer à filmer si tout le monde est prêt ? »

3. more attractive than
Pour exprimer le comparatif de supériorité des adjectifs de plus de deux syllabes, on fait précéder l'adjectif de « more » et on le fait suivre de « than ».

Ex.: If you've got a headache, I think that a silent film would be more relaxing than a musical.

Si tu as mal à la tête, je pense qu'un film muet sera plus reposant qu'une comédie musicale

4. prettier than

Si l'adjectif a deux syllabes et se termine en -y, -er, -ow, -le (Ex.: happy, funny, narrow, clever), il se termine par le suffixe « -er + than ». Le -y se transforme en -i.

Ex.: If you want to shoot a realistic film, setting the scene on location would be cleverer than painting the set yourself.

Si tu veux tourner un film réaliste, situer la scène dans un décor naturel serait plus intelligent que dans un décor que tu peindrais toi-même.

5. more famous than

Les autres adjectifs de deux syllabes forment leur comparatif avec « more + adjectif + than ».

Ex.: Watching a film on television is more boring than going to the cinema.

Regarder un film à la télévision est plus ennuyeux que d'aller au cinéma.

6. as green as

Pour exprimer un comparatif d'égalité (aussi... que), on fait précéder et suivre l'adjectif de « as ».

Ex.: These dialogues are as soppy as Harlequin novels.

Ces dialogues sont aussi fleur bleue que les romans Harlequin.

7. worse than

Le comparatif de supériorité de « bad » est irrégulier : « worse ».

Ex.: This actor is worse than the horse he's riding.

Cet acteur est pire que le cheval qu'il monte.

8. older

Le comparatif de supériorité de « old » est régulier, mais on utilise « elder » lorsqu'on compare les membres d'une fratrie.

Ex.: She's older in real life than she seems on the screen.

Elle est plus vieille en réalité qu'elle ne paraît sur l'écran.

She's elder than her sister. *Elle est plus vieille que sa sœur.*

Les films cachés

We just wanted to find **the godfather** we thought best for our daughter Wanda. It's very common even in our **modern times**. I asked my brother Bill whom I met on the street one day. He was so happy! But he started to say:

« I knew **a fish called Wanda**. I loved that fish, but it was so greedy! It ate **the others** in the aquarium, there were only **seven** left. But Wanda kept eating its friends… »

He spoke a lot about his fish. He was boring. He spoke such a strange language that I was **lost in translation**. At the end I wanted to **kill Bill** and his fish. We were outside and it started raining. I said:

« Don't stay in the **rain, man**. Go home, we'll talk another time… »

But he wanted me to go with him and see his new chicken pets.

« Do you know how nice chickens are? I gave them names. My favourite is **Gloria**. She's so pretty! Do you know chickens can't fly so I organised a **chicken run**… »

And so on. It was **the longest day** in my life. He had rabbits, dogs, cats. I felt like a **ghost** when I got back home. I went straight to bed.

The Godfather *Le Parrain* (1972), film de Francis Ford Coppola avec Marlon Brando.

Modern Times *Les Temps modernes* (1936), film de et avec Charles Chaplin.

A Fish Called Wanda *Un poisson nommé Wanda* (1988), film de Charles Crichton avec Jamie Lee Curtis.

The Others *Les Autres* (2001), film d'Alejandro Amenabar avec Nicole Kidman.

Seven (1995), film de David Fincher avec Brad Pitt.

Lost in Translation (2003), film de Sofia Coppola avec Bill Murray.

Kill Bill (2003), film de Quentin Tarentino avec Uma Thurman.

Rain Man (1988), film de Barry Levinson avec Dustin Hoffman et Tom Cruise.

Gloria (1980), film de John Cassavetes avec Gena Rowlands.

Chicken Run (2000), film d'animation de Peter Lord et Nick Park avec des poulets.

The Longest Day *Le jour le plus long* (1962), film de Ken Annakin et Andrew Marton avec Richard Burton, Sean Connery, Bourvil, Jean-Louis Barrault.

Ghost (1990), film de Jerry Zucker avec Demi Moore et Patrick Swayze.

5

Immediate boarding gate 5

Means of transport/Les moyens de transport

La mer ou la montagne ? Le train ou l'avion ? Voyage de nuit ou de jour ? Quels tracas ces vacances ! En tout cas, si vous partez à l'étranger, quelques révisions s'imposent : savoir dire l'heure en anglais et employer les bonnes prépositions de temps. Vous n'échapperez pas non plus à une révision de l'impératif afin de comprendre les consignes à suivre dans les différents moyens de transports. Vous serez alors armés pour affronter le farniente...
Désolé, nous n'avons pas de recette pour calmer les enfants agités ni pour vous divertir lorsque les trajets sont trop longs. À moins que vous n'en profitiez pour réviser votre anglais ?

Qui va où ? comment ? à quelle heure ? *(lire l'heure)*

Reportez les informations qui vous sont données dans les phrases ci-dessous sous forme de tableau, en faisant correspondre les données : la destination, l'heure de départ et le moyen de transport. Tous les voyageurs partent de Londres.

Ex. : Jason is going to France at ten o'clock in the morning. He is rowing.

	Jason	Kevin	Cindy	Jennifer	Matthew	Jane	John
Calais	X						
10.00 a.m.	X						
By boat	X						

	Brian	Kevin	Cindy	Jennifer	Matthew	Jane	John
Belfast							
Guernsey							
Cardiff							
Canberra							
Dublin							
Edinburgh							
Wellington							
10.15 a.m.							
10.20 p.m.							
9.40 p.m.							
10.30 a.m.							
12.00 a.m.							
9.45 a.m.							
10.30 p.m.							
By bus							
By car							
By boat (× 2)							
By train							
By plane (× 2)							

- Brian is going to the Channel Islands at half past ten in the morning. He is already on board.

- Kevin is going to Ireland at half past ten in the evening. The passengers are on the road for some part of the journey.

- Cindy is going to Scotland at a quarter to ten in the morning. She likes public transport.

- Jennifer is going to Wales at a quarter past ten in the morning. She is in the fast lane.

- Matthew is going to Australia at twenty to ten in the evening. He uses the same means of transport as Brian.

• Jane is going to New Zealand at twenty past ten in the evening. She can't stand the sea.

• John is going to Northern Ireland at noon. He's in a hurry.

Vrai ou faux ? *(l'impératif)*

Indiquez si les phrases ci-dessous peuvent être dites par le locuteur proposé dans un anglais correct. Entourez « right » si vous jugez que la phrase est correcte, « wrong » dans le cas contraire.

Ex. : A taxi driver can say :

Mind the carpet of my car.   **RIGHT**   WRONG
N'hésitez pas à chercher les mots difficiles dans la rubrique consacrée au vocabulaire p. 345.

• The air hostess can say :
  1. Fasten your safety belt.   RIGHT   WRONG
  2. Even if it's warm inside, don't open
     the door unless the crew says so.   RIGHT   WRONG
  3. Do not smoke, scream, sing or hit your
     neighbours during the flight.   RIGHT   WRONG
  4. Let me tell you that playing football
     aboard the plane is strictly forbidden.
     Besides, demonstrating safety regulations
     is not a gym workout to be followed.   RIGHT   WRONG

• The captain of a liner can say :
  5. Use not the lifeboat to go fishing, please! RIGHT   WRONG
  6. Don't let him remain in the gangway!
     We are weighing anchor.   RIGHT   WRONG
  7. Don't let's hit an iceberg or we could be
     shipwrecked.   RIGHT   WRONG
  8. Tell never me your cruise was the worst
     disaster in the history of sailing.   RIGHT   WRONG

• The station master can say :
  9. Stay behind the line! The train's pulling
     into the station on platform 6.   RIGHT   WRONG
  10. Check always the timetable, you could
      easily miss your train.   RIGHT   WRONG

11. Do you want to take a picture of me
whistling? Please do.   RIGHT   WRONG

12. Don't cross the rails unless the level
crossing is up.   RIGHT   WRONG

On holiday *(prépositions et adverbes de temps)*

Remplissez les espaces suivis d'un chiffre par la préposition appropriée parmi celles proposées ci-dessous :
at *(4 occurrences)* – during – for – in *(5 occurrences)* – next – on
(2 occurrences).
Retrouvez les adverbes de temps cachés derrière des anagrammes
en gras.

Ex.: Grand-ma wanted to travel _____ **(1)** month.
→ Grand-ma wanted to travel **next** month.
Ex.: She took a rest **tfera**. → She took a rest **after**.

OLD WOMAN : Good morning, young man!
YOUNG MAN : Good morning, madam! Can I help you?

OLD WOMAN : I hope so. I want to book a ticket to Paris.
YOUNG MAN : Yes, when would you like to travel?

OLD WOMAN : I want to go away _____ **(1)** week, as **noso**
as _____ possible actually.
YOUNG MAN : How long do you want to stay?

OLD WOMAN : _____ **(2)** a month.
YOUNG MAN : Ok. You can take off _____ **(3)** Monday _____ **(4)**
10 a.m. You will arrive in Paris _____ **(5)** 11 a.m.

OLD WOMAN : Marvellous! I love Paris _____ **(6)** June!
YOUNG MAN : Oh! I'm sorry, but we are _____ **(7)** December,
you couldn't be in Paris _____ **(8)** June if you decided to go
won _____ !

OLD WOMAN : Oh! I'm so disappointed! It's cold _____ **(9)** December, isn't it?
YOUNG MAN : Yes, I'm afraid it is. We are _____ **(10)** winter!

OLD WOMAN: And with the jet lag...
YOUNG MAN: There is no jet lag in France!

OLD WOMAN: Oh!... And in case of hijacking!
YOUNG MAN: Take the Eurostar! The train...

OLD WOMAN: Oh yes! I have taken the train **frobee** _____ , **ocne** _____ !
YOUNG MAN: **neyclert** _____ ?

OLD WOMAN: No! Sixty years ago! For my wedding! I got married _____ **(11)** twenty!
YOUNG MAN: Where did you go?

OLD WOMAN: I went to Twickenham with Albert. It was a nice trip! But it was long!
YOUNG MAN: Oh! I see. You know, **adwayson** _____ , the trip to Paris lasts three hours.

OLD WOMAN: Am I taking a train or a plane?
YOUNG MAN: No, you take the tunnel under the Channel.

OLD WOMAN: Are you kidding me on? I can't do that!
YOUNG MAN: Take a ferry boat!

OLD WOMAN: Well! That's a good idea! I prefer to be on the water rather than under. Can I see the picture of the ship captain, I want an old one.
YOUNG MAN: But you can't choose a trip according to the captain's looks! You just can't do that! You'll see him **alter** _____ on the ferry. Do you want to travel _____ **(12)** night? You'll take the boat and you'll arrive _____ **(13)** the following day.

OLD WOMAN: I don't know. I don't want to be seasick _____ **(14)** my trip. It's so difficult to choose...
YOUNG MAN: And what about a trip to Twickenham again? By bus? So you can remember the good old days? After all...

Une panne de vocabulaire?

Actually: *en fait*
Aboard the plane: *à bord de l'avion*
To be (was, been) in a hurry: *être pressé*
Besides: *de plus*
To book a ticket: *réserver un billet*
Crew: *équipage*
Cruise: *croisière*
To be (was, been) delayed: *avoir du retard*
Disaster: *désastre*
Fast lane: *voie rapide*
To be in the fast lane: *vivre à cent à l'heure*
To fasten: *attacher*
Flight: *vol*
Following day: *jour suivant*
To be (was, been) followed: *à suivre*
Forbidden: *interdit*
Gangway: *passerelle*
Gym workout (en américain): *exercice de gym*
Hijacking: *détournement*
To hit (hit, hit) somebody: *frapper quelqu'un*
To hit (hit, hit) an iceberg: *heurter un iceberg*
Jet lag: *décalage horaire*
Journey: *voyage, trajet*
To kid somebody on: *faire marcher quelqu'un*

To last: *durer*
Level crossing: *passage à niveau*
Lifeboat: *cannot de sauvetage*
Liner: *paquebot*
To mind: *faire attention*
Neighbour: *voisin*
Platform: *quai*
To pull into the station: *entrer en gare*
Rails: *rails*
Rather than: *plutôt que*
To row: *ramer*
Safety belt: *ceinture de sécurité*
Safety regulation: *règle de sécurité*
To sail: *naviguer*
To scream: *crier*
To be (was, been) seasick: *avoir le mal de mer*
To be (was, been) shipwrecked: *faire naufrage*
To stand (stood, stood): *supporter*
Station master: *chef de gare*
To take (took, taken) off: *décoller*
Tarmac: *aire d'envol*
Timetable: *horaire*
Unless: *à moins que*
Warm: *chaud*
Wedding: *mariage*
To weigh anchor: *lever l'ancre*
To whistle: *siffler*

Réponses

Qui va où ? comment ? à quelle heure ?

	Brian	Kevin	Cindy	Jennifer	Matthew	Jane	John
Belfast							X
Guernsey	X						
Cardiff			X				
Canberra					X		
Dublin		X					
Edinburgh			X				
Wellington						X	
10.15 a.m.				X			
10.20 p.m.						X	
9.40 p.m.					X		
10.30 a.m.	X						
12.00 a.m.							X
9.45 a.m.			X				
10.30 p.m.		X					
By bus		X					
By car			X				
By boat	X				X		
By train			X				
By plane						X	X

Vrai ou faux ?

1. Right

À la 2e personne du singulier et du pluriel, l'impératif est semblable à l'infinitif sans « to ».

Ex. : Take the tube at Victoria station, change once at Embankment and get off at Piccadilly Circus.

Prenez le métro à la station Victoria, changez une fois à Embankment et descendez à Piccadilly Circus.

2. Right
Dans la langue familière, la forme négative de l'impératif aux deuxièmes personnes du singulier et du pluriel s'exprime avec « don't » suivi de l'infinitif.

Ex. : Don't worry! Captain Speak is not in control.
Ne vous inquiétez pas ! Le capitaine Speak n'est pas aux commandes.

3. Right
« Do not » est une forme d'insistance de la forme négative aux deuxièmes personnes du singulier et du pluriel.

Ex. : Do not pull the alarm because you forgot to say good bye to your mummy.
N'activez pas le signal d'alarme parce que vous avez oublié de dire au revoir à votre maman.

4. Right
On emploie « let » + complément + infinitif sans « to » à toutes les personnes sauf la 2ᵉ.

Ex. : Let them go by foot! *Qu'ils aillent à pied !*

5. Wrong
À la 2ᵉ personne du singulier et du pluriel, la négation sans « do » est archaïque. On ne dira pas « use not » mais « don't use ».

Ex. : Don't take the train to Glasgow! *Ne prends pas le train pour Glasgow !*

6. Right
Dans la langue familière, on peut faire précéder « let » par « don't ».

Ex. : Don't let them make a standing ovation after the landing! Let them keep their seat belts on!
Qu'ils ne fassent pas une standing ovation après l'atterrissage ! Qu'ils gardent leur ceinture de sécurité attachée !
Dans un registre soutenu, on trouverait :
Let them not make a standing ovation.

7. Right
Ex. : Don't let's stay here. *Ne restons pas ici.*

8. Wrong
« Never », comme tous les adverbes de fréquence, doit précéder l'impératif.

Ex. : Never exceed the speed limits, you could get fined.
Ne dépasse jamais les limitations de vitesse, tu pourrais avoir une amende.

9. Right

10. Wrong

«Always», comme tous les adverbes de fréquence, doit précéder l'impératif.

Ex.: Always slow down at the amber light. *Freine toujours quand le feu est orange.*

11. Right

Dans une réponse, après «yes» ou «please», il est suffisant d'utiliser «do».

Ex.: — Can I get into second gear?
— *Puis-je passer la deuxième vitesse ?*
— Please, do! And speed up!
— *Fais-le ! Et va plus vite !*

12. Right

On holiday

1. next

⚠ Ne pas confondre «next» et «the next». «Next year» indique l'année prochaine (l'année qui débute le 1er janvier à venir), «the next year» l'année d'après (on peut traduire par *l'année suivante*).

Ex.: She visited Twickenham Stadium in 2004 and the next year she learnt to play rugby.

Elle visita le stade de Twickenham en 2004 et l'année suivante elle apprit à jouer au rugby.

She will begin as a professional next year.
Elle commencera sa carrière professionnelle l'année prochaine.

noso = **soon** *(bientôt)*

2. for

Cette préposition répond à la question «how long» et indique la durée d'une action.

Ex.: She has been in hospital for three weeks. *Elle est à l'hôpital depuis trois semaines.*

3. on

«On» s'emploie lorsque l'on précise le jour ou la date.

Ex.: See you on Sunday evening. *À dimanche soir.*

4. at

« At » se traduit en français par la préposition *à*. On l'emploie pour donner l'heure, devant les noms de fêtes…

Ex. : The old lady wanted to sunbathe at Christmas in France, but she will only be able to have a cold footbath.

La vieille dame voulait prendre un bain de soleil à Noël en France, mais elle pourra seulement avoir un bain de pieds froid.

5. at

6. in

On emploie « in » avec les mois, les années et les siècles.

Ex. : She stopped playing rugby in July because it was too hot.
Elle a arrêté le rugby en juillet parce qu'il faisait trop chaud.

7. in

8. in

won = **now** *(maintenant)*

9. in

10. in

On emploie « in » pour indiquer les saisons.

Ex. : She thinks playing sports in winter is so much better.
Elle pense que faire du sport l'hiver est bien mieux.

⚠ Les noms de saisons (« spring, summer, fall, winter ») peuvent aussi être précédés de l'article « the ».

Ex. : In the spring. *Au printemps.*

frobee = **before** *(avant)*
ocne = **once** *(une fois)*
neyclert = **recently** *(récemment)*

11. at

adwayson = **nowadays** *(de nos jours)*
alter = **later** *(plus tard)*

12. at

Il s'agit d'une expression figée.

Ex. : At week-ends, she watches rugby games on T.V.
Le week-end, elle regarde des matchs de rugby à la télé.

13. on

14. during

Cette préposition répond à la question «when» et indique à quel moment s'est déroulée une action.

Ex.: During the night, she lost her dentures in the middle of the Twickenham Stadium.

Pendant la nuit, elle a perdu son dentier au milieu du stade de Twickenham.

6

Discovery!

Finding your way about in space/ Se repérer dans l'espace

Le capitaine Speak est en route pour une aventure interstellaire, mais il peine à se repérer dans l'espace et compte sur vous pour l'aider. Il vous faudra éviter les trous noirs et les mauvaises directions ! Le premier exercice consiste à trouver votre destination après avoir déchiffré l'itinéraire proposé. Ensuite, vous compléterez le texte avec les prépositions de lieu qui vous seront proposées, et vous aurez à choisir entre deux formes des verbes : infinitif ou forme en « -ing ». Si vous réussissez cette mission, vous pourrez envisager de vous inscrire à la Nasa.

Where are you?

Follow the right line.

1. Go straight on from the starting point. Turn right in front of the Sun. Pass Pluto and the pole star. Turn right and turn left at the next crossroads. Go round the star turning right four times. Turn left. Continue straight ahead. Turn right at the first crossroads. Where are you?

2. From the starting point, go straight ahead between the Sun and Pluto. At the first crossroads, turn left. Turn right twice. Go straight on at the crossroads. Turn left. Where are you?

3. Go towards the Earth from the starting point. Pass Mars and turn left. Go back to the nearest crossroads. Turn right three times and

continue straight ahead from the Sun, until you cannot go on anymore. Where are you?

4. From the starting point, go towards Jupiter, turning right after Pluto. Turn left passing Jupiter on your right. Once you are next to Sirius, turn left then make a right hand turn. Go away from the pole star. Where are you?

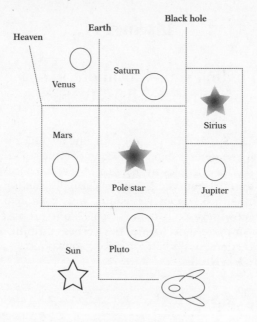

Once upon a time in space

Remplissez les espaces suivis d'une lettre par la préposition appropriée parmi celles proposées ci-dessous :

above – behind – close to – from – in – in the middle of – inside – into – on (*2 occurrences*) – through – to (*2 occurrences*) – under.

Ex.: He's _____ **(a)** space. → He's **in** space.

Soulignez également la forme verbale correcte parmi les deux formes proposées après les chiffres.

Ex.: Captain Speak is anxious **(1) to make/making** a trip into outer space. → Captain Speak is anxious **to make** a trip into outer space.

6. Finding your way about in space/Se repérer dans l'espace

Somewhere over the rainbow, October 12th 2015

My name is Speak. I was born _____ **(a)** England, in 1965. I'm the captain of this spaceship. I've been lost in space for two weeks. I want **(1) to tell/telling** you my story before **(2) to die/dying**. I don't think we can go back _____ **(b)** the Earth station. We are going nowhere, I'm afraid.

Perhaps I should have learnt **(3) to navigate/navigating** before **(4) accept/accepting** this mission. But it's too late now. We are coming _____ **(c)** the Moon but we were supposed **(5) to go/going (d)** Mars.

Everything started three weeks ago. We were _____ **(e)** a meteorite storm.

My second in command kept **(6) to say/saying**: «Be careful **(f)** your left, a meteor... your left... I said your left!... your left!! the other side!... quick!... Oh my God!»

By **(7) to criticize/criticizing** me, he embarrassed me a lot and I lost my confidence. He had some difficulty in **(8) understand/understanding** me.

«Could you shut up while **(9) to go/going** _____ **(g)** the meteorite field! **(10) To navigate/Navigating** with poor visibility on a busy celestial road may be dangerous. I want you **(11) keeping/to keep** cool. You can sing if you want to since I forgot my radio», I said.

He insisted on **(12) take/taking** the controls. He did not like my **(13) navigate/navigating**. I was so irritated that I sat _____ **(h)** him, I just wanted to see his back. I pretended not to care about this trip. You can't trust someone who puts sweets _____ **(i)** his ears.

«Do you mind me **(14) to have/having** a cigarette? – A cigarette? Are you crazy? **(15) To smoke/Smoking** is strictly forbidden!»

I put my ashtray _____ **(j)** the table, _____ **(k)** my football magazine. I lit my cigarette. Soon, it started **(16) to rain/raining** inside, because the smoke alarm _____ **(l)** our heads set off the sprinklers. We started **(17) to run/running** around. We needed **(18) to stop/stopping** that. I pressed a button and we heard:

«Mind the door, you have started the automatic door opening system. Are you sure you want to go outside?»

On **(19) hear/hearing** the startling announcement, my second in command fainted. I screamed: «Oh, God!» and I heard:

«Door opening impossible. Chewing gum _____ **(m)** the opening system.»

We were almost saved, but I forgot the meteorites and before I could do anything, we crashed! Since then, we have been stuck in a meteorite. I can't operate the vessel anymore. The meteorite is now in control of our movements. I have got used to **(20) go/going** where it

wants. My second in command went into a coma. I put him
_____ **(n)** the table. We have nothing left to eat, there is only one
tin of corned beef left. I want the world **(21) to know/knowing** what
happened. I can't stop **(22) to think/thinking** about my future fame.

Une panne de vocabulaire ?

Around the corner: *au coin de la rue*
Ashtray: *cendrier*
Away from: *en s'éloignant de*
Between: *entre*
Black hole: *trou noir*
Busy road: *route encombrée*
Do you mind if…?: *cela vous gêne-t-il si…?*
To care about: *se préoccuper de*
Confidence: *confiance*
Crossroads: *croisement*
Ears: *oreilles*
Earth: *Terre*
To faint: *s'évanouir*
Fame: *gloire*
Forbidden: *interdit*
Heaven: *paradis*
In front of: *devant*
To get (got, got) used to: *s'habituer à*
To go (went, gone) away from: *s'écarter de*
To go (went, gone) back: *retourner*
To go (went, gone) on: *continuer*
To go round: *contourner*
To go (went, gone) straight on (= to go straight ahead): *aller tout droit*
Jammed: *encastré*
To keep (kept, kept) doing something: *ne pas arrêter de faire quelque chose*
To light (lit, lit): *allumer*
To make (made, made) a right hand turn: *tourner à droite*
Meteorite field: *champ de météorites*

Near: *à côté de*
The nearest: *le plus proche*
Next to: *à côté de*
Nowhere: *nulle part*
Once: *une fois que*
Opening process: *ouverture*
To operate the vessel: *diriger le vaisseau*
Pole star: *étoile Polaire*
To pretend: *prétendre*
Rainbow: *arc-en-ciel*
Second in command: *commandant en second*
To shut (shut, shut) up: *la boucler, la fermer*
Since: *puisque*
Somewhere: *quelque part*
Spaceship: *vaisseau spatial*
Sprinkler: *extincteur automatique*
Startling: *ahurissant*
Startling announcement: *annonce saisissante, alarmante*
Storm: *tempête*
Straight on: *tout droit*
Strictly: *strictement*
Stuck: *coincé, bloqué*
Sweets: *bonbons*
To take (took, taken) the controls: *prendre les commandes*
Tin (can, en américain): *boîte de conserve*
Towards (toward, en américain): *en direction de*
To trust someone: *faire confiance à quelqu'un*
Twice: *deux fois*
Until: *jusqu'à*

Réponses

Where are you?

1. Earth
2. Black hole
3. Heaven
4. Earth

Once upon a time in space

Les formes verbales

1. to tell
Certains verbes anglais ont une construction bien particulière. « To want » est toujours suivi d'un infinitif.
Ex. : I want to go for a walk on the moon. *Je veux aller me promener sur la lune.*

2. dying
Le gérondif est une forme en « -ing » qui permet d'utiliser le verbe avec les propriétés du nom. Il est employé notamment après les prépositions comme « before », « after », « in », « of », « without », « about »... à l'exception de « except » et « but » dans le sens de *sauf*.
Ex. : Don't go outside without dressing warmly; it's cold on the moon. *Ne sors pas sans t'habiller chaudement; il fait froid sur la lune.*

3. to navigate
Le verbe « to learn » se construit avec un infinitif.
Ex. : I learnt to speak space language before going on my trip. *J'ai appris la langue de l'espace avant de partir en voyage.*

4. accepting

5. to go
« To be supposed » est suivi d'un infinitif.
Ex. : I was supposed to practice this summer. *J'étais censé m'entraîner cet été.*

6. saying
Le verbe « to keep » est toujours suivi du participe présent.
Ex. : I keep waiting. *Je continue à attendre.*

7. criticizing

Le participe présent permet la traduction du gérondif français *en + participe présent*. Utilisé avec la préposition « by », il indique un moyen.

Ex.: By travelling in space, I am hoping to meet someone to talk to.
En sillonnant l'espace, j'espère rencontrer quelqu'un à qui parler.

8. understanding

La préposition « in » est suivie du gérondif.

Ex.: There is no harm in strolling through the Milky Way.
Il n'y a pas de mal à flâner le long de la Voie lactée.

9. going

« While » *pendant que/tout en* est suivi du gérondif.

Ex.: Drinking is illegal while navigating a spaceship.
Il est illégal de boire tout en conduisant un vaisseau spatial.

10. navigating

Le gérondif permet d'utiliser le verbe en fonction de sujet. Il est traduit par un infinitif en français.

Ex.: Navigating a spaceship is easier than driving a car : there are no road signs.
Conduire un vaisseau spatial est plus facile que de conduire une voiture : il n'y a pas de panneaux de signalisation.

11. to keep

Le verbe « to want » est suivi d'une proposition infinitive.

⚠ La construction est particulière : sujet + want + nom ou pronom personnel complément + infinitif.

Ex.: Captain! Nasa wants us to give them a call when we get there.
Capitaine ! La Nasa veut que nous leur passions un coup de fil lorsque nous serons arrivés à destination.

12. taking

La préposition « on » est suivie du gérondif.

Ex.: The engine keeps on breaking down. *Le moteur ne cesse de tomber en panne.*

13. navigating

Le gérondif est employé ici en tant que nom et peut, dès lors, être précédé d'un adjectif possessif. Il se traduit par un nom : *ma conduite*, ou un nom complété par un verbe : *le fait de conduire.*

Ex.: The second in command doesn't like my cooking tins of cor-ned beef.

Mon second n'aime pas ma manière de cuisiner les boîtes de corned beef.

14. having
La construction est la même que dans la question précédente, cependant l'adjectif possessif laisse parfois la place au pronom per-sonnel (cet emploi est beaucoup plus familier).

Ex.: I can't believe you don't like me cooking corned beef!

Quoi ? Vous n'aimez pas ma manière de cuisiner le corned beef !

15. smoking
Le verbe a une fonction sujet, il est donc employé au gérondif.

16. raining ou to rain
Le verbe « to start », comme « to begin », est suivi d'un gérondif ou d'un infinitif.

Ex.: It started raining/to rain meteorites.

Il a commencé à pleuvoir des météorites.

17. running ou to run

18. to stop
Le verbe « to need » est suivi d'un infinitif.

Ex.: « — How far is the Earth? —You need to be patient. It's a few kilometers from here. »

« — *La terre, c'est loin ? — Vous devez être patient. C'est à quelques kilomètres d'ici.* »

19. hearing
Le gérondif précédé de « on » traduit le gérondif français *en + parti-cipe présent*. La préposition indique que l'action est immédiatement antérieure à celle exprimée dans la principale.

Ex.: On hearing the news, master Yoda turned green.

En entendant la nouvelle, maître Yoda est devenu tout vert.

20. going
Le verbe « to get used to » est suivi d'un gérondif.

⚠ « To » est ici une préposition.

Ex.: I can get used to eating tins of corned beef, but not to ope-ning them without a tin opener.

Je peux m'habituer à manger des boîtes de corned beef, mais pas à les ouvrir sans ouvre-boîte.

21. to know
Il s'agit de la construction du verbe « to want » + infinitive.

22. thinking
Le verbe « to stop » est suivi d'un gérondif.
⚠ Lorsqu'il est suivi d'un infinitif, il exprime le but : *s'arrêter pour faire quelque chose.*
    Ex : Stop laughing when I navigate. *Arrête de rire lorsque je pilote.*
Stop to look at the meteorite. *Arrête-toi pour regarder la météorite.*

Les prépositions

a. in
Cette préposition sert à localiser quelqu'un ou quelque chose.
    Ex. : R2D2, can you tell me what you are doing in my space shuttle ?
    R2D2, est-ce tu peux me dire ce que tu fais dans ma navette spatiale ?

b. to
« To » indique la destination.
    Ex. : From the Earth to the Moon.
    De la Terre à la Lune.

c. from
« From » indique la provenance.
    Ex. : Princess Leia is coming back from the hairdresser's, but perhaps she has made a stop at the bakery. It looks like she is wearing two buns on her head.
    La princesse Leia revient de chez le coiffeur, ou peut-être de chez le boulanger. On dirait qu'elle a deux petits pains sur la tête.

d. to

e. in the middle of
    Ex. : Captain Speak is in the middle of nowhere.
    Le capitaine Speak est au milieu de nulle part.

f. on
    Ex. : Luke Skywalker likes taking a walk on the beach too. (He is a beach walker too).
    Luke Skywalker aime aussi se promener sur la plage.

g. through
    Ex. : You can have a look through the window and see the stars

and constellations on your left. On your right, you can see the remains of Captain Speak's spaceship which smashed into meteorites in 2015.

Vous pouvez regarder à travers le hublot pour voir les étoiles et les constellations sur votre gauche. À droite, les vestiges de la météorite où s'encastra le capitaine Speak en 2015.

h. behind

Ex.: Don't turn around! There is a space creature behind you.
Ne te retourne pas! Il y a une créature de l'espace derrière toi.

i. into

« Into » indique qu'il y a un mouvement de quelqu'un ou de quelque chose vers l'intérieur.

Ex.: You can't insert a coin into this! It is not a coffee machine, it's Darth Vader!

Non, tu ne peux pas mettre une pièce là-dedans! Ce n'est pas une machine à café, c'est Dark Vador!

j. on

k. close to

Les quatre prépositions « close to », « by », « near », « next to » ont le sens de *près de*.

Ex.: Captain Speak wants me to stay next to him and hold his hand during take-off.

Le capitaine Speak veut que je reste à côté de lui et que je lui tienne la main pendant le décollage.

l. above

Ex.: Master Yoda! Please, stop levitating above me when I'm speaking to you!

Maître Yoda! S'il te plaît, arrête de léviter au-dessus de moi lorsque je te parle!

m. inside

Ex.: Look inside the meteorite, you will see captain Speak!
Regarde à l'intérieur de la météorite, c'est le capitaine Speak!

n. under

Ex.: Welcome on board the shuttle! In case of emergency, don't try to open the door, look for the Bible under your seat instead.

Bienvenue à bord de la navette! En cas d'urgence, n'essayez pas d'ouvrir la porte mais cherchez plutôt la Bible située sous votre siège.

7
Holidays hit

Hotel selection/Choisir son hôtel

Qui n'a pas tremblé à l'idée que l'hôtel de rêve réservé pour les vacances ne soit en fait qu'une vulgaire caravane ou un bunker sans fenêtre ? Et lorsqu'il faut faire une réservation en anglais, l'angoisse redouble. Pour éviter les mauvaises surprises, nous vous proposons un test qui évaluera vos capacités à réserver une chambre digne de ce nom. Au pire, vous raterez vos vacances… sur le papier ! Dans ce chapitre, vous devrez aussi dater et exprimer le futur. Ah, vous les aurez bien méritées vos vacances !

A room with a view
(donner la date et exprimer le futur)

Complétez les phrases suivantes avec la proposition qui convient en ne donnant qu'une seule réponse. Reportez-vous ensuite à la grille des points et découvrez la destination de vos prochaines vacances.

Questions de grammaire

1. You sent a fax to book your hotel room on:
  a. February 24
  b. February the 24th
  c. february 24
  d. February the 24

2. You received the fax conforming your booking on:
  a. the 26th February
  b. 26th February
  c. the 26 February
  d. the 26th of February

3. You leave the hotel:
  a. on 2st March
  b. on 2th March
  c. on 2rd March
  d. on 2nd March

4. You can't say:
  a. I will arrive tomorrow.
  b. I shall arrive tomorrow.
  c. I well arrive tomorrow.
  d. I'll arrive tomorrow.

5. You can't say:
  a. I will not forget my toothbrush.
  b. I shan't forget my toothbrush.
  c. I won't forget my toothbrush.
  d. I willn't forget my toothbrush.

6. You can't say:
  a. I will have my first diving lesson at 9.00 a.m.
  b. I shall going to have my first diving lesson at 9.00 a.m.
  c. I have my first diving lesson at 9.00 a.m.
  d. I'm having my first diving lesson at 9.00 a.m.

7. If I'm not on time…:
  a. … I missed my reservation.
  b. … I'm missing my reservation.
  c. … I'm going to miss my reservation.
  d. … I am about to miss my reservation.

8. I can't speak to you right now because:
  a. I'm about to go on holiday.
  b. I will go on holiday.
  c. I shall go on holiday.
  d. I go on holiday.

9. I will leave:
  a. when I will be ready.
  b. when I'm going to be ready.
  c. when I shall be ready.
  d. when I'm ready.

10. For breakfast, you don't want to have:
   a. a roll
   b. a root
   c. a muffin
   d. a bun

Questions de goûts
(répondez uniquement en fonction de vos préférences)

11. In your opinion, the best accommodation is:
   a. a room shortage
   b. a vacancy
   c. full board
   d. half board

12. You will choose a hotel:
   a. with access to the seafront by car
   b. with a view overlooking the sea
   c. facing the sea
   d. overlooking sewage flowing into the sea

13. The most important thing is:
   a. to have room service and air conditioning in your bedroom
   b. to have a bathtub or shower in your bedroom
   c. to have modern conveniences in your bedroom
   d. to have a wardrobe in your bedroom

14. The worst thing you are most afraid of finding in your accommodation is:
   a. cockroaches in your bed
   b. tepid water in the shower
   c. thin partitions between rooms
   d. tiling in the bathroom instead of marble

15. You like eating:
   a. lobster in a five-star restaurant
   b. ready-made meals on a loading bay
   c. fish and chips on the seafront
   d. fun cooking in a renowned restaurant

Une panne de vocabulaire ?

Accommodation : *logement*
To book : *réserver*
Diving : *plongée*
To mean (meant, meant) :
  signifier
Nervous breakdown : *dépression
  nerveuse*

Ready : *prêt*
Sea : *mer*
Toothbrush : *brosse à dents*
The worst : *le pire*

Réponses

Questions de grammaire

1. a

February 24 peut aussi s'écrire February 24th.
⚠ Le nom du mois prend toujours une majuscule.
À l'oral, on dira : « February the twenty-fourth ». Les Américains
disent « February twenty-fourth ».

  Ex. : It was April 21. Marvin asked :
  « What's the date today?
  — It is April the twenty-first.
  — Isn't it your birthday? »
C'était le 21 avril. Marvin demanda :
« Quel jour sommes-nous ?
— Nous sommes le 21 avril.
— N'est-ce pas le jour de ton anniversaire ? »

2. b

24th December peut aussi s'écrire 24 December. À l'oral, on dira :
« the twenty-fourth of December ».

  Ex. : It was 21 April. Marvin asked :
  — « What's the date today?
  — It is the twenty-first of April, it's my birthday, remember! »
C'était le 21 avril. Marvin demanda :
— « Quelle est la date aujourd'hui ?
— Nous sommes le 21 avril, le jour de mon anniversaire, souviens-
toi ! »

3. d

On note le numéro du jour en le faisant suivre des deux dernières lettres de l'ordinal correspondant :

1st : the first – 2nd : the second – 3rd : the third – 4th : the fourth.

Ex. : We'll meet on October 2nd. *Nous nous verrons le 2 octobre.*

À partir du chiffre 4, on ajoute toujours « th » :

6th : the sixth – 7th : the seventh...

Il faut tenir compte des exceptions orthographiques de certains nombres :

5th : the fifth – 9th : the ninth – 12th : the twelfth.

Les composés de first, second, third se forment de la même manière : 21st, 42nd, 53rd...

Ex. : « I thought your birthday was on the 22nd or the 23rd. I'm so sorry ! »

« *Je croyais que ton anniversaire était le 22 ou le 23. Je suis désolé !* »

4. c

On exprime le futur en faisant précéder le verbe sans « to » de « will ».

Ex. : I will survive in the Hotel California, it's such a lovely place. *Je survivrai dans l'hôtel Californie, c'est un si bel endroit.*

« Shall » s'emploie aux premières personnes du singulier et du pluriel « I » et « we ». Il est surtout utilisé dans une langue soutenue.

Ex. : We shall go into town. *Nous irons en ville.*

5. d

À la forme négative, la contraction de « will not » est « won't » et celle de « shall not » est « shan't ».

Ex. : I won't stay long. *Je ne resterai pas longtemps.*

6. b

On peut répondre par un futur avec « will », un présent progressif ou un présent simple qui s'emploie lorsqu'il s'agit d'horaires ou d'emploi du temps qui ne dépendent pas du sujet. La forme proposée en **b.** ne correspond à rien de connu en anglais.

Ex. : You will check into the hotel after 2 o'clock. *Vous vous présenterez à l'hôtel à 14 heures.*

I must hurry and pack, it's already 10.30 a.m. and I am checking out at 11.00 a.m. *Je dois me dépêcher de faire ma valise, il est déjà 10 h 30 et je rends ma clé à 11 heures.*

The train to London leaves at 2.45 p.m. *Le train pour Londres part à 14h 45.*

7. c

«Be going to» permet d'exprimer un futur proche, une intention, une décision, ou ce qui va se passer en fonction du présent.

Ex.: I am going to like it here. *Je vais apprécier d'être ici.*

8. a

«To be about to» permet d'exprimer un futur imminent = *être sur le point de.*

Ex.: I am about to have a nervous breakdown, because a baby in the room next door has been crying for ages.

Je suis sur le point de craquer nerveusement, car un bébé dans la chambre voisine pleure depuis des lustres.

9. d

Dans une subordonnée, après une conjonction de temps introduite par «when», «whenever», «as soon as», «as long as», l'idée de futur est toujours exprimée par un présent simple.

Ex.: Whenever you leave your hotel room, you will have to return your key to the main desk.

À chaque fois que vous quitterez votre chambre, vous devrez rendre votre clé à la réception.

10. b

Roll: *un petit pain.*
Root: *une racine.*
Muffin: *un muffin.*
Bun: *une brioche.*

Questions de goûts

11.

Shortage of rooms: *pénurie de chambre.*
A vacancy: *une chambre à louer.*
Full board: *une pension complète.*
Half board: *une demi-pension.*

12.

With access to the seafront by car : *avec un accès à la mer en voiture.*
With a view overlooking the sea : *avec une vue surplombant la mer.*

Facing the sea : *face à la mer*.

Overlooking sewage flowing into the sea : *surplombant un système d'évacuation des eaux usées se déversant dans la mer*.

13.

To have room service and air conditioning in your bedroom : *avoir une chambre avec un service d'étage et l'air conditionné*.

To have a bathtub or shower in your bedroom : *avoir une chambre avec baignoire ou douche*.

To have modern conveniences in your bedroom : *avoir une chambre avec tout le confort moderne*.

To have a wardrobe in your bedroom : *avoir une chambre avec une penderie*.

14.

Cockroaches in your bed : *des cafards dans le lit*.

Tepid water in the showe : *de l'eau tiède sous la douche*.

Thin partitions between rooms : *des cloisons fines entre les chambres*.

Tiling in the bathroom instead of marble : *du carrelage à la place du marbre dans la salle de bains*.

15.

Lobster in a five-star restaurant : *du homard dans un restaurant cinq étoiles*.

Ready-made meals on a loading bay : *des plats tout prêts sur une aire de chargement*.

Fish and chips on the seafront : *du poisson et des frites face à la mer*.

Fun cooking in a renowned restaurant : *de la cuisine originale dans un restaurant renommé*.

Pour compter vos points, reportez-vous au tableau ci-dessous et découvrez votre lieu de vacances :

	1	2	3	4	5	6	7	8	9	10	11	12	13	14	15
a	4	0	0	0	0	0	0	4	0	0	1	2	4	1	4
b	0	4	0	0	0	4	0	0	0	4	2	3	2	3	1
c	0	0	0	4	0	0	4	0	0	0	4	4	3	2	2
d	0	0	4	0	4	0	0	0	4	0	3	1	1	4	3

Vous avez entre 51 et 60 points :
Pour vous, tout est calme, luxe et volupté. Vous avez fait vos réservations à temps, vous vous êtes assuré des moindres détails matériels, vous pouvez partir l'esprit tranquille et profiter de votre cinq-étoiles en toute quiétude. Vous profiterez du charme des hôtels de standing, des pas feutrés des serveurs discrets, des repas gastronomiques et d'un accès direct à la plage privée. Peu de surprises, peu d'aventures, mais le repos aussi complet que votre pension. À la limite de l'ennui...

Vous avez entre 31 et 50 points :
Vous êtes la victime type du « surbooking ». Vous avez correctement réservé votre chambre, vous aviez les photos de l'hôtel que vos amis ont admirées, mais pas de chance, votre réservation a été égarée et vous allez être relogé dans un studio jouxtant l'hôtel. Une solution de rechange agréable, dans une maison charmante, mais tout de même un peu décevante. Pour vous consoler, l'hôtel vous dédommagera en vous fournissant deux fois plus de mini-savons que d'habitude et en renouvelant ses excuses au moins trois fois par jour.

Vous avez entre 11 et 30 points :
Vous avez osé vous lancer dans la réservation d'une chambre d'hôtel, bravo! Ce premier essai n'est pas à la hauteur de vos espérances ? Ne vous découragez pas, vous ferez mieux la prochaine fois. Certes, vous ne pouvez admirer la mer que depuis la fenêtre du couloir et il vous faut prendre la voiture pour trouver un restaurant ouvert. Mais pensez aux bons souvenirs que vous aurez à raconter dans quelques années, lorsque vous aurez soigné vos rhumatismes (la chambre était tout de même drôlement humide).

Vous avez entre 5 et 10 points :
Prenez une tente de sûreté avec vous et quelques couvertures de survie pour partir en vacances. En effet, vous préférerez peut-être dormir à la belle étoile plutôt qu'affronter le logement décrépit avec vue sur parking que vous avez réservé bien malgré vous. Heureusement, vous avez une âme d'aventurier, ce ne sont pas les contingences matérielles qui vont vous empêcher de découvrir le monde. La prochaine fois, relisez tout de même votre contrat d'assurance avant de partir.

8

Sea, sand and sun

At the beach/À la plage

Ah! La plage! Le soleil! Les vagues écumeuses! Les coquillages scintillants! Et toutes ces mères attentives au confort et à la sécurité de leurs bambins! Intéressons-nous à celle de Brian, petit garçon turbulent. Il a besoin de conseils, de suggestions, de permissions et d'interdictions. Ce sont les moyens de les exprimer que nous allons découvrir, à travers l'étude des modaux. Creusez-vous les méninges et aplanissez les difficultés : à vos pelles et à vos râteaux !

Rights and duties on the beach (*un modèle de modaux*)

Une seule réponse est possible, vous devez donc choisir le modal le plus approprié en reliant les éléments.

You can •	• play with strange animals, especially if they have sharp teeth.
You could •	• get sunburnt if you take your hat off.
You cannot •	• wear a bathing suit, nudity is illegal.
You might •	• chat that nice lady up, you are far too young.
You mustn't •	• swim perfectly without arm bands.
You must •	• wear sunglasses if you don't want to.
You don't have to •	• go swimming if you had your bathing suit on.

En combien d'indices ? *(les modaux encore)*

Vous devez retrouver des modaux au moyen d'indices. Pour vous aider davantage, ils sont représentés au départ avec leur nombre de lettres.
Ex. : I would like __ __ __ __ __ __ __ __ __ __ __ swim.

Premier indice : ce modal exprime la capacité.
Deuxième indice : il peut se mettre à tous les temps.
Troisième indice : c'est un équivalent de « can ». Il lui sert d'infinitif, notamment.

Solution : I would like **to be able to** swim.

1. __ __ __ I use your rubber ring, please ?

2. I __ __ __ __ __ __ __ __ swim more if I want to cross the Channel.

3. __ __ __ __ __ __ I have a glass of water, please ?

4. You __ __ __ __ __ __ __ inform the lifeguards if you want to go swimming past the safety net.

5. __ __ __ __ __ __ we swim ?

6. How __ __ __ __ you suggest such a thing ?

7. You'll __ __ __ __ __ __ __ stay where you can touch the bottom.

8. You are not __ __ __ __ __ __ __ __ __ __ have a dog on this beach.

9. Do you really __ __ __ __ __ to dig under my towel to find the treasure ?

10. I __ __ __ __ __ __ __ put my head under the water.

11. You __ __ __ ' __ __ __ __ __ __ __ __ collect so many shells.

12. Be careful ! You __ __ __ __ __ __ hurt someone with your harpoon.

13. __ __ __ __ __ __ you please take your snorkel mask off ?

14. You __ __ __ __ __ __ __ __ __ ' __ play beach volleyball with your arm in plaster.

Premiers indices

1. Il marque la permission.
2. Il sert à exprimer un conseil amical ou moral.
3. Il est utilisé pour demander une permission et faire une demande polie.
4. Il sert à donner un conseil.
5. Il permet de faire une suggestion.
6. Ce modal peut être utilisé comme un verbe ordinaire.
7. Il marque l'obligation.
8. Il marque la permission, le droit.
9. Il marque la nécessité.
10. Il marque l'incapacité.
11. Il marque l'absence d'obligation.
12. Il exprime une possibilité peu forte, pour donner ou demander une permission.
13. Il sert à l'expression de la volonté.
14. Il exprime un reproche.

Deuxièmes indices

1. Il exprime une politesse marquée.
2. Il s'emploie dans un contexte de présent ou de futur.
3. Il peut exprimer un imparfait.
4. Il exprime parfois une probabilité.
5. Il exprime aussi une invitation à la forme interrogative.
6. Il a un présent et un prétérit et ne s'emploie que sous la forme interrogative ou négative.
7. Il peut se mettre à tous les temps.
8. Il existe à tous les temps.
9. Il s'emploie principalement aux formes négative et interrogative.
10. Il a une forme contractée plus courante.
11. Il s'emploie à tous les temps.
12. Il s'emploie aussi pour faire une suggestion.
13. Il est plus poli que « will ».
14. C'est une forme négative contractée.

Troisièmes indices

1. Il peut se traduire par *il se peut que...*
2. Il est le seul modal à être suivi de « to ».
3. Il indique aussi une capacité.
4. Il se traduit en français à la 3e pers. du sing. par *devrait*.
5. Il s'emploie dans les engagements solennels.

6. Il est de plus en plus remplacé par « not to be afraid to ».

7. C'est un équivalent de « must ».

8. C'est un équivalent de « can ».

9. À la forme interrogative, il a le sens voisin de « must », mais il laisse espérer une réponse négative.

10. Il ne s'emploie qu'au présent.

11. Il est l'équivalent de « needn't ».

12. Il peut se traduire en français par le conditionnel de *pouvoir*.

13. Il marque aussi l'habitude dans le passé.

14. Il peut se traduire en français par le conditionnel de *devoir*.

Paroles de mère *(les modaux toujours)*

1. Stop it Brian! You _____ try to catch that poor man in your fishnet. He is not a lobster! He's just red because he is sunburnt.
must/mustn't/are not allowed to

2. You _____ have a look! The sea is bright, the sand is warm, the sky is blue... OK, well, I know, the campsite bin is also blue.
should/mustn't/are able to

3. Brian, you _____ build a castle, but do not bombard me with wet sand!
can/must/need

4. You _____ be ashamed! You shouldn't have put that disgusting jelly fish on that poor man's head.
can/ought to/need

5. Brian, you _____ take your snorkel mask with you, it is low tide.
needn't/can/shall

6. Brian, please, _____ you give me my swimsuit back? It's not a kite!
could/are able to/should

7. _____ we play something else? I'm fed up with being drowned and rescued by you.
must/ought to/shall

8. Excuse me, Madam! _____ I ask you a favour? Could you look after my son for a while, I just want to... Alright! Don't worry, I

understand that you are on holiday and that you don't want to be
bothered by such a rude boy...
should/may/would

Une panne de vocabulaire ?

Also : *aussi*
Arm bands : *brassards*
To be (was, been) ashamed :
  avoir honte
At low tide : *à marée basse*
Bathing suit : *maillot de bain*
Bin : *poubelle*
To be (was, been) bothered : *être
  dérangé*
Bright : *éclatant, lumineux*
To build (built, built) :
  construire
Campsite : *camping*
To catch (caught, caught) :
  attraper
To chat up : *draguer*
To dig : *creuser*
Disgusting : *dégoûtant*
To drown : *se noyer*
To be drowned : *être noyé*
Duty : *devoir*
Far too + adj. : *beaucoup trop*
To be (was, been) fed up : *en
  avoir assez*
Fishnet : *filet à poissons*
Jelly fish : *méduse*

Kite : *cerf-volant*
Lifeguard : *sauveteur*
Lobster : *homard*
Net : *filet*
Plaster : *plâtre*
To be (was, been) rescued : *être
  sauvé*
Rubber ring : *bouée*
Rude : *mal élevé*
Safety net : *barrière de sécurité*
Sand : *sable*
Sea : *mer*
Sharp : *acéré*
Shell : *coquillage*
Snorkel mask : *le masque de
  plongée*
To be (was, been) sunburnt :
  avoir un coup de soleil
Sunglasses : *lunettes de soleil*
Swimsuit : *maillot de bain*
To take (took, taken) off : *enlever*
To touch the bottom : *avoir pied*
Towel : *serviette*
Wet : *mouillé*
While (a) : *un moment*

Réponses

Rappelons tout d'abord que les modaux n'ont ni infinitif ni prétérit, qu'ils ne prennent pas de « s » à la troisième personne du singulier, qu'ils ne s'emploient pas avec « do » à la forme négative ou interrogative et qu'ils sont suivis d'un infinitif sans « to » (sauf « ought to »).

Rights and duties on the beach

1. <u>You can</u> swim perfectly without armbands.
« Can » exprime une capacité physique ou intellectuelle. Il se traduit par le verbe *savoir*.
    Ex. : You can swim! That's great! *Tu sais nager! C'est super!*

2. <u>You could</u> go swimming if you had your bathing suit on.
« Could » sert de prétérit (et de conditionnel) à « can ».
    Ex. : When I was young, I could swim as far as the horizon.
    Quand j'étais jeune, je pouvais nager jusqu'à l'horizon.

3. <u>You cannot</u> chat that nice lady up, you are far too young.
« Cannot » marque l'absence de capacité physique ou intellectuelle.
    Ex. : I cannot carry the towels, the beach umbrella, the icebox, the rubber rings, the folding stools, the bucket, the spade, alone.
    Je ne peux pas porter tout seul les serviettes, le parasol, la glacière, les bouées, les pliants, le seau et la pelle.

4. <u>You might</u> get sunburnt if you take your hat off.
« Might » s'emploie ici pour exprimer une possibilité, pour dire ce qui risque d'arriver.
    Ex. : Don't play with Daddy's hooks, you might get hurt.
    Ne joue pas avec les hameçons de papa, tu pourrais te blesser.

5. <u>You mustn't</u> play with strange animals, especially if they have sharp teeth.
« Musn't » marque une interdiction.
    Ex. : You mustn't go into the water, the flag is red.
    Tu ne dois pas aller dans l'eau, le drapeau est rouge.

6. <u>You must</u> wear a bathing suit, nudity is illegal.
« Must » s'emploie pour exprimer une obligation, donner un ordre.
    Ex. : You must stay here because I need to be able to see you.
    Tu dois rester là parce que je veux te voir.

7. <u>You don't have to</u> wear sunglasses if you don't want to.

« Don't have to » suppose un choix. Il y a absence de nécessité : tu n'es pas obligé de...

Ex. : You don't have to stay in the water if you are cold. Your lips are blue and your teeth are chattering.

Tu n'es pas obligé de rester dans l'eau si tu as froid. Tes lèvres sont bleues et tu claques des dents.

En combien d'indices ?

1. may

Ex. : May I use your rubber ring, please? *Puis-je utiliser votre bouée ?*

2. ought to

Ex. : You ought to take lessons. *Vous devriez prendre des leçons.*

⚠ « Have to » et « be able to » ne sont pas des auxiliaires de modalités, mais des expressions. Elles sont nécessaires pour former les autres temps de « must », « can » et « could ».

3. could

Ex. : Could I have a glass of water, please? *Pourrais-je avoir un verre d'eau, s'il vous plaît ?*

4. should

Ex. : You should inform the lifeguards if you want to go swimming past the safety net. *Tu devrais prévenir les sauveteurs si tu veux nager au-delà de la barrière de sécurité.*

5. shall

Ex. : Shall we swim? *On va nager ?*

6. dare

Ex. : How dare you suggest such a thing? *Comment osez-vous suggérer une chose pareille ?*

7. have to

Ex. : You'll have to stay where you can touch the bottom. *Tu devras rester où tu as pied.*

8. (be) allowed to

Ex. : You are not allowed to have a dog on this beach.
Vous n'avez pas le droit d'avoir un chien sur cette plage.

9. need

Ex.: Do you really need to dig under my towel to find the treasure? *Faut-il vraiment que tu creuses exactement sous ma serviette pour trouver le trésor ?*

10. cannot

Ex.: I cannot put my head under the water, I hate swallowing mouthfuls of water. *Je ne peux pas mettre la tête sous l'eau, je déteste boire la tasse.*

11. don't have to

Ex.: You don't have to collect so many shells.
Tu n'es pas obligé de ramasser autant de coquillages.

12. might

Ex.: Be careful! You might hurt someone with your harpoon.
Attention ! Tu pourrais blesser quelqu'un avec ton harpon.

13. would

Ex.: Would you please take your snorkel mask off? I know who is behind the glass and it's not Zorro!
Tu voudrais bien enlever ce masque de plongée ? Je sais qui est derrière le verre et ce n'est pas Zorro !

14. shouldn't

« Shouldn't » permet de donner des conseils.
Ex.: You shouldn't play beach volleyball with your arm in plaster.
Tu ne devrais pas jouer au beach volley avec ton bras dans le plâtre.

Paroles de mère

1. mustn't
2. should
3. can
4. ought to
5. needn't

« Needn't » marque l'absence de nécessité : il n'est pas nécessaire que tu...

Ex.: You needn't collect so many shells. I asked you for a necklace, not a bedspread. *Tu n'as pas besoin de ramasser autant de coquillages, je t'ai demandé un collier, pas un couvre-lit.*

6. could
7. shall
8. may

« Might » s'emploie très rarement pour demander une permission.

9
Enough is enough!

Overeating/Se nourrir en quantité

« Si les Anglais peuvent survivre à leur cuisine, ils peuvent survivre à n'importe quoi », disait le poète irlandais George Bernard Shaw. Tout semble dit, et pourtant... Insurgeons-nous contre les idées toutes faites ! L'important est de ne pas se tromper sur les quantités. Alors, avec la farine et les œufs, nous mettrons aussi une bonne dose de quantifieurs. Tout d'abord, vous devrez repérer les formulations correctes dans les phrases indiquées. Ensuite, il vous faudra rassembler les ingrédients de chaque recette proposée. Enfin, il faudra mettre la table. Puissiez-vous terminer ce chapitre en vous exclamant comme Paul Claudel : « Devant la cuisine anglaise, il n'y a qu'un mot : soit ! »

Anagrammes (dresser la table)

Pour dresser une jolie table et faire honneur à vos invités, remettez les lettres dans l'ordre à partir des anagrammes suivantes :

1. To eat a yogurt, you need a **sonop** _____ .

2. To drink water, you need a **lasgs** _____ .

3. To spread butter on your bread, you need a **enifk** _____ .

4. To put food into your mouth, you need a **kfro** _____ .

5. To serve a meal, you need a **talpe** _____ .

6. To protect the table, you need a **becaltothl** _____ .

7. To have a coffee, you need a **upc** _____ .

8. To serve a salad, you need a salad **wolb** _____ .

9. To serve water or wine, you need a **fceraa** _____ .

10. To clean the dishes, you need a **shhwrdaise** _____ .

Les ingrédients *(le vocabulaire de la nourriture)*

À vous de remettre les ingrédients proposés ci-dessous par ordre alphabétique dans la bonne recette. Attention! Quatre ingrédients n'ont rien à voir avec la cuisine!

bleach, bunch of fresh mint, cloves of garlic, cod liver oil, dry white wine, eggs, fir cone, flour, grated cheese, green peas, honey roasted ham, itching powder, pineapple slices, preserved fruit, prunes, raisins, shallots, tomatoes, white wine vinegar.

HOLLYWOOD SALAD	ROAST LEG OF LAMB with mint sauce	CHRISTMAS PUDDING
• 12 ounces (oz) _____	• 3 _____	• 5 ounces (oz) _____
• 5 _____	• 1 _____	• 5 ounces (oz) _____
• 8 ounces (oz) _____	• 3 tablespoons (tbsp) _____	• 12 ounces (oz) _____
• 4 _____	• 1 pound (lb) _____	• 4 _____
• 2 tablespoons (tbsp) _____	• 1 pint (pt) _____	• 5 ounces (oz) _____

A, B or both ? That's the question *(les quantifieurs)*

Cochez les phrases correctes. Les deux cases A et B peuvent être parfois cochées.

	A	B
1. A. For breakfast, I would like to have <u>some</u> tea or <u>some</u> coffee. B. For breakfast, I would like to have <u>any</u> tea or <u>any</u> coffee.		
2. A. I haven't got <u>any</u> bread. B. I haven't got <u>some</u> bread.		
3. A. Would you like <u>some</u> Irish stew ? Help yourself! B. Would you like <u>any</u> Irish stew ? Help yourself!		
4. A. Give me <u>any</u> jam ! Whichever you want, it doesn't matter. B. Give me <u>a few</u> jam ! Whichever you want, it doesn't matter.		
5. A. There is <u>no</u> Christmas pudding on the menu for August. B. There is <u>not any</u> Christmas pudding on the menu for August.		
6. A. Why does it take you <u>so many</u> time to prepare a meal? B. Why does it take you <u>so much</u> time to prepare a meal?		
7. A. Do you know <u>many</u> scone recipes? B. Do you know <u>a lot of</u> scone recipes?		
8. A. You took <u>too many</u> potatoes but you haven't taken enough cauliflower. B. You took <u>too much</u> potatoes but you haven't taken enough cauliflower.		
9. A. Can I have <u>a few</u> milk? B. Can I have <u>a little</u> milk?		
10. A. He had very <u>little</u> appetite. He only ate two pork chops. B. He had very <u>few</u> appetite. He only ate two pork chops.		
11. A. There are <u>several</u> kinds of sandwiches : tuna, cheddar, chicken, ham, cucumber, with mustard, gherkins and a choice of bread. B. There are <u>every</u> kinds of sandwiches : tuna, cheddar, chicken, ham, cucumber, with mustard, gherkins and a choice of bread.		
12. A. It is important to eat <u>each</u> meal <u>each</u> day. B. It is important to eat <u>every</u> meal <u>every</u> day.		
13. A. He has got sweets in <u>every</u> hand. B. He has got sweets in <u>both</u> hands.		

Une panne de vocabulaire ?

Bread : *pain*
Butter : *beurre*
Cauliflower : *chou-fleur*
Cucumber : *concombre*
Chicken : *poulet*
To clean the dishes : *faire la vaisselle*
Dish : *plat*
Gherkin : *cornichon*
Ham : *jambon*
Help yourself : *servez-vous*
Jam : *confiture*
Lamb : *agneau*
It doesn't matter : *cela n'a pas d'importance*

Meal : *repas*
Milk : *lait*
Pork chop : *côtelette de porc*
Preserved fruit : *fruits confits*
Recipe : *recette*
Roast leg : *gigot*
Slice : *tranche*
To spread : *tartiner*
Stew : *ragoût*
Sweets : *bonbons*
Tablespoon : *cuillère à soupe*
Tuna : *thon*
Whichever : *n'importe lequel/laquelle*
Wine : *vin*

Réponses

Anagrammes

1. spoon = *cuillère*
2. glass = *verre*
3. knife = *couteau*
4. fork = *fourchette*
5. plate = *assiette*
6. tablecloth = *nappe*
7. cup = *tasse*
8. bowl = *saladier*
9. carafe = *carafe*
10. dishwasher = *lave-vaisselle*

Les ingrédients

Quelques rappels sur les mesures anglaises :
1 pound (lb) = 0,454 kg
1 ounce (oz) = 28,349 g
1 pint (pt) = 0,568 L

HOLLYWOOD SALAD	ROAST LEG OF LAMB with mint sauce	CHRISTMAS PUDDING
• 12 ounces (oz) **green peas** *petits pois* • 5 **pineapple slices** *tranches d'ananas* • 8 ounces (oz) **honey roasted ham** *jambon rôti au miel* • 4 **tomatoes** *tomates* • 2 tablespoons **grated cheese** *fromage râpé*	• 3 **cloves garlic** *gousses d'ail* • 1 **bunch fresh mint** *bouquet de menthe fraîche* • 3 tablespoons **white wine vinegar** *cuillères à soupe de vinaigre de vin blanc* • 1 pound (lb) **shallots** *échalotes* • 1 pint (pt) **dry white wine** *vin blanc sec*	• 5 ounces (oz) **prunes** *pruneaux* • 5 ounces (oz) **preserved fruit** *fruits confits* • 12 ounces (oz) **raisins** *raisins secs* • 4 **eggs** *œufs* • 5 ounces (oz) **flour** *farine*

Les ingrédients à éviter

cod liver oil : ***huile de foie de morue***
itching powder : ***poil à grater***
bleach : ***eau de javel***
fir cone : ***pomme de pain***

A or B ? That's the question

1. A
« Some » et « any » indiquent une certaine quantité. Ils correspondent souvent au partitif français *du, de la*, qui désigne une quantité prélevée sur un tout indénombrable.
« Any » ne s'emploie pas avec le sens du partitif français à la forme affirmative.
Ex. : I need some bicarbonate of soda. *J'ai besoin de bicarbonate de soude.*

2. A
Dans les phrases négatives, on emploie « any ».
Ex. : I haven't got any mints. Sorry if I have bad breath.
Je n'ai pas de pastilles de menthe. Désolé si j'ai mauvaise haleine.

3. A et B
Dans les phrases interrogatives, on emploie généralement « any » mais on peut utiliser « some » lorsqu'on attend une réponse positive.
Ex. : Do you have any herbal tea ? *Est-ce que tu as de la tisane ?*
Do you want to lose some weight ? Go on a diet ! *Tu veux perdre du poids ? Fais un régime !*

4. A

Lorsque « any » est employé dans une phrase affirmative, il a le sens de *n'importe lequel (laquelle)*.

« A few » ne peut être utilisé ici, car il doit être suivi d'un dénombrable pluriel (ce que l'on peut compter).

Ex.: I'm so sick. Any doctor will do.

Je suis tellement malade. N'importe quel docteur fera l'affaire.

I'll faint in a few minutes if you don't give me anything to eat.

Je vais m'évanouir dans quelques minutes si tu ne me donnes pas quelque chose à manger.

5. A et B

Dans les phrases négatives, on emploie « not any ». « Not any » peut être remplacé par « no ».

Ex.: There are not any meal substitutes in your cupboard.

There are no meal substitutes in your cupboard.

Il n'y a pas de substituts de repas dans ton placard.

6. B

« So much » *tant/autant/tellement* est suivi d'un indénombrable.

« So many » *tant/autant/tellement* est suivi d'un dénombrable pluriel.

Ex.: During my holidays, I put on so much weight!

Pendant mes vacances, j'ai pris tellement de poids!

You ate so many hamburgers! Don't you care about your cholesterol?

Tu as mangé tant de hamburgers! Ne te préoccupes-tu pas de ton cholestérol?

7. A et B

On peut remplacer « many » par « a lot of ».

Ex.: You must eat a lot of/many vegetables to be healthy.

Vous devez manger beaucoup de légumes pour être en bonne santé.

8. A

« Too much » et « too many » *trop de* répondent aux mêmes règles que « much » et « many », rencontrés dans la réponse 6.

Ex.: There are too many apples in your apple pie, it is more like an applesauce pie.

Tu as mis trop de pommes dans ton gâteau aux pommes. Cela ressemble plus à du gâteau à la compote.

You made too much tomato sauce. I lost my meatballs in it.

Tu as fait trop de sauce tomate. J'ai perdu mes boulettes de viande dedans.

9. B

« A little » est employé avec les indénombrables, « a few » avec les dénombrables.

Ex. : Good Lord! You need a little practice because you overcooked your strawberry jam. It tastes like roast chicken.

Mon dieu! Tu as besoin d'un peu d'entraînement parce que ta confiture est trop cuite. Elle a le goût de poulet rôti.

10. A

Même règle que précédemment.

⚠ On fait la même distinction entre « few » et « a few » qu'entre *peu de* et *un peu de*.

Ex. : He made few dinners with his friends at home. *Il faisait peu de dîners avec ses amis chez lui.*

He had a few problems cooking. *Il avait quelques difficultés à cuisiner.*

11. A

« Several » *plusieurs* est suivi d'un dénombrable pluriel.

« Every » *tout/tous* est suivi d'un dénombrable singulier.

Ex. : We tried in vain to teach her several recipes for Sunday lunch. *Nous avons essayé en vain de lui apprendre plusieurs recettes pour le repas du dimanche.*

Every Sunday, every week, she cooks cod. It's our English Cape Cod. *Tous les dimanches, toutes les semaines, elle cuisine de la morue. C'est notre Cap Cod anglais.* (Cape Cod [cap aux Morues] est une presqu'île de la côte est des États-Unis, très fréquentée par la haute bourgeoisie, notamment par la famille Kennedy).

12. A et B

« Every » et « each » ont ici le sens de *chaque* et sont suivis d'un singulier. « Each » a davantage le sens de *chacun, séparément,* « every » permet de considérer l'ensemble.

Ex. : Each dish at my mother-in-law's house is a dangerous adventure. *Chaque plat chez ma belle-mère est une aventure dangereuse.*

I hated every dish I tasted. *J'ai détesté chaque plat que j'ai goûté.*

13. B

« Every » ne peut pas s'employer lorsqu'il s'agit de deux personnes ou de deux choses. Il faut utiliser « both » ou « each ».

Ex. : What a mess! Are you cooking or are you redecorating the kitchen? Both, I'm afraid!

Quelle pagaille! Cuisines-tu ou refais-tu la cuisine? Les deux, j'en ai peur!

10
What's up, Doc?

Take care of yourself/Prenez soin de vous

Un bon check-up? Faites un état des lieux de vos crises morpho-
logiques, de vos douleurs syntaxiques, de vos déficits en vocabulaire
et vous éviterez la maladie grave, c'est sûr! Tout d'abord, évaluez
votre connaissance du corps humain. Les tests du QCM vous per-
mettront ensuite d'évaluer les taux de présent simple, de présent
continu, de present perfect et de present perfect continu indispensables au bon fonctionnement de la langue. Vous obtiendrez ainsi
votre bulletin de santé complet. Alors, c'est la forme?

Cherchez l'intrus *(les mots du corps)*

Certaines parties du corps sont incompatibles avec les actions
décrites par les verbes. Entourez l'intrus à chaque fois.

1. You can keep... open.
   your mouth   your eyes   your ears   your nose

2. You can bend...
   your knee   your elbow   your wrist   your face

3. You can't kiss someone's...
   liver   forehead   cheek   hand

4. You can put... in plaster.
   your arm   your leg   your tongue   your foot

5. You can't use cream...
   on your brain   on your skin   on your bone   on your blood

QCM *(les différentes formes du présent)*

Cochez la case qui correspond à la forme verbale correcte.

1. The doctor told me to keep still, but right now…
- ❏ it is hurting a lot
- ❏ it hurts a lot
- ❏ it has hurt a lot
- ❏ it has been hurting a lot

2. Do not disturb! Grandpa…
- ❏ is taking his vitamins
- ❏ takes his vitamins
- ❏ has taken his vitamins
- ❏ has been taking his vitamins

3. Every morning, Grandpa…
- ❏ is taking his vitamins
- ❏ takes his vitamins
- ❏ has taken his vitamins
- ❏ has been taking his vitamins

4. Since 1920, Grandpa…
- ❏ is taking his vitamins
- ❏ takes his vitamins
- ❏ has taken his vitamins
- ❏ has been taking his vitamins

5. I'm glad that since 1920, Grandpa…
- ❏ is taking his vitamins
- ❏ takes his vitamins
- ❏ has taken his vitamins
- ❏ has been taking his vitamins

6. For years, Grandpa…
- ❏ is taking his vitamins
- ❏ takes his vitamins
- ❏ has taken his vitamins
- ❏ has been taking his vitamins

7. Even if they are not watered, hair and nails still…
- ❏ are growing
- ❏ grow
- ❏ have grown
- ❏ have been growing

8. Whenever she's ill,…
- ❏ she always complains
- ❏ she is always complaining
- ❏ she has always complained
- ❏ she has always been complaining

9. When she is sick, she is very annoying, because…
- ❏ she always complains
- ❏ she is always complaining
- ❏ she has always complained
- ❏ she has always been complaining

10. Oh my God, my left arm and my chest hurt; I can't breathe; I
feel like fainting. I think I need to make an appointment with my
doctor's secretary...

❏ I see him tomorrow   ❏ I'm seeing him tomorrow
❏ I have seen him tomorrow

11. Doctor, my husband... for three days, is it a Martian virus?
❏ is green   ❏ is being green   ❏ has been green

Une panne de vocabulaire ?

Appointment : *rendez-vous*
To bend (bent, bent) : *plier*
To breathe : *respirer*
Chest : *poitrine*
To complain : *se plaindre*
To faint : *s'évanouir*
To feel (felt, felt) like : *avoir envie de*
To be (was, been) fed up with : *en avoir assez*
To grow (grew, grown) : *croître*

To hurt (hurt, hurt) : *faire mal*
Ill : *malade*
To keep (kept, kept) still : *rester tranquille*
Left : *gauche*
Painful : *pénible, douloureux*
Sick : *malade*
To shut (shut, shut) : *fermer*
Still : *encore, toujours*
To water : *arroser*
Whenever : *quand, à chaque fois*

Réponses

Cherchez l'intrus

Seuls les intrus figurent en gras dans la liste ci-dessous.

1. mouth : *la bouche* ; eyes : *les yeux* ; ears : *les oreilles* ; **nose** : *le nez*

2. knee : *le genou* ; elbow : *le coude* ; wrist : *le poignet* ; **face** : *le visage*

3. liver : *le foie* ; forehead : *le front* ; cheek : *la joue* ; hand : *la main*

4. arm : *le bras* ; leg : *la jambe* ; **tongue** : *la langue* ; foot : *le pied*

5. on your brain : *sur le cerveau* ; **on your skin** : *sur la peau* ; on your bone : *sur les os* ; on your blood : *sur le sang*

QCM

1. it is hurting a lot
Le présent continu, en « be + ing », présente une action en cours de réalisation au moment où l'on parle.
Ex. : Right now, I'm telling the doctor where it is hurting.
En ce moment, j'explique au docteur où j'ai mal.

2. is taking his vitamins
Le présent continu décrit une action en train de se passer.
Ex. : Oh, my God ! It's going down the wrong way.
Oh, mon Dieu ! Il est en train d'avaler de travers.

3. takes his vitamins
Le présent simple exprime une action habituelle, répétée.
Ex. : Every morning, he pays his tribute to medical progress.
Tous les matins, il rend hommage aux progrès de la médecine.

4. has taken his vitamins (**has been taking his vitamins** est aussi correct, mais ne souligne pas la nuance explicitée dans la réponse suivante)
Le present perfect peut traduire le présent français. Il indique que l'action a débuté dans le passé mais se poursuit dans le présent. Il s'emploie avec « since » et « for ». Il s'agit de la simple énonciation des faits.
⚠ « Since » marque le point de départ de l'action ou une date.
Ex. : Grandpa is in good health since he has been on his medication. *Grand-père est en bonne santé depuis qu'il est sous traitement.*

5. has been taking his vitamins
Le present perfect continu, comme le present perfect, peut traduire le présent français. Il indique aussi que l'action a débuté dans le passé et se poursuit dans le présent. Mais le point de vue est subjectif et le locuteur exprime une opinion, son point de vue sur l'action.
Ex.: He's been taking sleeping pills again! *Il a encore pris des somnifères!*

6. has been taking his vitamins
On emploie le present perfect continu car on insiste sur le fait que grand-père continue à prendre ses médicaments.
⚠ « For » marque la durée.
Ex.: For a few days, Grandpa has been sneezing, sniffing because he has a stuffy nose. *Depuis quelques jours, grand-père éternue, renifle parce qu'il a le nez bouché.*
For few days, grandpa's health has seemed to get worst. *Depuis quelques jours, la santé de grand-père semble empirer.*

7. grow
Le présent simple sert à exprimer des vérités générales.
Ex.: When you stop being sick, you feel better. *Quand on arrête d'être malade, on se sent mieux.*

8. she always complains
Le présent simple indique la répétition.

9. she is always complaining
Le présent continu s'emploie aussi avec « always » pour indiquer une répétition (« always » a le sens de *tout le temps*).
Ex.: She is always calling her doctor when she has a headache. *Elle appelle tout le temps son médecin quand elle a mal à la tête.*

10. I'm seeing him tomorrow
Le présent continu peut traduire une idée de futur.
Ex.: Are you injured? Calm down and wait. I'm calling a doctor. *Êtes-vous blessé? Restez calme et attendez. J'appelle un médecin.*

11. has been green
⚠ Le present perfect utilisé avec « for » traduit le gallicisme *il y a... que/cela fait... que*
Ex.: For an hour, he has bled on the carpet. *Cela fait une heure qu'il saigne sur la moquette.*

11

See what I mean?

Past tenses/Les temps du passé

Bienvenue dans la maison londonienne de Freud, le célèbre psychanalyste ! Eh oui, dans ce chapitre, vous allez suivre à la fois les méandres de l'inconscient... et ceux de la conjugaison du passé. Sigmund Freud va recevoir ses patients sous vos yeux : quelques schizophrènes, dont vous devrez trouver les personnalités d'adoption. Puis quelques névrosés : vous les aiderez à régler leurs problèmes avec le passé et avec leur place dans la fratrie. À quel point le passé agit-il sur le présent ? C'est tout le problème de l'inconscient et de la conjugaison anglaise !

Historical hysteria *(mais pour qui se prennent-ils ?)*

Choisissez entre les deux formes proposées pour traduire un passé composé français. Puis, trouvez pour chaque exemple quelle est l'identité historique adoptée par le patient de Freud, parmi celles qui vous sont proposées.

In a room, 20 Maresfield Gardens, London NW3 5SX

1. – I **(A) have forgotten/forgot** my name, doctor. But I know I **(B) have died/died** in Dallas in 1963. I need to know my name to be able to introduce myself. Can you help me?

❏ Robert Kennedy   ❏ Martin Luther King
❏ Malcolm X   ❏ John Fitzgerald Kennedy

2. – I **(A) have married/married** six women and I **(B) have killed/killed** two of them. I'm the English murderous king. But, doctor, I **(C) haven't read/didn't read** the newspaper for years: do you know if the police are still looking for me?

❏ King Arthur ❏ Edward II ❏ George V ❏ Henry VIII

3. – I **(A) have been/was** the first American president. I **(B) have represented/have been representing** American values throughout American history. Let's see, I have a question for you now: **(C) I have lost/lost** my home in 1799. **(D) Have you seen/Did you see** it? I think it's white.

❏ Abraham Lincoln   ❏ George Washington
❏ Thomas Jefferson   ❏ Theodore Roosevelt

4. – I **(A) have had/had** a very nice crown. I **(B) have married/married** a German Prince. **(C) I reigned/have reigned** the longest.

❏ Victoria ❏ Elizabeth I ❏ Elizabeth II ❏ Mary I

Somewhere in the past *(l'univers du passé)*

Choisissez entre les deux formes proposées pour traduire un passé composé ou un imparfait français. Vous pouvez vous aider de la rubrique consacrée au vocabulaire p. 391 pour chercher les mots compliqués.

FREUD: Oedipus, how do you feel about your subconscious?
ŒDIPUS: It is working well. Two nights ago, I **(1) had/have had** a dream and last week, I only **(2) made/have made** three slips of the tongue, and two faulty actions. I can see clearly now.

FREUD: What about your dreams?
ŒDIPUS: It was actually a real nightmare. I **(3) was walking/had been walking** in a desert for days when I **(4) have met/met** a beast looking like a lion with wings and a woman's face. I **(5) was going/went** into town, when she **(6) asked/have asked** me a stupid question about a creature with four, two and three legs. I **(7) did not understand/have not understood** anything about this creature and as I **(8) wanted/have wanted** her to repeat the question, I **(9) said/have said**: « Hey man! Can you... » and that's when she completely **(10) vanished/has vanished**.

FREUD: And what about your slips of the tongue?
ŒDIPUS: Last week, instead of saying « son », I **(11) said/have said**

« brother » and instead of saying « daughter », I **(12) said/have said** « sister ». Anyway, it does not really matter because I **(13) used to think/thought** that my wife was my mother.

FREUD: What about recently?
ŒDIPUS: I **(14) did/have done** a lot recently. As I **(15) was walking/had walked** past a man, I **(16) hit/have hit** him in the face. When I **(17) have leant/leant** over him I **(18) realized/have realized** he was dead.

FREUD: And how do you feel right now?
ŒDIPUS: I have a complex, I'm afraid.

Family members

Retrouvez dans cette liste les membres de la famille dont voici les définitions.

Aunt/cousin/grandfather/grandmother/great-aunt/uncle.

1. She is my father's sister, she is my _____

2. He is my grandfather's son, he is my _____

3. He is my uncle's brother's father, he is my _____

4. She is my uncle's daughter, she is my _____

5. She is my father's brother's mother's sister,
she is my _____

6. She is my cousin's mother's mother, she is my _____

Une panne de vocabulaire ?

To be able to : *être capable de*
Beast : *bête, animal*
Clearly : *clairement*
Crown : *couronne*
Ever since : *depuis ce temps*
Faulty action : *acte manqué*
To hit (hit, hit) : *frapper*
To introduce oneself :
   se présenter
To lean (leant, leant) :
   se pencher
To look for : *rechercher*
To look like : *ressembler*

Murderous : *meurtrier*
Nightmare : *cauchemar*
Slip of the tongue : *lapsus linguae*
Shrink : *psy*
Subconscious : *subconscient*
Throughout : *à travers*
Values : *valeurs*
To vanish : *disparaître*
To walk by : *passer à côté de*
Whole : *entier*
Wings : *ailes*
It works : *ça marche*

Réponses

Historical hysteria

1. John Fitzgerald Kennedy

(A) have forgotten

Le passé composé français peut correspondre au present perfect. L'action passée a un rapport avec le présent. L'action est passée mais le locuteur s'intéresse au résultat qui influe sur le présent.

Ex. : I have lost my psychoanalyst's address. I can't make it to my appointment. *J'ai perdu l'adresse de mon psychanalyste. Je ne peux pas me rendre à ma séance.*

L'AVIS DU PSY : L'acte manqué est évident : plutôt que de perdre l'adresse, le patient aurait mieux fait de ne pas la demander. Il a manqué un acte et une occasion de se taire.

(B) died

Le passé composé français peut correspondre aussi au prétérit. Il s'agit d'une action passée, datée et terminée sans rapport avec le présent.

Ex. : I spent ten years seeing my shrink but I can't remember why. *J'ai passé dix ans chez le psy mais je ne me souviens plus pourquoi.*
L'AVIS DU PSY : Ce n'était pas un psy.

2. Henry VIII (prononcer Henry the eighth)

(A) married

(B) killed

(C) haven't read

Le present perfect s'utilise aussi lorsque l'action ne s'est pas produite depuis un certain temps, jusqu'au moment présent.

Ex. : I haven't felt so well for a long time.
Cela fait si longtemps que je ne me suis pas senti aussi bien.

L'AVIS DU PSY : Le patient prononce cette phrase plongé dans un
état d'hypnose.

3. George Washington

(A) was

(B) have been representing

Le present perfect en « have been + ing » indique une action passée
qui continue dans le présent ou qui vient juste de s'arrêter.

Ex. : I have been seeing a shrink all my life and I still don't know if
I am a sociopath or a psychopath.

*J'ai vu un psy toute ma vie et je ne sais toujours pas si je suis un
sociopathe ou un psychopathe.*

(C) lost

(D) Have you seen/did you see

Les deux réponses sont envisageables. Tout dépend si l'on attend
une réponse qui permette de localiser la maison (dans ce cas la
question a une répercussion sur le présent) ou bien s'il s'agit d'une
simple question de curiosité : le locuteur peut avoir vu la maison
sans savoir la localiser (la question concerne alors uniquement le
passé et un fait s'étant déroulé dans le passé sans conséquence sur le
présent).

4. Victoria

(A) had

(B) married

(C) reigned

Précisons que si la reine concernée avait été Elizabeth 2nd, le temps aurait été du present perfect en « have been + ing » puisque cette dernière continue à régner.

Somewhere in the past

(1) had

« Ago » *il y a* s'emploie avec le prétérit.

Ex. : I was perfectly stable two minutes ago. *J'étais parfaitement équilibré il y a deux minutes.*

L'AVIS DU PSY : Dieu ! que le temps passe vite !

(2) made

Le prétérit s'emploie pour une action passée, terminée et datée.

Ex. : I had a nervous breakdown last week.

J'ai fait une dépression nerveuse la semaine dernière.

(3) had been walking

Le past perfect continu « had been + ing » traduit un imparfait français. Il indique qu'une action était en cours dans le passé, lorsqu'un événement a eu lieu. Il est employé avec « since » et « for ».

Ex. : For years I had been thinking that I was having a nervous breakdown, when the psychiatrist told me he just thought I was human. *Je pensais depuis des années que j'étais dépressif quand le psychiatre m'a dit qu'il pensait que j'étais juste humain.*

(4) met

(5) was going

Le prétérit en « be + ing » indique qu'une action était en cours dans le passé, lorsqu'un événement a eu lieu. Il se traduit par un imparfait en français.

Ex. : I was speaking about my family story, when I realized I was alone lying on the couch, my analyst was gone and the door was closed. *Je parlais de l'histoire de ma famille, lorsque je me suis rendu compte que j'étais seul, allongé sur le divan, que mon analyste était parti et que la porte était fermée.*

(6) asked

(7) did not understand

(8) wanted

(9) said

(10) vanished

(11) said

(12) said

(13) used to think
L'expression « used to » s'utilise pour indiquer qu'une action a eu lieu uniquement dans le passé et qu'elle n'a pas de lien avec le présent.

Ex. : I used to cry for my bottle. *Je pleurais pour avoir mon biberon.*
« Used to » permet aussi d'exprimer une répétition fréquente dans le passé.

Ex. : I used to be thirsty after seeing my shrink.
J'avais soif (habituellement) après avoir vu mon psy.

⚠ Ne pas confondre avec l'expression « to be used to + v-ing » qui exprime une habitude. Elle peut être conjuguée à tous les temps contrairement à « used to » qui ne s'emploie qu'au passé.

Ex. : I am used to funding my analyst's skiing holidays. *J'ai l'habitude de financer les vacances au ski de mon analyste.*

(14) have done
Le present perfect est utilisé ici parce que l'action a des répercussions dans le présent (voir le premier exercice).

(15) was walking

(16) hit

(17) leant

(18) realized

Family members

1. aunt
Elle est la sœur de mon père, c'est ma tante.
2. uncle
Il est le fils de mon grand-père, c'est mon oncle.

3. grandfather
Il est le père du frère de mon oncle, c'est mon grand-père.

4. cousin
Elle est la fille de mon oncle, c'est ma cousine.

5. great-aunt
Elle est la sœur de la mère du frère de mon père, c'est ma grand-tante.

6. grandmother
Elle est la mère de la mère de ma cousine germaine, c'est ma grand-mère.